Tancerze w żałobie

KLASYKA KRYMINAŁU

Margery Allingham

Tancerze w żałobie

Przełożyła z angielskiego
Marta Czub

WYDAWNICTWO
DOLNOŚLĄSKIE

NajlepszyPrezent.pl
TWOJA KSIĘGARNIA INTERNETOWA

Tytuł oryginału
Dancers in Mourning

Projekt okładki
ANNA DAMASIEWICZ

Fotografie na okładce
© Frantisek Chmura | Depositphotos.com
© Siraphol Siricharattakul | Depositphotos.com
© Edhar Yuralaits | Depositphotos.com

Redakcja
CELINA RYMSZA

Korekta
IWONA LEWANDOWSKA

Redakcja techniczna
LOREM IPSUM

ISBN 978-83-271-5227-5

**WYDAWNICTWO
DOLNOŚLĄSKIE**
jest znakiem towarowym Publicat S.A.

Publicat S.A.
61-003 Poznań, ul. Chlebowa 24
tel. 61 652 92 52, fax 61 652 92 00
e-mail: office@publicat.pl, www. publicat.pl

Oddział we Wrocławiu
50-010 Wrocław, ul. Podwale 62
tel. 71 785 90 40, fax 71 785 90 66
e-mail: wydawnictwodolnoslaskie@publicat.pl

Dedykuję Nerney

ROZDZIAŁ 1

Gdy po pięćdziesięciu ośmiu latach przykładnego obijania się pan William Faraday zabrał się wreszcie za przelewanie swych wspomnień na papier, stwierdził, że spisywanie historii własnego życia jest niemal równie nużące, jak jej przeżywanie, a zatem, będąc człowiekiem pełnym inwencji i posiadającym przy tym zdolność wyszukiwania najprostszych rozwiązań, od drugiej strony tekstu zaczął nieznacznie mijać się z prawdą, a na szóstej i kolejnych najzwyczajniej w świecie już kłamał.

Książka ukazała się wraz ze frontyspisem w 1934 roku w cenie osiemnastu szylingów i sześciu pensów i zapewne, jak setki jej podobnych, znalazłaby się na liście odkładanych na później, gdyby pikanteria jednej z bardziej zwariowanych anegdot w rozdziałach opisujących Indie, których autor nigdy nie odwiedził, nie zapewniła jej miejsca w niedzielnej gazecie w rubryce z wiadomościami.

Wzmianka o pamiętnikach zwróciła uwagę pewnego krytyka, który nie dopuścił, aby własna renoma pozbawiła go zdolności zachwycenia się absurdem. W recenzji, którą jakiś czas później napisał, zwracał uwagę, że książka Faradaya to czysta fikcja, by nie rzec – wymysł, ale przy tym zupełnie przypadkowo jedna z najzabawniejszych pozycji dekady.

Czytelnicy podzielili zdanie krytyka, a William Faraday, autor *Wspomnień starego ramola* (wznowionych w cenie siedmiu szylingów i sześciu pensów w nakładzie siedemdziesięciu czterech tysięcy) w wieku sześćdziesięciu jeden lat został obwołany literatem.

I niemal na kogoś takiego wyglądał, gdy siedział w loży teatru Argosy i wbijał spojrzenie swoich małych, lśniących oczu w scenę, na której odgrywano właśnie po raz trzechsetny *Ramola*, musical zrealizowany na podstawie wybranych fragmentów jego książki. Ponieważ widział już spektakl jakieś trzydzieści czy czterdzieści razy, oceniał go naturalnie bardziej krytycznie, co nie zmieniało faktu, że przedstawienie i tak mu się podobało. Pozostali widzowie nie odczuwali podobnego przesytu. Śmiali się, poklepywali po plecach, a zasiadający w tańszej części widowni wpadali wręcz w lekką histerię. Nawet ludzie świadomi i inteligentni byli zadowoleni, bo mieli okazję doświadczyć nieczęstego duchowego wyzwolenia. Powszechnie wiadomo, że musical duetu Jimmy Sutane–Slippers Bellew przeznaczony był dla osób o najróżniejszym poziomie intelektualnym i stanowił swego rodzaju uświęcony azyl, w którym krzyżowały się spojrzenia prostaczka i inteligenta. Wielbiciele Sutane'a zajmowali zarówno parter, jak i galerię, i jak dzieci – pochowani w najmniej spodziewanych zakamarkach – śledzili jego kościstą, ekstatyczną postać, pochłoniętą pełną wdzięku, choć z lekka groteskową interpretacją muzyki Mercera. Byli jak ptaki uwięzione w klatce, obserwujące z podnieceniem i jednoczesnym żalem swobodny lot pobratymca.

To była wyjątkowa okazja, pamiętny wieczór, którego wspomnienie miało budzić w przyszłości rozrzewnienie. W starym gmachu teatru panowała atmosfera zabawy i nawet rumiane boginki ponad kandelabrami zdawały się oddawać z nowym entuzjazmem swym wymalowanym na suficie figlom. Najróżniejsi pracownicy, uśmiechnięci mimo zmęczenia, ze zdwojonym zapałem, choć nie było to absolutnie konieczne, uwijali się wśród telegramów, nieznośnych kretynów domagających się biletów przed Bożym Narodzeniem, kwiatów w lodzie z Australii oraz kosztownych, natrętnych telefonów zza Atlantyku. Dziewczęta z programami i w nowiutkich mundurkach zerkały na scenę ze świeżym zainteresowaniem nawet wówczas, gdy nie było na niej Sutane'a, natomiast orkiestra wpadła niemal w ekstazę, rozkoszując się – mimo nowego numeru w drugim akcie – nieznanym dotąd poczuciem bezpieczeństwa.

Ciężkie przeżycie emocjonalne – wieczór premierowy – należało już do przeszłości. To był koszmar, z którego udało się szczęśliwie przebudzić. Ten wieczór, trzechsetne przedstawienie, miał w sobie przyjemny posmak rzeczywistości. Napis „Bilety wyprzedane" najwyraźniej na dobre rozgościł się przed teatrem od strony Shaftesbury Avenue i nie trzeba już było się modlić o to, żeby bilety zamawiały biblioteki.

Pan Faraday wychylił się do przodu. Przypominał małego niedźwiedzia odzianego w elegancką biel i czerń, który kiwa się w rytmie fokstrota z premierowego przeboju. Z tyłu sceny wisiała zabawna zasłona zaprojektowana przez Pavaliniego, na którą składały się groteskowe twarze, a stali bywalcy szturchali swoich towarzyszy, zwracając im szeptem uwagę na karykaturę nikczemnej Doremus, pierwszą z prawej od strony krupiera.

Światła rozbłysły mocniej i pojawili się chórzyści w kostiumach z dwudziesto-, pięćdziesięcio- i stufrankówek. Coraz to więcej wbiegało ich truchtem na scenę. Wyćwiczeni do perfekcji kłaniali się i brzękali w starannie zaaranżowanym nieporządku, by na koniec ustawić się w imitację stosu żetonów na stole do ruletki. Na środku sceny rozjarzyło się gigantyczne koło, muzyka przycichła, a oklaski zagłuszyły uderzenie, jak zawsze, gdy ukazywała się znajoma postać w białym fraku, oparta o srebrny stół obrotowy. Potem rozlegało się powtórne uderzenie i cichy, czarujący głosik, który wiedział wszystko, co trzeba wiedzieć o przekonującym wykonaniu piosenki, i stosunkowo niewiele o samym śpiewaniu, przebił się czysto przez pierwszy chór:

Jaka jest szansa, że masz mnie w swojej puli?
Jak tysiąc – jak milion do jednego.
To pewniak. To fantazja.
Zaprzepaszczona okazja.
Tysiąc – milion do jednego.

Osiemdziesiąt procent zgromadzonej w teatrze widowni zamiast twarzy widziało zamazaną plamę, biały punkcik w morzu przytłumionych barw, ale wszyscy rozpoznawali wysokie czoło, okrągłe, smutne oczy, długi, przypominający kaczy dziób nos i usta, które tak zabawnie rozciągały się w wyrafinowanym uśmiechu.

Pozostali podjęli refren, koło poszło w ruch i po raz trzechsetny rozległo się stepowanie, które trafiło już do kroniki plotkarskiej i miało dużą szansę, by na trwałe zapisać się w historii teatru. Niewielka biała postać wyposażona w obłędne stopy szalała i wirowała na deskach, wystukując melodię z niezwykłą czystością – to już nie była zwykła precyzja, ale raczej cud. Szybciej, szybciej, jeszcze szybciej! Tysiąc – milion do jednego... tysiąc – milion do jednego...

Kryzys nadszedł w momencie uniesienia. Widownia kołysała się z zachwytem, cudownie zrelaksowana. Ruletka spowolniła, wybijany stopami rytm zaczął się uspokajać, a melodia opadła przejmująco o oktawę niżej. Chór podjął na nowo śpiew, lampki nadały ruletce wygląd wielkiego zera, a oklaski, niczym dźwięk przetaczającego się przez pole kukurydzy wiatru, zerwały się z przerażającym hukiem i opadły na białą postać, która uśmiechała się szeroko.

William Faraday odezwał się do siedzącego obok mężczyzny.

– To niedopuszczalne, Campion – mruknął spomiędzy zaciśniętych warg. – Coś z tym trzeba zrobić, chłopcze. Bez dwóch zdań. To dla mnie bardzo ważne.

Pan Campion pokiwał głową. Ryk wielkiej, usatysfakcjonowanej bestii, która wypełniała swym ogromnym cielskiem budynek teatru i której, strach pomyśleć, on sam był częścią, praktycznie uniemożliwiał rozmowę. Campion odchylił się w półmroku w fotelu. Padające ze sceny światło musnęło jego okulary w rogowych oprawkach i zdumiewająco wyraźnie zarysowaną linię brody. Nie był przystojnym mężczyzną. Jego fizjonomia cechowała się pewną bezmyślnością, która zaburzała przyjemne rysy twarzy i przydawała mu pewnej nieokreśloności, na skutek czego ci, którzy go poznali, z trudem potrafili go sobie później przypomnieć i zupełnie nie umieli go opisać.

Teraz jednak pan Faraday, który dobrze znał Campiona i miał solidne podstawy, by ufać jego zdolnościom, zaczął się zastanawiać, czy jego towarzysz w ogóle go słucha, a jeśli tak, to czy go rozumie.

– Kolejna porcja kłopotów, nic dziwnego – mruknął kilka minut później, gdy kurtyna poszła w górę, odsłaniając starą scenę rewiową, a melodia numeru dorzuconego do przedstawienia na cześć wyjątkowej okazji rozbrzmiała swym leniwym, pełnym podtekstów rytmem. – Nie pojmuję, po co im kolejny taniec. Sposób rozumowania ludzi teatru zawsze mnie przerastał. Nigdy nie lubiłem tej dziewczyny. Jest jak dla mnie trochę za bardzo przeintelektualizowana. Pewnie zdążyła się mocno zestarzeć.

Odwrócił się w krześle, co przez wzgląd na jego krótką szyję wymagało skrętu praktycznie całego ciała.

– Patrzysz, Campion?

– Oczywiście – odparł wyraźnie zaskoczony mężczyzna.

Jego towarzysz chrząknął.

– Oto i ona. Mógłbym ci o niej niejedno opowiedzieć.

Zdolności Chloe Pye, w przeciwieństwie do pełnego natchnienia stepowania Jimmy'ego Sutane'a, wywodziły się z poprzedniej epoki, a pan Campion sam się zastanawiał, dlaczego po długim kolonialnym tournée artystka zdecydowała się powrócić na scenę w towarzystwie tak silnej konkurencji. Jeszcze bardziej dziwiło go to, że w ogóle poproszono ją o udział w przedstawieniu. Campion był chłopcem, gdy zobaczył Chloe po raz pierwszy na afiszach jednego z lepszych teatrów rewiowych. Jej dość poślednie umiejętności wspomagała osobowość na tyle kobieca, że uwodziła subtelnie również poza sceną. Jej występ był zawsze jednakowy i składał się z serii krótkich partii tanecznych opowiadających pewną historię i uzupełnionych o strój z epoki, gubiony stopniowo w tańcu. Zarzuty niejakiego prostactwa nieodmiennie tłumaczono wymogami opowieści. Stąd też widok Chloe w bieliźnie z epoki Stuartów został sprytnie wyeksponowany w produkcji *Nell Gwyn idzie na dwór*, zaś

11

wiktoriańskie peniuary i pantalony zostały w całości ukazane, z równie nieśmiałym brakiem ogłady, w *Poranku roku 1832*. Jej sukces tuż po wojnie, gdy współczesna bielizna została okrojona do mało ciekawego minimum, okazał się dość znaczny, a występy zyskały na atrakcyjności wskutek huczącego od plotek życia osobistego.

W tamtych czasach swoboda seksualna wciąż jeszcze pachniała nowością, więc romanse Chloe były wdzięcznym tematem rozmów, ale dziś, w czasach gdy nużąca poliandria zapędziła się w melancholijny kozi róg, reputacja Chloe, o ile ktoś w ogóle o niej pamiętał, zamiast przydawać jej uroku, raczej go umniejszała. Podobnie powrót bielizny na wystawy sklepowe i ciała małżonek oraz sióstr zniweczył powab pierwotnego pomysłu i tego wieczora, gdy na sceniczne deski opadała halka za halką, nie słychać było pomruku wyrozumiałych protestów.

– Przeintelektualizowana? – szepnął pan Campion, nawiązując do krytycznej uwagi.

– W przeszłości – wyjaśnił krótko pan Faraday. – Nie rozumiem, czemu ją zaangażował. Nie widzę związku z książką. Podobno kiedyś działała jak magnes. Dziś nie zachęciłaby do zakupu ani jednego biletu.

Patrząc na aktorkę, Campion nie mógł nie przyznać mu racji. Rozochocona i przyjaźnie usposobiona widownia okazywała życzliwość, ale wyraźnie wyczuwało się stan wyczekiwania na powrót Sutane'a i Slippers we wspólnym numerze *Dookoła świata w czterokonnym zaprzęgu* z muzyką, którą Mercer skomponował pewnego popołudnia podczas rozmowy z Jimmym, a którą podśpiewywano już sobie na dwóch kontynentach.

– Nie lubię jej – mruknął pan Faraday. – Gdyby nie jej niedawny powrót do Anglii, można by pomyśleć, że od początku z nimi gra. Spójrz tylko na nią – ma pięćdziesiątkę z okładem.

Nie spuszczając wzroku z ciemnej, energicznej postaci na scenie, Campion stwierdził, że Faraday się myli. Chloe Pye miała czterdzieści dwa lata i była w doskonałej formie. To jej umysł, a nie ciało, można było uznać za beznadziejny przejaw *vieux jeu**.

Towarzysz Campiona dotknął jego ręki.

– Chodź – szepnął porywczo. – Nie mogę na to patrzeć. Oczywiście nie powinienem tak mówić. Potrzebna mi twoja pomoc, chłopcze. Liczę na ciebie. No chodź.

Teatr Argosy był stary i, jak przystało na budynek tego typu, rozkład pomieszczeń za kulisami nie został zbyt dobrze przemyślany. Campion przecisnął się przez drzwi, które na wysokość były dla niego prawie tak samo niewygodne jak dla pana Faradaya na szerokość. Ryzykując złamaniem karku, zszedł po rozklekotanych metalowych schodach i znalazł się na korytarzu, który wyglądem i zapachem przypominał jedno z mniej uczęszczanych przejść przy nadrzecznej stacji metra.

Pan Faraday obejrzał się z błyszczącymi oczami przez ramię.

– Przychodziłem tu kiedyś do Connie. Za młody jesteś, żeby ją pamiętać – mruknął. – Ślicznotka! Już się pewnie zestarzała – westchnął i dodał tonem nieśmiałego wyznania, który niemal w całości decydował o jego uroku. – Ciągle czuję ten dreszczyk emocji. *Vie de bohéme***, światła jupiterów, dalekie dźwięki muzyki, zapach szminki aktorskiej, kobiety i cała ta reszta.

Na szczęście pan Campion, który zgubił wątek, nie musiał odpowiadać. W głębi korytarza otworzyły się gwałtownie jakieś drzwi i stanął w nich złotowłosy młodzieniec w eleganckim stroju wieczorowym, z posrebrzaną kolarzówką u boku. Był bardzo rozzłoszczony, a jego twarz, odrobinę zbyt piękna, by mogła być przyjemna, była absurdalnie naburmuszona.

– Rób, jak chcesz, Richards, możesz się zachowywać podle, ale wolno mi wprowadzać rower, gdzie mi się żywnie

---

* *Vieux jeu* – francuskie wyrażenie oznaczające przestarzały, niemodny światopogląd i sposób zachowywania się (wszystkie przypisy pochodzą od tłumaczki).

** *Vie de bohéme* (fr.) – życie cyganerii.

podoba – rzucił przez ramię. – Doskonale zdajesz sobie z tego sprawę.

– Przykro mi, panie Konrad. – Ze środka wyszedł znużony człowiek w uniformie. Miał zmęczone oczy i rozwichrzone wąsy. – Pan Webb osobiście kazał mi dopilnować, żeby tego typu rzeczy zniknęły z teatru. Brakuje miejsca dla artystów, a co dopiero na rowery.

– Ale pannie Bellew wolno przychodzić z dogiem. – Młody mężczyzna ściskał kierownicę z niemal morderczą zaciekłością, ale w głosie portiera brzmiała nieustępliwość niepodważalnego autorytetu.

– Panna Bellew jest dyrektorką – stwierdził z mocą.

Chłopak z rowerem cały zesztywniał, a na jego twarz zaczął powoli wypływać rumieniec, rozlewając się aż po korzonki złotych loków. Przez jedną pełną zażenowania chwilę wyglądało to tak, jakby miał się rozpłakać.

– Ten rower to prezent od wielbicieli – powiedział. – Czemu przez zwykłą zazdrość... – Spojrzał morderczym wzrokiem do środka, zapewne na pozostającą tam osobę – ...nie wolno mi pochwalić się nim wszystkim, którym chcę? Narażasz się tylko na pośmiewisko. Nie omieszkam pomówić o tym z Jimmym. Może zająłbyś się ważniejszymi sprawami?

W ostatnich słowach dało się słyszeć nutę lekceważenia, jakby mężczyzna celowo poruszył jakiś zakazany temat. Na poszarzałych policzkach portiera pojawiły się czerwone plamy, a on sam obejrzał się za siebie. Na widok Campiona ruszył ze złością naprzód, ale przystopował uspokojony widokiem pana Faradaya, któremu skinął głową na powitanie. Zdenerwowany, ale wciąż niewzruszony powrócił do przerwanej rozmowy.

– A teraz, panie Konrad – odezwał się, kładąc ciężką rękę na błyszczącym pojeździe – pozwoli pan, że wyprowadzimy rower na zewnątrz.

Złotowłosy chłopak przekazał mu rower, pogardliwie wzruszając kształtnymi ramionami.

– O, wujcio William – powiedział. – Proszę zobaczyć, co dostałem od Klubu Speedo. Nie jest niedorzeczny?

Pan Faraday odkaszlnął hałaśliwie.

– Wspaniały – rzucił ostro i chwytając Campiona za rękę, pociągnął go stanowczo w głąb korytarza. – Denerwują mnie tacy ludzie – mruknął aż nazbyt słyszalnie. – Żeby mówić na mnie wujcio William?! Słyszałeś go?! Bezczelna mała gnida! Nie przeszkadza mi, jak mówią tak do mnie przyjaciele – wręcz to lubię. Przywykłem. Zauważyłem na przykład, że ty już tak nie mówisz. Nie krępuj się, drogi chłopcze. Ale taki padalec jak on... Sam widzisz, że wszystko aż się we mnie gotuje. Złote loczki!... Chodź, pójdziemy za kulisy. Znam drogę. Chcę ci przedstawić Slippers. Miła dziewczyna. Całkiem do rzeczy, tyle że zupełnie pozbawiona seksapilu – dodał z żalem i znów się rozkaszlał, jakby z obawy, że z czymś się zdradził.

Gdy podeszli bliżej, numer *Dookoła świata w czterokonnym zaprzęgu* trwał w najlepsze. Campion dostrzegł zza pleców pana Faradaya dwie postacie, doskonale znane bywałej publiczności obu kontynentów. Slippers Bellew przypominała bladozłoty płomyk migocący na spowitej półmrokiem scenie, natomiast wierny jak cień Sutane nie odstępował jej na krok, samym tylko ruchem odmalowując nieme uwielbienie, którego wymagała od niego piosenka i które w tak ogromnej mierze stanowiło o jego uroku.

Na koniec numeru rozległ się potężny aplauz publiczności. Huk oklasków owionął aktorów jak tchnienie gorącego oddechu, a oni wycofali się, mijając gromadkę dziewcząt i drugoplanowych postaci biorących udział w finale noszącym tytuł *Małe białe haleczki*.

Emocje – w teatrze zawsze w jakimś stopniu obecne, nawet gdy sztuka wystawiana jest po raz trzechsetny z rzędu – ogarnęły także i Campiona, który uświadomił sobie dojmującą siłę osobowości Sutane'a, wyczuwalną po obu stronach kurtyny. Idąc za wujciem do garderoby, usiłował rozłożyć ją na czynniki pierwsze. Aktor był wcieleniem talentu i wdzięku, ale to za mało, by roztoczyć aż tak przemożny urok. Campion uznał, że jego prawdziwy powab jest kwestią wyrafinowanej, pogodnej, a przy tym bardzo krytycznej inteligencji, łatwości w obejściu i godności, którym brakło emocjonalnego spełnienia – zakochany bohater, sztuczka stara jak świat.

Wujciowi nie zamykały się usta:

– Zaczekamy tu na niego – poinformował, pukając do drzwi oznaczonych jedynką. – Chce się z tobą zobaczyć. Obiecałem, że cię przyprowadzę.

Młody, flegmatyczny mężczyzna w białym garniturze i okularach o bardzo grubych szkłach wpuścił ich do dużego pomieszczenia oświetlonego tak rzęsiście, że aż nieprzyjemnie.

– Proszę wejść. Miło pana widzieć – odezwał się, prowadząc starszego mężczyznę do ustawionego obok toaletki fotela.

Wujcio Williams wymamrotał podziękowania i usiadł.

– To jest Henry, Campionie – powiedział i skinął pulchną dłonią. – Dobry chłopak.

Młodzieniec rozpromienił się i podstawił fotel dla drugiego gościa. Z miejsca udało mu się pokazać, że nie jest pewny, czy jego zachowanie odpowiada standardom służby najwyższej klasy, ale że uważa, iż z dużym prawdopodobieństwem tak właśnie jest.

– Kropelkę whisky, sir? – zaproponował z nadzieją.

Wujcio William wyraził ochotę.

– Dobra myśl – powiedział z namysłem, a Henry aż poczerwieniał, jakby go ktoś pochwalił.

Gdy karafka była w drodze, Campion miał czas spokojnie obejrzeć sobie pokój, w którym wyraźnie odcisnął się wpływ trzech zupełnie odmiennych gustów. Pierwotny dekorator lubił bogate zdobienia, co znalazło odzwierciedlenie w tureckim dywanie i kanapce ze złoconymi nóżkami, ale widać też było żołnierski dryg i upodobanie do gadżetów, takich jak barek ukryty w starej szafce po gramofonie, który pojawił się oczywiście dzięki Henry'emu. Ale było coś jeszcze, coś bardziej nieuchwytnego.

Poza stertami papierzysk, głównie fotosów i telegramów, znajdowało się tu kilka nietypowych elementów wskazujących na osobiste zainteresowania Jimmy'ego Sutane'a. Obok pudełka z mieszanką cukierków lukrecjowych i bukietu białych kwiatów na toaletce stały dwie czy trzy nakręcane zabawki, natomiast na półce w rogu leżała bardzo ładna biała figurka bóstwa Hotei oraz kalendarz z odrywanymi kartkami, w którym uwzględniono przepowiednie astrologiczne na każdy dzień roku.

Wujcio William rozsiadł się wygodnie, a jaskrawe światło zalśniło na podwójnym rzędzie niemal białych wałeczków, które uformowały się na jego pulchnym różowym karku. Wyglądał światowo, dobrodusznie i z jakiegoś powodu trochę nierealnie. Spojrzenie jego załzawionych niebieskich oczu było poważne, a mina pełna godności.

– Co nowego? – spytał.

Szykujący kieliszki Henry zamarł, ale się nie odwrócił.

– Dla mnie to wszystko jest trochę zabawne, sir – zauważył ponuro. – Panna Finbrough być może potraktowałaby to poważnie, ale nie ja.

– Panna Finbrough? – odchrząknął wujcio. – Moim zdaniem, żeby wyprowadzić z równowagi tę kobietę, sprawa musi być poważna.

– Można by tak pomyśleć, sir. – Henry celowo udzielał wymijających odpowiedzi i ciągle stał odwrócony tyłem.

Starszy mężczyzna milczał przez chwilę.

– Może to nic takiego – powiedział w końcu.

Henry odwrócił się cały czerwony i wyraźnie nieszczęśliwy.

– Aktorzy różnią się od zwykłych ludzi, sir – wybuchnął i zarumienił się zawstydzony własnym brakiem lojalności. – Jestem nowy, ale i tak to widzę. Aktorzy lubią dramatyzować. Przykładają do pewnych rzeczy większe znaczenie niż pan czy ja. Zwracają uwagę na drobiazgi. Nie ma lepszego człowieka niż pan Sutane, nikt temu nie przeczy. Ale całe życie spędził w teatrze i nigdy nie postępował jak zwykły człowiek. Załóżmy, że

17

od czasu do czasu zdarzają się problemy. Ale przecież zawsze się zdarzają. Teatr jest jak maleńka wioska, w której wszyscy patrzą sobie na ręce i zastanawiają się, co knują inni. To zamknięty światek i w tym problem. A panna Finbrough… – urwał gwałtownie.

Ktoś przekręcił z klekotem klamkę i do środka wszedł Jimmy Sutane.

Stał przez chwilę z uśmiechem, a Campion miał wyraźną świadomość owej przedziwnej ostentacji, która zawsze towarzyszy wszystkim silnym osobowościom widzianym po raz pierwszy z bliska. Znalazłszy się nagle w odległości kilku metrów, Sutane wyglądał jak przerysowana wersja własnej scenicznej osobowości. Zmarszczki wywołane słynnym uśmiechem wryły się w jego twarz dużo wyraźniej, niż wydawało się to z pozoru możliwe u tak chudej osoby, a nakryte ciężkimi powiekami oczy schowane pod potężną kopułą czoła sprawiały wrażenie skrajnie wyczerpanych, nie po prostu zmęczonych.

– Witaj, wujciu – odezwał się Sutane. – To pan Campion? Bardzo to miłe z panów strony, że przyszliście. Boże, jaki ja jestem zmęczony! Daj mi coś do picia, Henry. Obawiam się, że musi to być mleko, niech to szlag.

Miły chłopięcy głos był nieoczekiwanie donośny, a kiedy aktor zamknął za sobą drzwi i wszedł do środka, wnętrze zrobiło się nagle jakby mniejsze, a ściany grubsze.

Henry przyniósł z barku szklankę mleka i pomógł Sutane'owi przebrać się w szlafrok. W tym czasie ciągle im ktoś przeszkadzał. Głowy podekscytowanych ludzi we frakach pojawiały się w drzwiach, przepraszały i zaraz potem znikały. Nadchodziły kolejne liściki i telegramy, a telefon się urywał.

Campion siedział w kącie w fotelu i obserwował całą scenę. Po grzecznym powitaniu tancerz najwyraźniej zapomniał o swoich gościach. Była w nim jakaś nerwowość i napięcie, siłą tłumiona nadpobudliwość, niedostrzegalna na scenie. Wyglądał na udręczonego, a jego stres jak wibracje w dynamo nie promieniował w żadnym określonym kierunku, ale ulatywał swobodnie, wywołując ogólny niepokój i zdenerwowanie.

Miarka się przebrała, gdy jakiś człowiek, niczego się nie spodziewając, uchylił nieśmiało drzwi. Sutane odwrócił się gwałtownie i odprawił go ze złością.

– Na litość boską, Eddie! Daj mi dziesięć minut…

Wybuch zawstydził go i spojrzał skrzywiony na Campiona – swoją tymczasową publikę.

– Zamęczą mnie – westchnął. – Henry, stań po drugiej stronie i oprzyj się plecami o drzwi. Powiedz, że się modlę. Zanim wyjdziesz, odłącz telefon.

Gdy za posłusznym garderobianym zamknęły się drzwi, Sutane zwrócił się do Campiona.

– Niech pan przyjdzie jutro, dobrze? Mam konferencję prasową i kilka spraw do załatwienia w związku z przedstawienia *W rytmie swinga* dla Orientu, ale niedziela jest zwykle trochę luźniejsza. Nie wiem, co pan sobie o tym wszystkim pomyśli. Wiem tylko, że coś jest nie tak. Ten grubas mówi, że cierpię na manię prześladowczą… Naprawdę bardzo bym chciał!

Roześmiał się i choć z pozoru był jak zawsze wesoły, to obserwujący go mężczyzna zauważył, że to tylko zwodniczy wyraz twarzy, a nie autentyczne odczucie. Typowe, stwierdził Campion. Skóra i kości to tylko maska. Prawdziwy człowiek krył się w środku – równie inteligentny, tyle że w inny sposób.

– Zaczęło się od afiszów „Bilety wyprzedane” – zaczął powoli Sutane. – Ktoś dolepił w poprzek napis „W zeszłym tygodniu". Zdenerwowało mnie to, ale to jeszcze nic. Potem, z tego co pamiętam, pewnego wieczora w trakcie przedstawienia zaczął się drzeć jakiś ptak. To był klakier. Reszta widowni się zdenerwowała. Incydent był sam w sobie bez znaczenia, ale w prasie pojawiły się wzmianki na ten temat. Od razu kazałem się tym zająć Sockowi Petriemu i udało mu się wyśledzić kilka połączeń telefonicznych, nawiązanych tego samego wieczora.

Sutane zamilkł.

– Wiem, że w zasadzie to o niczym nie świadczy, ale problem się powtarza. Niemal co drugi dzień trzeba wymieniać szybę w gablocie z moim zdjęciem przed budynkiem. Ktoś ją regularnie tłucze. Ale nie zostawia po sobie żadnego śladu. Chodzi o mnóstwo banalnych drobiazgów. Same w sobie nic nie znaczą, ale w większej liczbie zaczynają niepokoić.

Ciemne oczy Sutane'a sposępniały.

– Tak naprawdę martwić zacząłem się dopiero wtedy, gdy nieprzyjemności przeniosły się do mnie do domu. Nieznajomi pałętający się po ogrodzie bez wyraźnej przyczyny i tego typu sprawy.

Urwał niezgrabnie i zwrócił się do starszego mężczyzny.

– Dziś przyjeżdża do nas Chloe Pye – poinformował. – Mówi, że moja żona ją zaprosiła, więc ma zamiar się zjawić. Powiedziałem jej, że wolałbym, żeby nie przyjeżdżała, ale mnie wyśmiała. Nie mogę jej wyrzucić, prawda?

Wujcio William cmoknął z dezaprobatą, a pan Campion siedział z typowym dla siebie wyrazem uprzejmego zainteresowania. Sutane zamilkł i poczerwieniał raptownie pod szminką aktorską.

– Cholera, nie uwierzę, że to przypadek! – wybuchnął. – Niech pan przyjedzie do nas jutro, panie Campion, i niech pan powie, co o tym myśli. Zaczyna nam to wszystkim działać na nerwy, te wszystkie drobne złośliwości pod moim adresem. W zeszłym tygodniu ktoś rozpuścił plotkę, że naderwałem sobie mięsień w ręce. Dziewięć osób zadzwoniło do mnie z rana, żeby złożyć wyrazy współczucia.

Mówił zdenerwowanym głosem i bębnił przy tym długimi palcami o szklany blat toaletki.

– Póki co to nie ma znaczenia – stwierdził. – Ale co później? Tego rodzaju kampania może poważnie zaszkodzić reputacji takiego człowieka jak ja, uzależnionej od dobrej woli innych. Proszę?

Ostatnie słowo rzucił w stronę drzwi, w których z wahaniem i przepraszającą miną stanął Henry.

– Przyszedł pan Blest – zaczął nieśmiało. – Pomyślałem...

– Blest! Niech pan wchodzi. – Sutane'owi wyraźnie ulżyło.

– Zna pan pana Faradaya. Pan Campion...

Były aspirant Blest uśmiechnął się szeroko i skinął głową wysokiemu mężczyźnie w kącie.

– Dobry wieczór – przywitał się. – Nie spodziewałem się tu pana, panie Campion. Sprawa jest aż tak poważna? Cóż, panie Sutane, dziś spokój. Nie mam nic do zaraportowania. W całym teatrze nie padło ani jedno niepochlebne słowo. Odkąd poprosił mnie pan, bym miał na wszystko baczenie, mam uszy i oczy otwarte, i niech mi pan wierzy, wszyscy są do pana pozytywnie nastawieni.

– Czyżby? – Ruchem tak gwałtownym i wściekłym, że detektyw mimowolnie cofnął się o krok, Sutane wziął z toaletki ręcznik i otarł sobie policzki. – A to?

Czterech zgromadzonych w pokoju mężczyzn spojrzało na niego z zaciekawieniem. Począwszy od miejsca tuż pod lewym okiem, wzdłuż linii nosa aż do górnej wargi ciągnęło się głębokie, poszarpane zadrapanie. Sutane przesunął wzdłuż niego palcem.

– Wie pan, co to jest, Blest? Najstarszy, najwredniejszy figiel teatralny. Szpilka w szmince. Bóg raczy wiedzieć, od jak dawna tam tkwiła. Któregoś dnia musiałem do niej dojść. Traf chciał, że stało się to akurat dziś.

Blest był, chcąc nie chcąc, zdumiony. Jego okrągła, nalana twarz spurpurowiała. Spojrzał podejrzliwie na Henry'ego.

– Coś ci na ten temat wiadomo? – spytał. – Kto mógł mieć dostęp do szminki twojego pana?

– Och, niech pan nie będzie głupcem – odezwał się znużonym głosem aktor. – Spektakl był grany trzysta razy. Moja garderoba nie zawsze jest zamknięta. W ciągu ostatnich ośmiu miesięcy przewinęły się przez nią setki ludzi. Szpilka, jak widać, jest długa i została wciśnięta od dołu sztyftu. Główkę zamaskowano sreberkiem.

Zaczął nakładać krem na twarz, żeby zmyć pozostałości pomady.

– A potem ten bukiet – ciągnął od niechcenia Sutane, napawając się wrażeniem, jakie robiły jego słowa. – Ten, co tu stoi. Posłaniec wręczył mi go pod sceną tuż przed rozpoczęciem przedstawienia.

– Kwiaty? – Były aspirant wyglądał na rozbawionego.

– Chyba nie podzielam pańskiej wesołości, sir.

Blest wziął ostrożnie do ręki mały biały bukiecik i przyjrzał się mu.

– No może nie jest zbyt okazały. To śniedek, prawda? Polne kwiaty. Ma pan wielu skromnych wielbicieli.

Sutane nic nie powiedział, a były policjant, czując się ignorowany, podsunął sobie kwiaty pod nos i odruchowo je powąchał. Nagle na jego twarzy zaszła groteskowa zmiana i mężczyzna z okrzykiem wypuścił bukiet z rąk.

– Czosnek! – krzyknął, rozszerzając w zdumieniu oczy. – Czosnek! No, no! Przyszły przez posłańca, tak? Chyba da się to sprawdzić. Panowie wybaczą.

Wziął znów kwiaty i wyszedł pospiesznie z pokoju. Sutane dostrzegł w lustrze spojrzenie Campiona i odwrócił się do niego.

– To wszystko błahostki – powiedział przepraszająco. – Małe, niewybredne złośliwości. Same w sobie bez znaczenia, ale po jakimś miesiącu zaczynają męczyć.

Urwał i uśmiechnął się. Gdy znów się odezwał, zrobił to z właściwym sobie wdziękiem. Z wdziękiem mającym przyciągnąć i ostatecznie zaskarbić przychylność Alberta Campiona, który dopiero co zaistniał w jego życiu.

– Ja przeżywam to dużo bardziej – wyjaśnił. – Jestem popularny od bardzo dawna. – Uśmiechnął się krzywo, a w jego oczach malował się smutek, dziecinność i inteligencja.

ROZDZIAŁ 2

Później, gdy wydarzenia potoczyły się już taką falą, że nie dało się stwierdzić, jakie tajemnice kryją w swych wzburzonych wodach, pan Campion usiłował odtworzyć w pamięci szczegóły tego długiego, katastrofalnego w skutkach dnia. Szczegóły – pierwotnie na pozór mało istotne – przewijały się mu przed oczyma z męczącym brakiem ostrości, którą na próżno starał się uchwycić.

A przecież wszystko było od początku jasne, wyraźnie widoczne, gdyby tylko w porę zwrócił na to uwagę.

W ową feralną niedzielę pan Campion wybrał się z rana do White Walls. Tego dnia Chloe Pye wspięła się na wyżyny nietaktu, czym zupełnie przyćmiła swoje wcześniejsze wyczyny pod tym względem. Było to nie lada osiągnięciem, bo w gronie najbliższych przyjaciół słynęła z całkowitego braku poszanowania dla podejmujących ją ludzi.

Wujcio William Faraday siedział obok Campiona w lagondzie i wskazywał mu drogę z taką dumą, jakby sam był właścicielem mijanych włości. Był lipiec i drogi były rozgrzane i pachnące, a trybule nadawały każdej szosie wygląd ślubnej alei. Wujcio z zadowoleniem wciągnął powietrze w płuca.

– Dwadzieścia minut od Londynu. Samochodem to tyle co nic. A wrażenie jak na głębokiej prowincji. Ma oczywiście mieszkanie, ale wieczorami zwykle przyjeżdża tutaj. Nie ma co go winić. Sutane to w głębi duszy wrażliwy facet.

Wujcio zerknął na swojego towarzysza, żeby sprawdzić, czy słucha.

– Piękny stary dom – ciągnął, otrzymawszy zachęcające skinienie głowy. – Spodoba ci się. Należał kiedyś do wuja jego żony. Dziewczyna chciała zatrzymać spadek, a Sutane stwierdził nieoczekiwanie: „Czemu by nie?". Squire Mercer, ten kompozytor, który napisał muzykę do mojego przedstawienia, ma na terenie posiadłości mały domek. Od lat. Tak na marginesie, to właśnie u niego Sutane poznał swoją żonę Lindę. Była z wizytą u wuja w White Walls, a Jimmy przyjechał zobaczyć się z Mercerem. Zakochali się w sobie i proszę. Życie płata zabawne figle.

Wujcio zamilkł na krótką chwilę. W jego starych oczach odmalowała się zaduma, a usta poruszały się lekko, jakby przygotowywał sobie dalszy ciąg opowieści o prywatnym życiu Sutane'a. Pan Campion trwał w zamyśleniu.

– Te nieprzyjemności wytrąciły go z równowagi, prawda? Czy może zawsze jest taki podenerwowany jak wczoraj?

– Zawsze ma lekkiego bzika. – Starszy pan naciągnął mocniej na uszy dużą tweedową czapkę, którą zdecydował się założyć na potrzeby jazdy samochodem. – Rzuciło mi się to w oczy, jak tylko go zobaczyłem. Ale nie sądzę, że zachowywał się dużo gorzej niż zwykle. Oczywiście zrozumiesz to, gdy się przekonasz, jak wygląda jego życie. Sprzeczne z naturą… jest przepracowany, za dużo myśli, nie ma chwili wytchnienia, wiecznie w centrum wydarzeń, wiecznie w pośpiechu…

Zawahał się, jakby rozważał, czy może zdradzić coś nie do końca w dobrym tonie.

– To dziwaczna rodzina jak na tak porządny dom – stwierdził w końcu. – Nie wiem, co o tym wszystkim myśli stara służba. Moje pierwsze zetknięcie z bohemą, sam wiesz. Moje wyobrażenia były inne.

W jego głosie pobrzmiewał lekki żal, więc Campion zerknął na niego.

– Rozczarowujące? – spytał.

– Nie, chłopcze, to nie to. – Wujcio William zawstydził się. – Wolność, wielka wolność, ale wyłącznie w sprawach bez znaczenia, jeśli wiesz, co mam na myśli. To naprawdę bardzo racjonalni ludzie. Chciałbym, żebyś ich wszystkich poznał. Skręć tu. Wjeżdżamy na teren posiadłości. Nowoczesny dom na starej ziemi. Tu jest park.

Pan Campion skierował samochód na wysypaną krzemieniem drogę odchodzącą od głównej szosy. Po obu stronach wznosiły się wysokie nasypy obsadzone lipami i wawrzynami, tak drogimi ceniącym prywatność sercom wcześniejszych pokoleń. Pasażer przyglądał się z zadowoleniem zielonym parawanom.

– Podoba mi się tu – stwierdził. – Słuszne rozwiązanie, skoro to droga przez teren prywatny. Widziałeś?

Skinął pulchną dłonią na wysoki rustykalny mostek porośnięty pnączami, który rozpościerał się przed nimi nad drogą.

– Ładne, nie sądzisz? A przy tym użyteczne. Nie trzeba schodzić na drogę. Dom, trawniki i jezioro są po prawej, a po drugiej stronie jest jeszcze akr czy dwa parku. Utrzymanie musi go sporo kosztować.

Przejechali pod mostem i wjechali na podjazd, szeroki i okrągły, prowadzący prosto do domu. Campion, który żywił pewne obawy co do słowa „nowoczesny", uspokoił się nieco.

Na lekkim podwyższeniu, z szerokimi oknami otwartymi na oścież, żeby wpuścić jak najwięcej słońca, wznosił się jeden z rzadkich powodów do dumy autorstwa któregoś z bardziej rozsądnych architektów z początków stulecia. Białe ściany i czerwona dachówka nie miały w sobie nic z wiejskiej rezydencji. Dom miał piękną bryłę oraz doskonałe proporcje i wyglądał trochę jak wielki biały jacht pod pełnymi żaglami.

– Francuski w stylu – zauważył wujcio z zadowoleniem. – Wjedź na dziedziniec. Chciałbym pokazać ci stajnie.

Przejechali przez łukowatą bramę w budynkach gospodarskich po lewej stronie domu i znaleźli się na wykładanym cegłą dziedzińcu, na którym stało już kilka samochodów. Poza czarnym bentleyem Sutane'a znajdowały się tam dwa małe wozy sportowe i jeden dziwaczny, dość wiekowy gruchot, przy którym dłubał jakiś młody mężczyzna w kombinezonie i kaszkiecie. Uśmiechnął się na widok wujaszka.

– Znów się zepsuł, sir – poinformował. – Tym razem poszło złącze. – Skinął przyjaźnie głową Campionowi, wskazał mu miejsce do parkowania i wrócił do pracy.

– Widzisz? – wtrącił na stronie jedną ze swych katastrofalnych uwag pan Faraday. – Pełen luz. Naprawia samochód Petriego. Mówią na niego Sock. Nie do końca go rozumiem. Ciekaw jestem twojego zdania.

Przeszli pod sklepieniem, a pan Campion zauważył nagle, że jego przyjaciel jakby zwolnił. Mężczyzna podniósł głowę i zobaczył, że przyczyna zmiany w zachowaniu wujaszka idzie podjazdem w ich stronę. Chloe Pye.

Miała na sobie skąpy biały kostium kąpielowy, buty na wysokim obcasie i dziecięcy kapelusik od słońca, a mimo to wyglądała dokładnie na swoje czterdzieści kilka lat. Poza sceną także u niej dało się wyczuć pewną ostentację, tak wyraźną u Sutane'a. Chloe miała jędrne, muskularne ciało, a jej twarz wydawała się stara raczej przez wzgląd na jej budulec niż deformację rysów. Wymachiwała długą jasną chustą i niosła w ręce książkę i leżak. Na widok gości zarzuciła sobie chustę na ramiona i przystanęła wyczekująco – filuternie i bezradnie zarazem.

– Cóż za zrządzenie losu! – zawołała do wujcia Williama, gdy tylko znalazł się w zasięgu jej głosu. – Pomóż mi, mój drogi.

Pan Faraday pospieszył naprzód, skrępowany i nieudolny. Zanim przejął od niej leżak, delikatnie uniósł czapkę na powitanie.

– A to kto? – Chloe Pye jednym ruchem zdołała poklepać wujcia po ręce, wręczyć mu leżak i pokazać, że czeka, aż przedstawi jej swojego towarzysza.

Campion podszedł, świadomy bladozielonych oczu, odrobinę zbyt wyłupiastych, które przypatrywały się jego twarzy i uznały ją za rozczarowującą.

– Wszyscy są w środku – poinformowała. – Nie przestają gderać. Nie robią nic innego. Czy powinnam ułożyć się pod drzewami, panie Faraday? Czy może lepiej przy rabacie, jak pan myśli? Tamtej z tymi małymi czerwonymi – no jak one się nazywają?

Minęło trochę czasu, zanim zdołali ją usadzić i wymknąć się spoza zasięgu jej niestrudzonych prób wciągnięcia ich w rozmowę. W końcu udało im się jednak uwolnić i znów skierować w stronę głównego wejścia.

– Nie wierzcie, panowie, w ani jedno ich słowo, dobrze? – krzyknęła, gdy weszli na ścieżkę. – Wszyscy oni są trochę obłąkani. We wszystkim doszukują się obelg... Każcie komuś przynieść mi wody z lodem.

Drzwi wejściowe były otwarte na oścież, a ze środka dochodziły dźwięki fortepianu. Pan Campion, niczego się nie spodziewając, postawił nogę na najniższym stopniu, gdy nagle rozległo się ujadanie i gigantyczny dog, który spał na macie w holu zaraz za drzwiami, poderwał się z miejsca z sierścią zjeżoną na karku i przeraźliwie czerwonymi oczami.

– Hoover! – zawołał pan Faraday. – Spokój! Spokój, mówię! Niech ktoś zawoła psa!

Donośne ujadanie poniosło się po całym domu, a po chwili w drzwiach pojawiła się kobieta w białym lnianym fartuchu.

– Leżeć, ty mała bestio – krzyknęła, zbiegając po schodach i uderzając psa dużą czerwoną ręką. – Ach, to pan, panie Faraday? Powinien pana rozpoznać. Na miejsce, Hoover. Idź szukać pani.

Mówiła z takim autorytetem, że Campion wcale się nie zdziwił, gdy potwór cofnął się posłusznie i wśliznął z podkulonym ogonem do domu.

Kobieta zeszła o schodek niżej i nagle zrobiła się dużo niższa i bardziej przysadzista, niż Campion początkowo sądził. Miała jakieś czterdzieści pięć lat, rude, potargane włosy, różową, rozognioną twarz i jasne rzęsy. Campion stwierdził, że nigdy nie widział bardziej opanowanej osoby.

– Pracuje w korytarzu – powiedziała, zniżając głos i kładąc szczególny nacisk na czasownik. – Czy byliby panowie tak mili i weszli przez okna balkonowe w salonie? Pracuje od ósmej rano i nie miał jeszcze masażu. Czekam, aż znajdzie chwilę.

– Nie ma sprawy. Pójdziemy dookoła, panno Finbrough – powiedział z szacunkiem wujcio William. – A tak w ogóle to jest pan Campion.

– Pan Campion? Och, cieszę się, że pan przyjechał. – W jej niebieskich oczach odmalowało się zaciekawienie. – Bardzo na pana liczy. To istny skandal. Biedak i bez tego ma wystarczająco dużo zmartwień w związku z nowym przedstawieniem, które właśnie produkuje. No uciekajcie. Wkrótce do panów przyjdzie. Odprawiła ich tak definitywnie, że nawet dziennikarz by się zniechęcił. Jak oczywiście nie raz bywało.

– Niezwykła kobieta – przyznał wujcio, gdy zaczęli obchodzić dom. – Całkowicie oddana Sutane'owi. Troszczy się o niego jak mamka. Właściwie jak się nad tym zastanowić, to chyba kimś takim właśnie jest. Kiedyś wszedłem do pokoju, Sutane leżał na materacu golusieńki jak kurczak w rosole, a ona oklepywała go pięściami. Henry, chłopak, którego widzieliśmy wczoraj w teatrze, boi się jej nie na żarty. Tak jak my wszyscy zresztą, moim zdaniem. Może wejdziemy tędy.

Zatrzymał się przed parą bardzo wysokich drzwi balkonowych, wychodzących na taras, na którym stali. Tu też dało się słyszeć muzykę, tyle że spokojniejszą, o mniej natarczywym rytmie niż ten, który wciąż docierał niewyraźnie od strony korytarza. Melodia urwała się nagle, bo siedzący przy fortepianie mężczyzna zobaczył ich i głosem tak niewyraźnym, że ledwie dało się rozróżnić słowa, zaprosił ich do środka.

Campion wszedł za panem Faradayem do dużego, jasnego pokoju, pierwotnie urządzonego w zdecydowanie współczesnym stylu, na który składały się perłowoszare panele ścienne i głębokie, wygodne czarne fotele. Teraz jednak pomieszczenie przypominało pokój zabaw jakiegoś niepokojąco wyrafinowanego dziecka. Stoły ustawione tymczasowo wzdłuż ścian podtrzymywały stosy rękopisów, sterty nieuporządkowanych papierzysk, makiety i całe mnóstwo lśniących fotografii.

Na środku wypolerowanej podłogi stał fortepian, a przy nim, kłaniając się im, siedział mężczyzna, który odezwał się do nich przed chwilą. Wyglądał na dziwaka. Jeszcze jedna „osobowość", pomyślał cierpko pan Campion. Mężczyzna był wyjątkowo śniady i niechlujny, z cieniem zarostu na brodzie i szerokimi kościstymi ramionami. Garb wielkiego haczykowatego nosa wyrastał dużo wyżej, niż ma to miejsce zazwyczaj, skutkiem czego oczy mężczyzny rozdzielał wyraźny grzbiet, a na twarzy, która powinna być zdecydowanie bardziej ożywiona, malował się dziwnie łagodny, rozleniwiony wyraz.

Mężczyzna natychmiast wznowił grę, smętną melodię bez początku i końca, którą powtarzał wciąż na nowo, wprowadzając jedynie ledwo zauważalne zmiany.

Wraz z pojawieniem się nowo przybyłych z miejsca zerwały się dwie pozostałe osoby. Rosły chudzielec, do którego najlepiej pasowało określenie „flejtuch", podniósł się z fotela, na którym wylegiwał się wśród stert gazet, i podszedł do nich z cynowym kuflem w dłoni. Otrząsnął się lekko, a pomięte wełniane ubranie nabrało znów niejakich pozorów elegancji. Mężczyzna był bardzo wysoki i miał kanciastą młodą twarz z odstającymi, rumianymi kośćmi policzkowymi.

– Witaj, wujaszku – powiedział. – To pan Campion, zgadza się? Przykro mi, że James jest tak zajęty, ale nie ma na to rady. Siadajcie, panowie. Już przynoszę piwo. Nie? Dobrze, w takim razie później. Znacie, panowie, wszystkich?

Miał przyjemny, ale donośny głos i naturalną łatwość w obejściu, z punktu widzenia kogoś obcego bardzo pomocną. Ciemne włosy miał sczesane z czoła i usztywnione brylantyną, zaś spojrzenie małych, głęboko osadzonych oczu było przenikliwe i życzliwe.

Wujcio William usiadł ciężko na fotelu i spojrzał na Campiona.

– To Sock Petrie – powiedział mniej więcej takim tonem, jakby obwieszczał: „Pierwszy eksponat". – Och, a to Eve. Wybacz, moja duszko... nie zauważyłem cię.

Usiłował podnieść się z niskiego siedziska, ale się poddał.

Dziewczyna podeszła więc do niego, żeby się przywitać. Nie było wątpliwości, że jest siostrą Sutane'a. Campion nigdy nie spotkał się z równie uderzającym podobieństwem. Zgadywał, że liczy siedemnaście czy osiemnaście wiosen. Miała wysklepione brwi i głęboko osadzone, smutne oczy swojego brata, a także sporą dawkę typowego dla niego wrodzonego wdzięku. Jej usta były jednak ponure i wyczuwało się w niej dziwne niezadowolenie i frustrację. Dokonawszy formalności, natychmiast wróciła do kąta i siadła nieruchomo, garbiąc szczupłe plecy przyodziane w prostą bawełnianą sukienkę.

Sock rozejrzał się po pokoju.

– Pozwoli pan, że przedstawię mu Squire'a Mercera – odezwał się. – Na litość boską, Mercer, przestań na chwilę grać i przywitaj się.

Siedzący przy fortepianie mężczyzna uśmiechnął się i skinął głową do Campiona, ale jego palce nie przestały przesuwać się po klawiaturze. Gdy się uśmiechał, wyglądał całkiem miło, wręcz czarująco, a w jego oczach, które były jasnoszare – choć powinny być ciemne – na moment odmalowała się ciekawość.

– To tylko biedny, cholerny geniusz – podsumował Petrie, rozsiadając się znów wśród gazet.

Zarzucił jedną potężną nogę na oparcie fotela, oblewając się przy tym piwem i odsłaniając pozwijaną skarpetkę oraz centymetr lub dwa gołej nogi. Goście odnieśli wrażenie, że wstydzi się niegościnności Mercera.

Campion znalazł sobie wolny fotel i usiadł. Petrie uśmiechnął się do niego szeroko.

– Okresy szaleńczej aktywności przeplatane tumiwisizmem. Samo życie – stwierdził. – Co sądzicie, panowie, na temat ostatniej akcji? Mieliście czas, żeby się nad tym w ogóle zastanowić?

Z kąta dobiegło znużone westchnienie.

– Musimy to na nowo przerabiać, Sock? – zaoponowała Eve Sutane. – Nic nieznaczące bzdury i tyle. To wszystko błahostki.

Petrie uniósł brwi.

– Tak uważasz, skarbie? – obruszył się. – Jedno jest pewne: Jamesa to dobija i ma negatywny wpływ na jego reputację. Nie po to od pięciu lat zajmuję się jego promocją, żeby nie wiedzieć takich rzeczy na pewno. To ktoś z najbliższego otoczenia, wie pan, Campion? I to jest w tym najgorsze... Mercer, musisz ciągle grać jedną i tę samą denerwującą melodię?

Kompozytor uśmiechnął się wyraźnie z siebie zadowolony.

– To marsz pogrzebowy dla martwej tancerki – oświadczył.

– *Milknie w czasie tańca.* Ładnie.

– Całkiem możliwe. Ale psujesz mi humor.

– To wyjdź. – W głosie Mercera dało się słyszeć niespodziewaną furię, od której wszyscy aż się wzdrygnęli.

Petrie poczerwieniał i wzruszył ramionami.

– Nie przeszkadzaj sobie.

– Nie będę.

Muzyk grał dalej. Był znów spokojny i zadowolony, najwyraźniej zatracony w swoim własnym dziwacznym świecie.

Petrie ponownie zwrócił się do gościa.

– Napisali o tym w „Cornet" – powiedział. – I w „Sunday Morning". Niech pan spojrzy.

Wyjął portfel, który zawstydziłby bardziej dbającą o pozory osobę, i wyciągnął z niego dwa wyświechtane wycinki z gazety. Campion przeczytał je.

Nagłówek w „Cornet" brzmiał:

CZOSNEK DLA GWIAZDORA

W teatralnym światku dochodzi do wielu zatargów. Gdy któraś z gwiazd, bez względu na swoją wielkość, traci na popularności, zawsze znajdzie się sporo osób, które z chęcią jej o tym przypomną. Wczorajszego wieczora wśród wyrazów uznania złożonych pod sceną w pewnym teatrze na West Endzie znalazł się bukiecik białych kwiatów. Znany aktor przyjął je i powąchał. Wyłącznie wieloletnia praktyka w sztuce samokontroli sprawiła, że z miejsca nie wyrzucił bukietu, który okazał się składać z białego kwiecia dzikiego czosnku. Ktoś nie darzył go sympatią i postanowił mu o tym powiedzieć w ten właśnie wdzięczny sposób.

„Sunday Morning" opisywał sprawę inaczej.

TANIEC ZE ŁZAMI W OCZACH?

Kim był dowcipniś, który posłał Jimmy'emu Sutane'owi bukiet kwiatów czosnku z okazji trzechsetnego przedstawienia Ramola? Nie mógł to być przecież komentarz na temat jego pracy. Roztańczone stopy Jimmy'ego nie potrzebują tego rodzaju zachęty. Może Jimmy doprowadził kogoś do łez, a osoba ta postanowiła odpłacić mu pięknym za nadobne?

– Nie mogę się niczego dowiedzieć, póki dziennikarze nie wrócą do pracy. – Sock odebrał od Campiona wycinki z gazet.

– Ale rozumie pan, w czym rzecz. Ktoś musiał donieść do prasy wcześniej. James poinformował o kwiatach tego osła Blesta dopiero po przedstawieniu – zdecydowanie za późno, żeby trafiło to do tych szmatławców. Zostaje nam więc Henry, którego jeszcze przydybię, dozorca Richards, który jest poza wszelkimi podejrzeniami, oraz, rzecz jasna, żartowniś, który przysłał kwiaty. – Zamilkł na chwilę. – Dziennikarze zostali o tym poinformowani telefonicznie. Każda inna gazeta zadzwoniłaby z prośbą o potwierdzenie, ale te dwa szmatławce drukują wszystko jak leci. „Cornet" pominął nazwisko, a „Sunday Morning" zabezpieczył się przed posądzeniem o zniesławienie za pomocą komplementu – tak jakby w ogóle się tym przejmowali. Bez pięciu afer tygodniowo uważają, że gazeta zionie nudą.

Petrie skrzywił się i dolał sobie do kufla piwa z butelki stojącej za fotelem.

– Może to wszystko bzdury, ale cholernie nie w porę – powiedział. – Gdyby to był ktoś z zewnątrz, można by uznać, że to robota jakiegoś nieszczęsnego obłąkańca nękającego aktorów, póki nie zostanie przymknięty przez litościwego gliniarza, ale gdy, tak jak w tym przypadku, w grę wchodzą wewnętrzne porachunki, zakrawa to na autentyczną podłość i przestaje być śmieszne.

Pan Campion musiał się z nim zgodzić i jego zainteresowanie sprawą się wzmogło. Od Socka Petriego tchnęło zdrowym rozsądkiem.

– Czy Sutane może mieć wrogów?

Mercer wtrącił się od fortepianu:

– Jimmy? Ależ skąd, wszyscy lubią Jimmy'ego. Czemu miałoby być inaczej? Ja go lubię, a nie byłoby tak, gdyby nie był fajnym gościem.

Wypowiedział te słowa tak beztrosko, że ich sens był aż nadto zrozumiały. Campion zerknął na niego ciekawie, szukając jakichkolwiek oznak sarkazmu. Popatrzył mu prosto w jasnoszare oczy i zdumiał się. Dotarło do niego nagle, że Mercer był rzadkością we współczesnym świecie i mówił wprost. Twarz miał niewinną i bez wyrazu. Mówił dokładnie to, co myślał.

Sock uśmiechnął się do swojego kufla, po czym dostrzegł spojrzenie Campiona.

– Jest w tym sporo prawdy, Mercer – stwierdził, a w jego głosie pobrzmiewała raczej serdeczność niż protekcjonalność.

Mężczyzna przy fortepianie wrócił do gry. Zdawał się spokojny i zadowolony.

W progu pojawił się jakiś cień, a wujcio William wyprostował się raptownie w fotelu.

– Woda z lodem – zawołał z poczuciem winy, a Petrie jęknął.

Do salonu weszła Chloe Pye, świadoma wrażenia, jakie robi, i ostentacyjnie poirytowana. Zignorowała zarówno Campiona, jak i wujcia, który na jej widok wygrzebał się z wielkim trudem z fotela, i odezwała się prosząco do Eve:

– Czy sprawię wielki kłopot, prosząc o wodę z lodem? Od wielu godzin pocę się w ogrodzie.

– Żaden problem. Zaraz każę przynieść, Chloe. – Dziewczyna nacisnęła na przycisk dzwonka umieszczony na boazerii.

– A tak na marginesie, to pan Campion. Wujcia Williama pani zna, zgadza się?

Panna Pye spojrzała na nowo przybyłych mężczyzn z nietajoną wrogością. Dąsała się, a zdumiony Campion dostrzegł w jej oczach autentyczne łzy.

– Spotkaliśmy się na podjeździe – rzuciła i odwróciła się do nich plecami, opierając się o fortepian, żeby pomówić z Mercerem.

Był to przedziwny popis, a Campion, który nie spotkał w życiu zbyt wielu czterdziestolatek o aparycji i manierach nadąsanej sześciolatki, był w lekkim szoku. Czuł się staro i był nieco zagubiony.

Przywołany dzwonkiem zjawił się nadspodziewanie akuratny kamerdyner, któremu kazano przynieść wodę. Gdy ją podano, panna Pye przyjęła ją skromnie.

– Tak mi przykro, że sprawiam tyle kłopotu – powiedziała, patrząc wielkimi oczami znad brzegu szklanki. – Ale biednej Chloe chciało się pić. Przesuń się, mój drogi. Chloe też chce usiąść przy fortepianie. Co dla mnie zagrasz?

Campion, który spodziewał się małego wybuchu, z ulgą zobaczył, że Mercer robi jej miejsce. Nie był zadowolony, ale najwyraźniej nie miał ochoty się awanturować. Kobieta odłożyła szklankę i objęła go ramieniem.

– Zagraj coś starego – poprosiła. – Którąś z piosenek, które przyniosły ci sławę, skarbie. Zagraj *Trzeciego w tłumie*. Zawsze, gdy to słyszę, chce mi się płakać. Nawet teraz. Zagraj *Trzeciego w tłumie*.

Mercer obrzucił ją spojrzeniem swoich szczerych oczu.

– Ale ja nie chcę, żebyś płakała – oświadczył i zaczął znów grać na wpół dokończoną melodię, która zaczęła już irytować nawet pana Campiona, mającego nerwy jak ze stali.

– Naprawdę, mój drogi? Kochany jesteś. W takim razie zagraj *Oczekiwanie*. *Oczekiwanie* przypomina mi o szczęśliwych, słonecznych dniach w Cassis. Albo *To wszystko już bez znaczenia*. Ta piosenka to przejaw czystego geniuszu – najczystszego, najprawdziwszego geniuszu.

Mercer, który bez zaskoczenia i zakłopotania przyjął wyrazy uznania, zagrał refren piosenki, która kilka lat wcześniej wpadała w każde niespecjalnie umuzykalnione ucho. Zagrał go łagodnie, ale bez goryczy, a gdy skończył, pokiwał z namysłem głową.

– Jeden z moich lepszych numerów na Wurlitzera*. Czysty *vox humana* – stwierdził.

– Nie kpij – obruszyła się Chloe. – W tej piosence jest żądza. Człowieka aż ściska w dołku…

– Bez względu na to, czy robi się komuś niedobrze, czy nie – wtrącił Petrie. – Ma pani całkowitą rację, panno Pye.

– Och, Sock, czy to pan, mój drogi? Widziałam na fotelu kupę cuchnących starych szmat. Niech mi pan nie przerywa. Powoli odlatujemy. Zagraj coś jeszcze, Squire.

Eve podniosła się z miejsca.

– Obiad jest za pół godziny, o ile się nie opóźni – powiedziała. – Idę się umyć.

Wyszła przygarbiona, odprowadzana wzrokiem Chloe.

– Jak Jimmy, ale bez energii. Zupełnie bez energii – stwierdziła. – Poza tym ma dziwnie małą twarz. Squire, zagram ci jedną z twoich własnych piosenek, o której najwyraźniej zapomniałeś. Weź ręce.

Przysunęła się bliżej i zaczęła grać jakąś dawno zapomnianą melodię. Piosenka była popularna tuż po wojnie, stwierdził pan Campion. Nagle przypomniał sobie jej tytuł: *Dziewczyna z nenufarem*.

– Ckliwa staroć – skwitował Mercer.

Wydawał się lekko poirytowany.

– Nie, musisz posłuchać – upierała się Chloe.

Patrzyła mu w oczy ponad szerokim fortepianem, fatalnie przy tym grając. Rozdzielała każdy akord i denerwująco przedłużała każdą sentymentalną nutę. Zagrała całą piosenkę, wszystkie zwrotki razem z refrenem. Mercer wyglądał na zrezygnowanego, ale gdy skończyła, przesunął ją delikatnie na siedzisku i wrócił do swojej na wpół skomponowanej melodii. Panna Pye podeszła do Socka i przysiadła na oparciu jego fotela.

---

* Rudolph Wurlitzer Company – amerykański producent instrumentów muzycznych.

Najwyraźniej nadal była obrażona na Campiona i wujcia Williama, bo ostentacyjnie ich ignorowała. Sock usadził ją sobie na kolanach.

– Niegrzeczna dziewczynka – powiedział i zdołał tym samym przekazać, że jest doświadczonym człowiekiem, że panna Pye to prawdziwe utrapienie i że choć doskonale zdaje sobie sprawę, iż jest od niego co najmniej dziesięć lat starsza, to wybacza jej, ponieważ jest śliczną kobietą. – Co za tempo – ciągnął. – Poznała nas pani wczorajszego wieczora, a dziś już rzuca się na nas w stroju kąpielowym.

Aktorka wyswobodziła się z jego uścisku i znów siadła na brzegu fotela.

– Co za brak ogłady – oświadczyła. – Znamy się z Jimmym od dawna, a poza tym poznałam kiedyś pana w teatrze.

– To żadna wymówka. – Sock tylko częściowo żartował, więc sytuacja była odrobinę kłopotliwa. – Rozmawiała pani przed chwilą z panem Mercerem, kompozytorem. Jest kawalerem i mizoginem. Wczoraj wieczorem widział panią po raz pierwszy w życiu. Jeśli pani nie zwolni, skoczy mu przez panią ciśnienie.

Chloe roześmiała się. Była podekscytowana jak dziecko.

– Squire, pozwoli pan?

– Co? Przepraszam, nie słuchałem.

– Pozwoli pan, że podwyższę panu ciśnienie?

Mercer zaczerwienił się. Jego ogorzała twarz dziwnie wyglądała oblana nagłym rumieńcem.

– Raczej nie – odrzekł nieuważnie i zaczął głośno grać, dodając wreszcie jakiś nowy element do melodii. Pochłonęło go to bez reszty, a pozostałe zebrane w salonie osoby odetchnęły z ulgą.

Panna Pye dostąpiła szybkiej jak błyskawica zmiany nastroju, na co wujcio William, który obserwował ją z narastającą konsternacją, odetchnął z ulgą. Chloe porzuciła Socka i podeszła do okna, świadoma swoich wdzięków.

– Posiadłość Jimmy'ego jest urocza, nieprawdaż? – zauważyła. – Jestem absolutnie przekonana, że otoczenie ma ogromny

wpływ na człowieka. Jimmy stracił całą swoją starą *joie de vivre**.
A oto i pani Sutane. Biedaczka, do tej pory nie przywykła do
was wszystkich, prawda? Od jak dawna są małżeństwem? Siedem lat? Lubię ją. Jest taka bezpretensjonalna.

Na ścieżce dało się słyszeć kroki. Pan Campion podniósł się
z miejsca, żeby przywitać się z panią domu, a przy tym jedyną
kobietą, o której Chloe Pye wyraziła się pochlebnie. Ta chwila
na zawsze zapadła mu w pamięć. Jeszcze długo potem pamiętał
fakturę podłokietnika, o który wsparł się, wstając, układ grubych
cumulusów w półokrągłym oknie, a także widzianą wyłącznie
w wyobraźni, zapewne przekłamaną postać samego siebie, wysoką i niezgrabną, podchodzącą naprzód z głupawym uśmiechem.

Wspomnienie tego dnia i chaotycznych tygodni, które nastąpiły później, traciło wiarygodność, ponieważ Campion nie
pozwalał sobie, by do nich wracać. Pamiętał jednak chwilę, gdy
pani Sutane pojawiła się w salonie w White Walls, bo dokładnie
w tej chwili porzucił swoją zwykłą pozycję obserwatora i przekroczył niski murek bezstronności, wpadając w wir wydarzeń,
dając się im porwać i zranić.

Linda Sutane weszła do środka powoli, jakby trochę nieśmiało. Była drobną, złotoskórą dziewczyną z brązowymi włosami, niezbyt piękną i o niezbyt wybujałej osobowości, ale młodą,
łagodną i przede wszystkim autentyczną. Wraz z jej pojawieniem
się świat wrócił do normalności, przynajmniej dla pana Campiona, który zaczynał być trochę oszołomiony bezpośrednim
kontaktem z tak wieloma wybuchowymi indywidualnościami.

Przywitała się z nim oficjalnie i kojącym głosem przeprosiła,
że obiad trochę się opóźni.

– Cały czas intensywnie pracują – poinformowała. – Nie
chcemy im przeszkadzać. Poza tym nie da się wejść do jadalni,
bo drzwi zostały zastawione fortepianem.

Sock Petrie westchnął.

---

* *Joie de vivre* (fr.) – radość życia.

– Obawiam się, że dezorganizujemy pani życie, pani Sutane – powiedział.

Mówił z autentyczną przykrością, a pan Campion mógł po raz pierwszy przyjrzeć się przedziwnej więzi łączącej Lindę Sutane ze znamienitym towarzystwem jej męża. Był to niezwykle przyjacielski układ, oparty na obustronnym szacunku, ale uniemożliwiający pełną bliskość z równie podstawowych i niemożliwych do przezwyciężenia powodów, co różnice gatunkowe.

– Ale mnie to nie przeszkadza – odrzekła i mogła równie dobrze dodać, że już przywykła.

Siadła obok Campiona i nachyliła się, żeby z nim pomówić.

– Przyszedł pan wyjaśnić wszystkie te złośliwości? – spytała. – Bardzo to miłe z pańskiej strony. Mam nadzieję, że nie uzna nas pan za bandę neurotyków, ale drobiazgi potrafią zamęczyć człowieka. Gdyby to chociaż były jakieś poważne, oczywiste katastrofy, można by im było jakoś zaradzić. Sock pokazał panu wycinki z gazet? Niech pan nic nie mówi Jimmy'emu. Strasznie się wścieka, a póki dziennikarze nie wrócą do redakcji, nic nie da się zrobić.

Chloe wtrąciła się do rozmowy.

– Błagam, niech pani nie zaczyna od nowa – odezwała się płaczliwie. – Odkąd się zjawiłam w tym przeklętym domu, o niczym innym się nie mówi tylko o prześladowaniu, złośliwościach i kpinach z Jimmy'ego. Nie przejmuj się tym, moja droga. Aktorzy tacy są. Zawsze im się wydaje, że ktoś chce im się dobrać do skóry.

Pan Campion spojrzał na jej twarz, przygnębiająco wypacykowaną na silnym, szczupłym ciele, i musiał pohamować nagłą, bezwzględną chęć, by ją spoliczkować. Odruch ten poważnie go zaniepokoił. Linda Sutane uśmiechnęła się.

– Pewnie ma pani rację – stwierdziła. – Panie Campion, może zechciałby pan obejrzeć mój ogród kwiatowy?

Wyprowadziła go na taras, z którego przeszli do starego, formalnego angielskiego ogrodu, otoczonego przyciętymi w kant cisami i mieniącego się bratkami oraz słodko pachnącymi piwoniami.

– Powinnam była o niej pamiętać – zaczęła Linda, gdy szli razem przez trawnik. – Naturalnie nie widzi w sprawie nic ciekawego, ale ktoś musi panu o wszystkim powiedzieć, bo inaczej będzie pan tylko tracić czas. W tym domu bardzo trudno o normalność, ale teraz, gdy wszyscy pracują nad przedstawieniem *W rytmie swinga*, sytuacja wygląda dużo gorzej niż zwykle. Widzi pan, *Ramol* odniósł tak wielki sukces, że Jimmy i Slippers żadną miarą nie chcą z niego zrezygnować. Podpisali jednak umowę na realizację *W rytmie swinga* i w końcu ustalili z braćmi Meycrs, że Jimmy zajmie się produkcją i kwestiami organizacyjnymi, oni natomiast zwolnią go z gry. Niestety negocjacje pochłonęły tyle czasu, że produkcja się opóźniła. Zaprosili teraz odtwórców głównych ról na próbę. Dlatego Jimmy nie mógł się z panem spotkać od razu. Próba musi się odbywać w hallu ze względu na schody. Z bliżej nieznanego mi powodu nasze nadają się idealnie. W zeszłym roku Jimmy kazał je odtworzyć w *Polach bawełny*. Uznałam, że musi pan o tym wiedzieć – dodała jednym tchem – bo w przeciwnym razie mógłby pan źle wszystko odczytać i uznać, że wszyscy powariowaliśmy.

Pan Campion pokiwał poważnie głową, zastanawiając się, ile ona ma lat i jak wyglądało jej życie przed zamążpójściem.

– Teraz rzeczywiście lepiej wszystko rozumiem – przyznał.

– Co pani sądzi na temat incydentów – to znaczy złośliwości? Nie dotknęły chyba pani osobiście, prawda?

Linda wyglądała na nieco zaskoczoną.

– Przecież cały czas byłam na miejscu – powiedziała sucho.

– Być może w większości to wytwór naszej wyobraźni. Być może uznaliśmy, że wszystko to w jakiś sposób się ze sobą wiąże, choć wcale tak nie jest. Ale zdarzyło się mnóstwo irytujących rzeczy. A nocą do ogrodu przychodzą jacyś ludzie.

Campion spojrzał na nią gwałtownie. Powiedziała to zwykłym głosem, w jej zachowaniu nie widać było śladów histerii. Popatrzyła mu w oczy i roześmiała się nagle.

– To absurd, nie sądzi pan? – stwierdziła. – Sama się zastanawiałam, czy nie spędzam zbyt dużo czasu w samotności lub czy sceniczna nadwrażliwość nie jest przypadkiem zaraźliwa. Ale zapewniam pana, że nocą do tego ogrodu ktoś przychodzi. Rano rośliny są podeptane, pod oknami widać ślady stóp. Służba zaczęła się niepokoić, a ja osobiście słyszałam w krzakach szepty i śmiechy. Wie pan, za życia mojego wuja – bo przyjeżdżałam do niego czasem w odwiedziny – zawiadomiono by miejscowego policjanta, który zacząłby patrolować posesję, ale teraz nie możemy już tego zrobić. Gdy nazwisko człowieka to jedna z najcenniejszych rzeczy, jakie posiada, każda najprostsza czynność pociąga za sobą ryzyko, że zostanie przeinaczona i przekuta w anegdotę. Musimy więc siedzieć cicho i mieć nadzieję, że to wszystko nieprawda. Jak zapewne się pan domyśla – to średnia przyjemność, zwłaszcza w obecnym stanie psychicznym Jimmy'ego. Jimmy zaczyna nabierać przekonania, że wisi nad nim jakieś fatum.

W jej głosie pobrzmiewał smutek, przez co Campion musiał aż odwrócić wzrok.

– Sprawa jest dość tajemnicza, prawda? – odezwał się poważnie. – Mercer mówi, że Sutane nie ma wrogów.

Linda zastanowiła się chwilę.

– Wydaje mi się, że to prawda, ale Mercer pewnie by nawet nie zauważył, gdyby było inaczej. To geniusz.

– A geniusze są mało spostrzegawczy?

– Nie, ale są zepsuci. Mercer nigdy nie musiał martwić się o nic poza swoją pracą i nie sądzę, aby teraz był w stanie choćby spróbować to zmienić. Nie zna pan jeszcze wszystkich. Gdy ich pan pozna, będzie pan wiedział o nich dużo więcej, niż oni o panu.

– W jakim sensie? – zaciekawił się pan Campion.

– To wszystko artyści, zgadza się? Każdy ma w sobie coś z ekshibicjonisty. Tak bardzo pochłania ich autoprezentacja, że nie mają czasu myśleć o nikim innym. Nie chodzi o to, że nie lubią ludzi, tylko po prostu nie mają czasu się nimi przejmować.

Linda umilkła i spojrzała na niego z powątpiewaniem.

– Nie wiem, czy jest pan odpowiednim człowiekiem, żeby nam pomóc – stwierdziła nieoczekiwanie.

– Dlaczego? – Pan Campion starał się nie dać po sobie poznać poirytowania.

– Bo ma pan więcej inteligencji niż doświadczenia.

– Co konkretnie chce pani przez to powiedzieć? – Campion był zaskoczony stopniem własnego podenerwowania.

Linda wyglądała na zakłopotaną.

– Nie chciałam być niegrzeczna – wytłumaczyła. – Ale istnieją ledwie dwa rodzaje mądrych ludzi. Tacy, którzy zaczynają od obserwacji błędów i niebezpieczeństw, dzięki czemu ich unikają, oraz tacy, którzy popełniają błędy, naprawiają je i dzięki temu zyskują wiedzę. Obie grupy dochodzą do tych samych wniosków, ale różnią się punktem widzenia. Pan widział najróżniejsze rzeczy, ale ich nie robił i dlatego właśnie zebrane tu towarzystwo wydaje się panu antypatyczne.

Pan Campion przyglądał się ze zdumieniem idącej u jego boku osóbce. Linda odwzajemniła nieśmiało jego spojrzenie.

– To wszystko jest bardzo przygnębiające – powiedziała. – Człowiek traci dobre maniery i robi się nadmiernie szczery. Ale musi mnie pan zrozumieć – boję się. Proszę nam pomóc, jeśli jest pan w stanie, i proszę się na mnie nie gniewać.

Mówiła cichym, dziwnie zrezygnowanym głosem. Pan Campion był bliski, żeby ją pocałować.

Tak niewiele brakowało, że potrzeba było łącznej siły zdrowego rozsądku i wrodzonej nieśmiałości, żeby w porę się odsunął. Wpatrywał się w nią autentycznie przerażony szalonym impulsem. Patrzył na nią przez chwilę beznamiętnie: na drobną żółtobrązową dziewczynę o szerokich ustach i złotych iskierkach w oczach. Dotarło do niego z niezwykłą wyrazistością, że najlepiej by zrobił, wracając do Londynu i wymazując Sutane'ów z pamięci, i oczywiście tak właśnie by postąpił, gdyby nie morderstwo.

ROZDZIAŁ 3

Do obiadu, który służba podała z męczącym ceremoniałem kwadrans przed czwartą, Chloe Pye zarzuciła na strój kąpielowy długą czerwoną jedwabną spódnicę i chustę. Dwójka gościnnie przybyłych aktorów przeprosiła i wyjechała, dwie godziny spóźniona na kolejne spotkania, a Ned Dieudonne, nieoceniony akompaniator Sutane'a, dostał kanapkę i coś do picia, po czym został wyekspediowany do Hampstead z misją zwrócenia pożyczonej partytury Prettymanowi, który nadzorował orkiestrację. Pozostała częśc wygłodniałego towarzystwa zasiadła do stołu.

Prócz dotychczas poznanych osób Campion zauważył tylko dwie nowe: młodego mężczyznę ze złotymi kędziorami, który ostatnim razem, gdy Campion go widział, wykłócał się z dozorcą o posrebrzany rower, oraz niezrównaną Slippers Bellew.

Slippers była miłą dziewczyną. Campion w jednej chwili zrozumiał żal wujaszka Williama. W swojej krótkiej białej sukience do ćwiczeń, z włosami w odcieniu ciepłej żółci upiętymi wysoko na czubku głowy, kusiła w równym stopniu co ładna, zdrowa dwunastolatka. Slippers, Sutane i złotowłosy chłopak, który okazał się jego dublerem i młodzieńcem z numeru *Małe białe haleczki z Ramola*, jedli co innego niż pozostali i popijali to sporą ilością mleka. Sock Petrie prowadził konwersację i umiejętnie zagadywał Chloe Pye, odwracając jej uwagę od Mercera, któremu najwyraźniej nie chciała dać spokoju. Campion siedział obok Sutane'a, który perorował z zapałem, a jego szczupła, żywa twarz odzwierciedlała każdą zmianę nastroju i podkreślała każde zdanie w sposób nieprzystający do jego faktycznego znaczenia.

– Urwiemy się po obiedzie na pół godzinki – powiedział. – O pół do piątej przychodzi Dick poznać mnie z pewnym człowiekiem. Facet, niech będą mu dzięki, chce zainwestować we

W rytmie swinga i nie wolno nam go zniechęcić. Czy Linda wspominała panu o kłopotach, jakie tu mamy?

Przy mówieniu gestykulował rękami, a Campionowi znów nasunęło się porównanie z dynamo. Z aktora emanował ogromny stres.

– Słyszałem o nocnych odwiedzinach w ogrodzie, ale może to tylko jacyś ciekawscy miejscowi? Wie pan, pański dom budzi zainteresowanie w tak spokojnej wiosce.

– Być może. – Sutane wyjrzał przez okno. Oczy, które zdawały się składać w całości ze źrenic, miał ciemne i rozdrażnione. – Jesteśmy za blisko Londynu – stwierdził nagle. – To wygodne, ale atmosfera jest podmiejska. Nikt najwyraźniej nie rozumie, że my tu pracujemy.

Zamilkł.

– Wkurza mnie to – rzucił zapalczywie. – Powinni ruszyć trochę głową.

Pan Campion milczał. Zdawało mu się, że to akurat rozumie. Wiedział co nieco o życiu na wsi i o obowiązkach towarzyskich nakładanych na pewne domy, jakby miały osobowość niezależną od swoich właścicieli. Wyobraził sobie znudzonych okolicznych mieszkańców, znających się chociaż z widzenia, którym nagle z nadmiaru emocji nie zamykają się usta, bo dowiadują się, że ich grono zasili bohater narodowy. Ostatecznie jednak przeżywają rozczarowanie i stwierdzają ze złością, że sława trzyma się na dystans i ograbia ich tylko z jednego z żałośnie niewielu domów, do których można się udać z wizytą.

Campion spojrzał na Lindę siedzącą w dalszej części stołu obok wujaszka Williama i Mercera. Podniosła wzrok, popatrzyła mu w oczy i uśmiechnęła się. Campion zwrócił się znów do pana domu.

– Miałem zamiar wracać… – zaczął, ale Sutane mu przerwał.

– Niech pan zostanie dzień lub dwa. Sprawi mi pan tym ogromną przyjemność. Chciałbym po prostu wiedzieć, na ile to kwestia moich zszarganych nerwów, a na ile autentyczna złośliwość… Na Boga, a to co?

Ostatnie słowa wypowiedział z taką gwałtownością, że wszystkie pozostałe rozmowy ucichły. Campion, który siedział tyłem do okna, obejrzał się przez ramię i zobaczył, w czym rzecz. Podjazdem, z godnością stosowną do wieku, sunął powoli wielki daimler, rocznik 1912. Za kierownicą siedział wiekowy szofer w zielonej liberii i wiózł młodziutkiego lokaja w podobnym uniformie. Za nimi jechał buick, również z szoferem, a dalej kolejna taksówka. W oddali widać było jeszcze jeden samochód.

Sutane spojrzał pytająco na żonę. Pokręciła głową. Campion stwierdził, że wygląda na autentycznie przerażoną.

Tymczasem z daimlera wysiadali pasażerowie: wytworna starsza dama i smukła dziewczyna.

Cały dom rozbrzmiał echem dzwonka do drzwi, a śpiący pod stołem dog zerwał się i zaczął ujadać. Slippers uciszyła go po chwili i w jadalni zapadła złowroga cisza. Z korytarza dobiegły odgłosy rozmów i tupot stóp na wyfroterowanej podłodze.

Na podjeździe pojawiły się kolejne samochody, a do gwaru rozmów dołączył jeszcze jeden dźwięk, ciężki i nieprzyzwoity. Slippers zachichotała.

– Fortepian – powiedziała. – Przesunęliśmy go pod drzwi do salonu. Nie było czasu odstawić go na miejsce. Jimmy, sam powiedziałeś Hughesowi, żeby się tym nie przejmował.

Sutane odsunął krzesło od stołu. Nagle pokazowo się wściekł.

– Do cholery, kim są ci wszyscy ludzie? – krzyknął. – Po kiego diabła przyszli? Na Boga! Są ich dziesiątki!

Benny Konrad roześmiał się nerwowo.

– Nikt ich nie zna? Bosko! Chodźmy więc zawrzeć nowe znajomości.

– Zamknij się! – skrzywił się Sock Petrie i wbił z niepokojem w Sutane'a spojrzenie swoich głęboko osadzonych oczu.

Tancerz cały się trząsł i ściskał długimi palcami oparcie krzesła.

Drzwi za jego plecami otworzyły się delikatnie i do środka wszedł stary kamerdyner, który podawał do posiłku. Był czerwony i wyraźnie podenerwowany.

– Zjawiło się dużo ludzi, sir – zaczął ściszonym głosem. – Poprosiłem ich do salonu, a jedna z pokojówek rozsuwa drzwi do pokoju dziennego. Czy życzy pan sobie, żebym podał herbatę?

– Nie wiem. – Sutane spojrzał bezradnie na żonę.

Linda podniosła się.

– W filiżankach, myślę. Filiżanki i ciasto. I oczywiście mleko. Ile jest osób?

– Na tę chwilę około trzydziestu, madame, ale...

Starszy mężczyzna spojrzał znacząco na podjazd. Właśnie nadjechał kolejny samochód, z którego wysiadła grupa podekscytowanych młodych ludzi.

– No cóż, zrób, co się da – poinstruowała zrezygnowanym głosem Linda. – W spiżarni jest skrzynka sherry. Może to trochę załagodzi sytuację. Hughes, czy zjawił się ktoś znajomy?

– Owszem, madame. Przyjechała starsza pani Corsair z Towers, lady Gerry z Melton, pan i pani Beak, panna Earle. Wszyscy przyjechali z wizytą do pani, madame. – W jego głosie dało się wyczuć łagodny wyrzut. – Pójdę do nich. Czy pani też przyjdzie?

Dziewczyna zerknęła na swoją brązową bawełnianą sukienkę.

– Tak – powiedziała w końcu. – Dobrze.

Wyszła pospiesznie za kamerdynerem, a pan Campion pomyślał, że wyglądała przy tym jak mały stateczek wyruszający na bitwę.

Chloe wstała.

– Powinniśmy jej pomóc – oświadczyła z niejakim zadowoleniem. – Kim są ci wszyscy ludzie, Jimmy? Twoi miejscowi wielbiciele?

Sutane zignorował jej pytanie.

– Co za bezczelność! – wybuchnął. – Nachodzić tabunami cudzy dom, gdy człowiek ma tyle pracy!

45

Pan Campion odkaszlnął.

– Ktoś ich musiał zaprosić – zauważył delikatnie. – Setki ludzi nie zjawiają się ot tak, bez zaproszenia, punkt czwarta.

– A niech mnie dunder świśnie! – rzucił wujcio William.

Benny Konrad pisnął.

– A to brzydki psikus – zawołał. – Chyba ktoś się na ciebie uwziął, Sutane. Co zrobisz?

– Ulotnię się – odrzekł bez namysłu Jimmy. – Lindzie nie będzie łatwo, ale za dwadzieścia minut mam spotkanie w interesach.

– Nie robiłbym tego na twoim miejscu, chłopie. – Sock mówił cichym, ale wyjątkowo stanowczym głosem. – Zaszkodzisz sobie. To była świńska zagrywka, ale musisz stanąć na wysokości zadania. I ty, i Slippers musicie się pokazać. Idź do nich i powiedz coś miłego. Wyjaśnij, że mieliście próbę i dlatego jesteś tak ubrany. To jedyne wyjście. Pójdziemy z tobą i będziemy cię wspierać.

Sutane stał niezdecydowany.

– To już cholerna przesada.

– Wiem, ale co poradzić? – Sock starał się przemówić mu do rozsądku. – Gdy ktoś się zorientuje, że to mistyfikacja, o sprawie zrobi się głośno. Rób dobrą minę do złej gry. Grzeczny chłopiec.

Slippers, która darzyła Socka dużą sympatią, wzięła Jimmy'ego pod ramię.

– Chodź, kochany – powiedziała. – Odegramy przedstawienie.

– Tylko czy publiczność będzie klaskać? – mruknął Benny i zachichotał.

Sock wymierzył mu lekkiego kopniaka, a chłopak zaczerwienił się i zupełnie absurdalnie zamachnął, żeby mu oddać.

Mercer podszedł do Campiona i wujaszka Williama.

– Przypuszczam, że zajęli wszystkie trzy fortepiany? – spytał. – Wiecie może?

Spojrzeli na niego ze zdziwieniem i skrzywili się.

– Pewnie okupują wszystkie pokoje. Wrócę do siebie. To po drugiej stronie parku.

Otworzył okno i wyskoczył na podjazd ku niejakiemu zdumieniu nowo przybyłych gości, którzy omal go nie stratowali. Odskoczył na bok i spojrzał na nich z wściekłością. Jego niska, nieproporcjonalna postać ruszyła przez park i zniknęła Campionowi z oczu.

Chloe Pye przejrzała się w lusterku od puderniczki.

– Mogę tak iść? – spytała wujcia Williama, a gdy przytaknął jej w odpowiedzi głową, wyszła na korytarz.

Przyjęcie okazało się fiaskiem i taki był ewidentnie zamiar jego organizatora. Każdy dom będzie mało wygodny, gdy wypełni się go do granic możliwości, a trzynaście butelek amontillado i czterdzieści porcji herbaty, w tym sześć w kubkach, to w tych zepsutych czasach za mało, by zaspokoić pięciotysięczny tłum. Meble zawadzały, a puste butelki po piwie, pamiątka po porannym relaksie Socka, niespecjalnie zdobiły fortepian w salonie, gdzie odstawił je dla bezpieczeństwa któryś z troskliwych gości po tym, gdy przypadkiem się o nie potknął.

Wszystko to były jednak drobiazgi w porównaniu z prawdziwą katastrofą tego popołudnia. Wśród poszturchiwań tłumu gości pan Campion dokonał interesującego odkrycia. Towarzystwo zebrała ręka, której nie mogła prowadzić zwykła ignorancja. Snobistyczny podział, będący podstawą struktury każdej wiejskiej społeczności w Anglii, został celowo zlekceważony. Campion skłaniał się ku przypuszczeniu, że do doboru gości posłużyła książka telefoniczna. Wyższe sfery zjawiły się, bo były już u Sutane'ów z wizytą i zostały rewizytowane, tak więc formalnie nawiązano znajomość. Pozostałym natomiast trafiła się po prostu gratka w postaci zaproszenia od sławnego tancerza. Ponieważ jedno środowisko usługiwało zwykle drugiemu, a zatem były ze sobą aż nadto zaznajomione, zgromadzenie było pechowo dobrane.

Krótko mówiąc, była to towarzyska katastrofa.

Niejaki pan Baynes, pełniący najwyraźniej funkcję radcy w bliżej nieokreślonej gminie, bo tak właśnie tytułowały go z uporem dwie towarzyszące mu młode, rozentuzjazmowane kobiety, zachowywał się z hałaśliwą życzliwością, ale pozostała część towarzystwa była sztywna, zacięta i skrępowana. Kostium kąpielowy Chloe, mimo szkarłatnej spódnicy, nie wzbudził entuzjazmu, a jej scysja ze starszą damą, która przybyła jako pierwsza, zapewniła wszystkim znajdującym się w zasięgu ich głosów mało przyjemne pięć minut. Sutane starał się, jak mógł, ale nie zostało mu zapomniane, że pojawił się w towarzystwie Slippers, a nie własnej żony, mimo że doszło do tego zupełnym przypadkiem. Campion zobaczył go, jak stoi gdzieś w kącie, szczupły i poruszony, zabawiając z wdziękiem rozmową zupełnie obcych ludzi. U jego boku stał Sock, udzielając mu moralnego, choć przy tym ciut ekscentrycznego wsparcia. Linda miała jeszcze mniej szczęścia. Spora część gości pochodziła z jej okolic i uznała, że pani domu celowo chciała z nich zakpić. Campion zauważył, że drobna twarzyczka o szerokich ustach i oczach skrzących złotem przybiera niecodzienny kolor, i zrobiło mu się jej bardzo żal. Wujcio William krążył mężnie wśród gości i zagadywał w dość gwałtowny i wybuchowy sposób każdego, kto z góry nie marszczył brwi na jego widok, a ponura jak zawsze Eve też starała się, jak mogła. Dla nikogo sytuacja nie była przyjemna. W końcu samochody zebrały się do odjazdu. Zaproszeni zaczęli tłumnie opuszczać dom, a za przykładem prowodyrów szli kolejni.

W końcu w salonie pozostał jedynie radca, ale nawet on zarzucił serdeczność, gdy Sutane, kłębek nerwów, po godzinie nieznośnego zażenowania nie był w stanie dłużej nad sobą panować i rzucił do radcy opryskliwie, by przestał zwracać się do niego „stary druhu”.

Gdy ostatni samochód oddalił się wyładowany poirytowanymi gośćmi, Linda opadła gwałtownie na fotel i pociągnęła nosem. Sutane wpatrywał się w nią intensywnie.

– Trzeba sprzedać tę cholerną chałupę – powiedział.

Linda pokręciła głową.

– Za jakiś czas zapomną.

– Mam taką nadzieję – odparł wzgardliwie Sutane. – Na Boga, musieli przecież widzieć nasze zaskoczenie. Chyba nie myślą, że ktokolwiek przy zdrowych zmysłach zaprosiłby w niedzielę po południu na podwieczorek dwieście osób i kazał im podzielić między siebie czterdzieści filiżanek.

Linda podniosła głowę.

– Ich zdaniem w naszym przypadku to możliwe – stwierdziła. – Zawsze podejrzewali, że jesteśmy nieco dziwaczni, i obawiam się, że teraz są już co do tego przekonani. Problem w tym, że uznali nas też za nieuprzejmych. Wrócą do domu z przekonaniem, że to wyłącznie kwestia upadku obyczajów.

Sutane przyglądał się jej nadal z coraz bardziej ponurą miną. Jak to częstokroć bywało wśród przedstawicieli jego profesji, miał w sobie wiele ze snoba, a sugestia Lindy zabrzmiała tyleż niesmacznie, co przekonująco. Sutane zwrócił się do Campiona.

– I co? To naprawdę tylko kwestia mojej wyobraźni? Naprawdę sam sobie to wszystko wymyślam? – zapytał z mocą, podnosząc głos. – Mówię panu, to musi się skończyć! Zaczyna mnie to doprowadzać do szału. To musi się skończyć.

– Jimmy, chłopie, prosiłem czwarta trzydzieści.

Urażony głos spod drzwi przerwał wybuch Sutane'a, a gdy Campion podniósł głowę, zobaczył w progu małego człowieczka o tragicznej, nieładnej twarzy. Był drobny, ale bardzo męski. Ręce miał szorstkie, ale nieduże, a brodę równie siną od zarostu co Mercer.

Wszedł szybko do pokoju i odezwał się niskim, pewnym siebie głosem, który, jak przekonał się później Campion, był dla niego typowy.

– Nie wiedziałem, że urządzasz podwieczorek. Zjawiliśmy się w samym środku zamieszania, więc zaprowadziłem Bowsera prosto do pokoju. To bardzo zajęty człowiek, Jimmy. Chodź.

Sutane westchnął z nieco widowiskowym znużeniem i spojrzał zbolałym wzrokiem na Campiona, z przebłyskiem swojego dawnego uroku.

– Już idę – powiedział i opuścił razem z przybyłym pokój.

– To Poyser, agent Jimmy'ego – mruknął Sock, podchodząc do Campiona leniwym krokiem. – Ma facet pecha, co? Był już wystarczająco zdenerwowany. Trzeba to jakoś ukrócić.

Campion pokiwał głową. Stał przy fotelu, na którym siedziała Linda, a jego wysoka, koścista postać kładła się na nią cieniem. Spojrzał na nią z góry i powiedział przepraszająco:

– Jestem tu już dość długo, a najwyraźniej na nic nie zdołałem się przydać. Czy zna pani którąkolwiek z przybyłych dziś osób na tyle dobrze, żeby móc jej zaufać? Gdyby udało nam się zdobyć jedno z zaproszeń, które najprawdopodobniej zostały rozesłane, może udałoby się nam zidentyfikować drukarnię lub przynajmniej dowiedzieć się, kiedy zostały wysłane i skąd.

– Nie, nikogo nie znam – odezwała się zdławionym głosem Linda. – Rozpoznałam dwie czy trzy osoby, które złożyły nam wizytę, gdy się sprowadziliśmy, ale nikogo poza tym.

Sock wyszczerzył się w uśmiechu.

– Ale oni znali się całkiem nieźle, co? – stwierdził. – Z tego, co dało się słyszeć, nie przebierali w słowach.

– Wiem. – Dziewczyna podniosła głowę, a oni zauważyli z konsternacją, że ma w oczach łzy. – Pójdę porozmawiać z kuchnią – mruknęła. – Obawiam się, że mogą tam mieć mały kryzys.

Gdy zamknęły się za nią drzwi, Sock wbił ręce w kieszenie i uśmiechnął się krzywo.

– Biedna mała jest kłębkiem nerwów – zauważył. – Ale nic nie możemy z tym zrobić. W normalnych warunkach pański pomysł byłby doskonały, ale w obecnej sytuacji sam pan widzi. Ci dobrzy ludzie, kimkolwiek są, między sobą mogą sobie narzekać na aktorów, ale tak naprawdę będą w stanie tylko stwierdzić, że w domu panowało lekkie zamieszanie i że nie dla wszystkich starczyło jedzenia. Ale gdy wyjdzie na jaw, że to głupi kawał, wybuchnie skandal. Rozumie pan, do czego zmierzam?

– Pani Sutane chyba źle to znosi.

Sock spojrzał z zaciekawieniem na Campiona.

– Pani Sutane musi znosić wiele rzeczy – zauważył. – Jeśli pobędzie pan tu trochę dłużej, sam pan się o tym przekona.

O pół do dziewiątej podano zimną kolację, podczas której ani słowem nie wspominano o popołudniowym incydencie przez wzgląd na zażywną, nieco przestraszoną osobę niejakiego pana Bowsera, który ze wzrokiem wbitym w talerz siedział między Sutanem i jego agentem. Mercer, który wrócił, gdy tylko się przerzedziło, kilkakrotnie usiłował nawiązać do tematu, w czym dzielnie sekundowała mu Chloe, wyraźnie w złośliwym nastroju, ale pan Petrie umiejętnie ich powstrzymywał.

Po kolacji Dick Poyser znów zaanektował Sutane'a i swojego gościa. Jak większość ludzi bezpośrednio obracających pieniędzmi cechował się ciekawą mieszaniną zaaferowania i braku manier, jakby on sam i jego życiowa misja były w jakiś sposób święte i uprzywilejowane. Nie odzywał się do nikogo poza swoimi dwoma podopiecznymi i całkowicie ignorował panią domu, mimo to jednak nie można go było posądzić o rozmyślny brak grzeczności.

Po kolacji Campion przydybał wujcia Williama.

– Chcesz wyjechać, drogi chłopcze? – Starszy mężczyzna był wyraźnie przerażony. – Oczywista, że nic jeszcze nie wymyśliłeś. Nie było kiedy. Nie, nie, wstrzymaj się jeszcze trochę. I tak musisz przed wyjazdem porozmawiać z Sutane'em.

Wujcio wymknął się, chcąc uniknąć dalszej dyskusji.

Campion znalazł sobie miejsce gdzieś w kącie. W ogromnym domu panowała nerwowa atmosfera, choć nie chodziło o hałasy. Na dworze było ciepło, ogród pachniał, a w lipach szumiał lekki wietrzyk.

Campion zobaczył, że na trawniku poniżej tarasu Chloe spaceruje w towarzystwie Petriego i Benny'ego Konrada. Co jakiś czas dobiegał go jej wysoki, piskliwy śmiech.

Pozostali gdzieś się rozeszli.

Campion siedział w milczeniu dłuższy czas, aż żółte światło zaczęło gasnąć na wierzchołkach drzew, a ogród spowiły chłodne cienie nadchodzącego wieczoru. W pewnej chwili usłyszał w korytarzu jakieś głosy i trzaskanie drzwi, ale potem znów zapanowała cisza. Zapalił papierosa i zaciągnął się nim z namysłem, opierając luźno na kolanach swoje długie, szczupłe dłonie. Był na siebie zły i był sobą rozczarowany.

Czyjaś dłoń szarpiąca go za rękaw oraz żarliwy głosik przeraziły go nie na żarty.

– Jak się nazywasz?

Stała przed nim dziewczynka w obszernym, staromodnym kombinezonie. Nie była ładna, ale jej pulchna twarzyczka była przejęta i zarumieniona z emocji, a okrągłe oczy błyskały niepokojąco znajomymi złotymi punkcikami.

Pan Campion, który trochę bał się dzieci, przyglądał się jej z czymś niejasno zbliżonym do zabobonnego lęku.

– Jak się nazywasz? Powiedz mi, jak masz na imię! – zażądała stanowczo i wdrapała się mu na fotel.

– Albert – odpowiedział bezradnie Campion. – Kim jesteś?

– Albert – powtórzyła zadowolona. Gdy dziewczynka osiągnęła swój cel, nagle ogarnęła ją nieśmiałość równie gwałtowna, co jej pierwsze zapytanie. Odsunęła się od niego i przystanęła niepewnie. – Albert to imię dla psa – stwierdziła.

– Kim jesteś? – powtórzył Campion zdziwiony własnym brakiem sympatii.

Dziewczynka wpatrywała się w niego, jakby domyślała się jego niechęci.

– Jestem Sarah Sutane. To mój dom. Nie wolno mi z tobą rozmawiać, ani w ogóle z nikim, ale chcę. Chcę. Chcę. Chcę.

Rzuciła się ze szlochem w jego ramiona i wtuliła zapłakaną, nieszczęśliwą buzię w jego krawat. Campion posadził ją sobie na kolanach, starając się ze wszystkich sił nie dać po sobie poznać, że najchętniej by ją od siebie odsunął, i zaczął szukać chusteczki, co wydawało się w tym momencie najbardziej palącą potrzebą.

– Ile masz lat?

– Sześć.

– Sarah. – W drzwiach balkonowych pojawiła się panna Finbrough i jakaś kobieta w stroju niańki. – Przepraszam, panie Campion. Powinna być już w łóżku. Chodź, dziecko. No chodź. Uciekła tuż przed spaniem. Gdzie się schowałaś? W ogrodzie?

Sarah pisnęła i przylgnęła do swojego jedynego łącznika ze światem zewnętrznym, który to łącznik podniósł się zawstydzony i rozchełstany. Niańka wzięła w końcu dziewczynkę na ręce i wierzgającą nogami wyniosła z salonu. Wściekłe wrzaski dziecka zaczęły cichnąć, w miarę jak zamykały się za nią kolejne pary drzwi. Panna Finbrough uniosła brwi.

– To dość nerwowa istotka – powiedziała. – Ale czego się spodziewać? Chciałaby się bawić z innymi dziećmi. Czuje się samotna, ale nie można tu wpuścić gromady urwisów. To nie jest zwykły dom. Wie pan, że przez cały dzień nie udało mi się zamienić słowa z panem Sutane'em?

– Czy Sarah jest ciągle sama?

– No nie, spędza czas z matką i z nianią, no i ze mną. Matka ją rozpieszcza, ale przyznaje rację panu Sutane'owi, że dziecko nie może kręcić się wśród gości. Byłaby rozpuszczona, zaczęłaby się rozwijać niestosownie do wieku, podchwyciłaby Bóg raczy wiedzieć jakie słownictwo. Pan Sutane boi się, że zamieni się w dziecko teatru. Ciągle im powtarzam, że powinni ją posłać do szkoły z internatem.

– Sześciolatkę?

– To samo odpowiada jej matka – zniecierpliwiła się panna Finbrough. – Ale skoro dziecko ma zamiast ojca przepracowanego geniusza, musi to mieć swoje konsekwencje.

Pan Campion poczuł, że traci swoje zwykłe maniery.

– Nie jest pani trochę zbyt surowa?

– Surowa? Widział pan, jak on tańczy? – Nieładna twarz kobiety zaczerwieniła się, a jej oczy zalśniły. – Nie można od niego żądać, że narazi swoje zdrowie, sprowadzając do domu gromadę bachorów. – Zmitygowała się trochę. – Pani Sutane szuka córki w ogrodzie – powiedziała. – Dziecko musiało uciec akurat wtedy, gdy wszyscy i tak mieli wystarczająco dużo na głowie. Czy byłby pan tak uprzejmy i przekazał jej, że zguba się znalazła?

Campion wyszedł do spowitego półmrokiem ogrodu. Na trawniku natknął się na Chloe i Socka Petriego, który niósł ze sobą przenośny gramofon i kasetkę z płytami. Campion zauważył, że Chloe jest podekscytowana. Półmrok przydał jej rysom łagodności, jej oczy lśniły.

– Idę tańczyć nad jeziorem – poinformowała. – Cóż za ciepły, namiętny, rozkoszny wieczór!

Wyciągnęła ręce w stronę opalowego nieba.

Petrie skrzywił się.

– Nastawię pani kilka płyt, ale potem muszę zerknąć na wóz – zapowiedział niezbyt szarmancko. – Musi mnie dziś biedaczek dowieźć do miasta.

Chloe roześmiała się.

– Tak się panu tylko wydaje – mruknęła.

– Ja to wiem, moja droga – odparł. – Proszę, proszę, czego chce nasz Donald Duck?

Benny Konrad pędził w ich stronę, trochę za bardzo podobny do młodego fauna.

– Sock, Sutane się zmył – zaczął Konrad z niejaką przyjemnością. – Zapałał sympatią do jednego z dzisiejszych gości, wsiadł w bentleya i pojechał. Chyba po zaproszenie.

Sock odstawił gramofon na ziemię i zaklął.

– Cały Sutane – stwierdził w końcu. – Mój Boże, cały Sutane. Masz, Benny, weź to cholerstwo i nastaw jej płytę. Pójdę do garażu spytać, czy Joe wie, dokąd pojechał ten wariat.

– Jest pan nieznośny – rzuciła panna Pye za jego oddalającą się postacią, ale zaraz potem zaprzepaściła wypowiedzianą z godnością przyganę, wołając: – Niech pan potem do mnie przyjdzie!

Sock nic na to nie odrzekł, a Benny podniósł z ziemi gramofon.

– Też sobie zatańczę – oświadczył. – A tak na marginesie, co się stało Eve?

Chloe odwróciła się do niego z nieoczekiwanym zainteresowaniem.

– Kiedy?

– Teraz. Po kolacji. Siedziała sama pod krzakiem róży, zapłakana jak nieboskie stworzenie. Na mój widok uciekła.

– Dokąd?

– Nie wiem. Chyba do swojego pokoju.

Benny zachichotał, a Chloe Pye stała przez chwilę niezdecydowana.

Zaraz potem wzruszyła ramionami.

– Ostrożnie z płytami – przestrzegła.

Albert Campion poszedł dalej szukać Lindy. Znalazł ją w parku. Stała, wołając Sarah cichym, błagalnym głosem.

– Kochanie, wyjdź, proszę! No chodź, skarbie. Chodź do mamusi.

Campion stanął przy niej.

– Sarah jest już w łóżku – powiedział.

Linda odwróciła się do niego z ulgą i odwdzięczyła się mu spojrzeniem wyrażającym radość z jego obecności. Wrócili razem przez ogród do domu i usiedli na tarasie, rozmawiając, póki nie zrobiło się ciemno. Potem weszli do salonu, zbyt sobą pochłonięci, by zauważyć, że ciągle nikogo tam nie ma.

Campion stracił rachubę czasu. Jego starannie wyszkolony zmysł obserwacji poszedł chwilowo w zapomnienie. Mężczyzna przestał być tylko obserwatorem i aktywnie się zaangażował. Czuł się niesamowicie szczęśliwy. Nabrał większej pewności siebie. Wiedział, że jest elokwentny i inteligentny, że mówi z ożywieniem, które pamiętał z wczesnych lat młodości. Z twarzy zniknął mu wyraz bezmyślności, a oczy lśniły rozbawieniem.

Linda patrzyła na niego rozpromieniona.

Rozmawiali o katastrofalnym podwieczorku i zaczęli dostrzegać czysto humorystyczny aspekt całej sprawy, a w ich dywagacje wkradło się autentyczne rozbawienie. Oboje mieli świadomość nowo zyskanej wolności, a prawiąc sobie najpiękniejszy komplement wzajemnego zrozumienia, odkryli wspólnie cudowną, a zarazem niebezpieczną właściwość obopólnej stymulacji. Pozostali mieszkańcy wraz z ich nużącymi, zatroskanymi i ekscytującymi osobowościami poszli w zapomnienie. Wieczór był długi i niezwykle przyjemny.

Co nieuniknione, owo tokowanie skończyło się w chwili, gdy najmniej się tego spodziewali. Campion spojrzał na Lindę i uśmiechnął się szeroko.

– Cudowny wieczór – powiedział.

Linda roześmiała się, westchnęła i przeciągnęła jak mała, żółta kotka.

– Bardzo się cieszę.

– Nie wątpię – mruknął Campion, po czym podniósł się powoli z bezsprzecznym zamiarem, by ją pocałować.

Był to zupełnie mimowolny, nieprzemyślany odruch, wypływający w sposób naturalny z nieskrępowanego, spontanicznego nastroju, w jakim się znajdował. Campion był już w połowie drogi, gdy nagle rzeczywistość powróciła do niego z całą mocą i uświadomił sobie boleśnie, kim i gdzie jest. Po raz drugi tego dnia ogarnęło go nagłe, przerażające przeświadczenie, że zupełnie postradał zmysły.

Spojrzał na dziewczynę przestraszonym wzrokiem. Patrzyła na niego poważnie. Z jej twarzy zniknęła cała wesołość, a w jej miejsce pojawiło się lekkie zdumienie. Campion zorientował się, że czuła dokładnie do samo co on. Linda wstała i zadrżała lekko.

– Pójdę zobaczyć, czy uda mi się wyprosić jakąś kawę w kuchni, choć nie mam co liczyć na zbytnią przychylność – rzuciła lekko. – Unieśli się godnością po dzisiejszej popołudniowej porażce. Zrobiłam, co mogłam. Cały wieczór mają włączone radio, co w niedzielę, gdy Jimmy jest w domu, jest niedopuszczalne – słyszy pan, prawda? Uwielbiają orkiestry wojskowe, a poza tym przekupiłam ich porto i pochlebstwami. Ale Hughes i tak złożył dziś wypowiedzenie. Biedak był oburzony. Staram się go ściągnąć z powrotem. Nie mogę go stracić. Pracował dla mojego wuja.

Linda wyszła szybko z salonu, zamykając za sobą cicho drzwi.

Campion, pozostawiony sam sobie, zgasił papierosa i przeczesał dłonią swoje jasne lśniące włosy. Ogarnęło go zabarwione pewną dozą rozbawienia niezadowolenie z powodu kompletnej niedorzeczności swoich, jak dotąd zupełnie przyzwoicie kontrolowanych, uczuć.

– To nie dzieje się naprawdę – powiedział na głos i rozejrzał się niespokojnie, przestraszony, że ktoś mógł go usłyszeć.

Dobiegający z parku krzyk był z początku tak niewyraźny, że tylko częściowo przebił się do świadomości Campiona, ale gdy rozległ się ponownie, z większym natężeniem i intensywnością, wdarł się w jego myśli z siłą bliską wybuchu.

– Niech ktoś tu do cholery przyjdzie! Szybko! Niech ktoś tu przyjdzie! Gdzie się wszyscy podziali? Niech ktoś tu przyjdzie!

W momencie gdy Linda powróciła do salonu, na tarasie rozległ się tupot nóg i w otwartych drzwiach balkonowych pojawiła się blada twarz Sutane'a. Nawet w takiej chwili nie opuściło go zamiłowanie do dramatyzmu. Przystanął i spojrzał na nich.

– Zabiłem ją! – krzyknął. – Boże, Lindo, zabiłem ją! Zabiłem Chloe Pye.

ROZDZIAŁ 4

Zanim umysł powróci do normalnego działania, kiedy szok sprowadza się wyłącznie do uczucia fizycznego chłodu, następuje moment wyostrzenia zmysłów, w którym szczegóły otaczającej rzeczywistości nabierają niezwykłej wyrazistości.

Linda dostrzegła bałagan panujący w rzęsiście oświetlonym pokoju, czerwoną chustę Chloe ułożoną schludnie na pianinie razem z książką, a także długie, ciemne, nagle niezwykle ważne plecy Campiona, który zamarł w bezruchu, na wpół odwrócony do jej męża. W korytarzu za jej plecami rozległy się kroki i do pokoju wszedł z pytaniem w oczach agent Sutane'a, Dick Poyser.

– Słyszałem jakiś hałas – powiedział. – Co się stało, Jimmy?

Aktor wszedł do salonu. Na nogach trzymał się raczej niepewnie.

– Zabiłem Chloe... rzuciła mi się pod samochód.

– Na litość boską, przestań gadać! – Poyser rozejrzał się mimowolnie, a jego myśl była tak wyraźna, jakby wypowiedział ją na głos. – Gdzie ona jest? – spytał, po czym natychmiast dodał: – Ktoś cię widział?

– Nie. Byłem sam. – Mówiąc to, Sutane pokręcił głową z niemal dziecięcą naiwnością, szczególnie wyraźną w obliczu autorytetu agenta. – Leży na trawniku przy drodze. Przeniosłem ją tam. Nie chciałem jej zostawiać na drodze. Zostawiłem też tam samochód z włączonymi światłami. Nie chciałem jej zostawiać w ciemności. Przybiegłem przez park.

– Jesteś pewny, że nie żyje? – Poyser wpatrywał się w niego z mieszaniną przerażenia i fascynacji.

– Całkowicie. – Cichy głos o przyjemnej barwie brzmiał głucho. – Przejechałem dokładnie po niej. A to ciężki samochód. Co teraz, do cholery?

W domu dało się słyszeć jakieś poruszenie, a z małego saloniku muzycznego po drugiej stronie korytarza dobiegł głos Mercera, leniwy i niewyraźny jak zwykle. Odpowiedziało mu charakterystyczne burczenie wujcia Williama. Poyser odwrócił się gwałtownie do Campiona.

– Czy pan ma coś wspólnego z policją?

– Nie. – Campion zerknął na niego ciekawie.

– No to dzięki Bogu! – Jego ulga była nieomal namacalna.

– Chodźmy. Gdzie to się stało, Jimmy? Nalej mu drinka, Lindo. Weź się w garść, chłopie. Spokojnie, tylko spokojnie.

– Powinienem wezwać lekarza i policję.

Spokojny, bezosobowy głos pana Campiona wciął się w rozmowę.

– Czemu zaraz policję? – spytał podejrzliwie Poyser.

– Bo doszło do wypadku. Takie są przepisy drogowe.

– Rozumiem... – Mały człowieczek podniósł głowę, a na jego ustach pojawił się niewyraźny uśmieszek, znaczący i wdzięczny zarazem. – Ależ oczywiście. Zupełnie o tym zapomniałem. Lindo, to zadanie dla ciebie. Daj nam trzy minuty na dotarcie na miejsce, a potem zadzwoń. Najpierw do lekarza, potem na policję. Zachowaj pełen spokój. Był wypadek i są ranni. Rozumiesz? To świetnie. A my idziemy. Jimmy, przyjacielu, ty też.

Tuż przed wyjściem Campion spojrzał na dziewczynę po raz ostatni. Stała wciąż na środku pokoju. Zakrywała usta dłonią i miała wielkie z przerażenia oczy. Mężczyzna uświadomił sobie nagle, że przez cały ten czas nie odezwała się ani słowem.

Gdy tylko wyszli pospiesznie w ciemność, zobaczyli bladą poświatę reflektorów ponad linią drzew wzdłuż drogi. Sutane nie przestawał mówić. Był poruszony, ale zniknęło towarzyszące mu cały dzień skrajne podenerwowanie. Campion odniósł wrażenie, że tancerz stara się ważyć słowa.

– Mówiłem jej, żeby nie przyjeżdżała – rzucił, gdy szli przez trawnik. – Mówiłem, że nie chcę jej tu widzieć. Ale ona się uparła, sami panowie wiecie. Od początku musiała to planować. Co za tupet! W moim domu! Pod mój samochód!

– Bądź cicho. – Campion dostrzegł błysk małych, czarnych oczek Poysera, zerkających w jego stronę. – Bądź cicho, przyjacielu. Przekonamy się na miejscu, co się stało.

Przez chwilę szli szybkim krokiem w milczeniu. Sutane sapał.

– Prułem jak wariat – dodał nagle. – Zauważyłem ją dopiero, gdy ją przejechałem.

Agent złapał go za rękę.

– Nie myśl o tym – powiedział cicho. – Za chwilę będziemy na miejscu. Tylko jak przejdziemy przez żywopłot?

– Gdzieś tu jest dziura. Wdrapałem się na zbocze i przecisnąłem przez krzaki. To tylko wawrzyn.

Ześlizgnęli się w dół wysokiego nasypu na drogę, zrzucając na nią duże grudki piaszczystej żółtej ziemi. Samochód stał na środku jezdni z włączonym silnikiem, a za nim, na brzegu trawnika leżało coś białego i nieruchomego, spowitego upiorną czerwoną poświatą tylnych świateł samochodu. Poyser podszedł na palcach, nieświadomy absurdu swojej ostrożności. Schylił się i zapalił zapałkę. Trzymał ją w nieruchomym, ciepłym powietrzu, aż ogień zaczął parzyć go w palce.

– A niech to dunder świśnie – zaklął w końcu cicho, a staromodne zawołanie zabrzmiało dużo dosadniej niż cokolwiek innego, co mógłby w tej sytuacji powiedzieć.

Campion i Sutane podeszli do niego, a on odsunął się od ciała i pociągnął aktora za rękaw.

– Gdzie była, jak w nią wjechałeś?

Campion zostawił ich samych. Miał przy sobie kieszonkową latarkę i ukłęknął z nią przy zabitej. Chloe Pye miała ciągle na sobie swój biały kostium kąpielowy. Leżała na plecach na brzegu trawnika, głowa zwisała jej do zarośniętego trawą rowu, a szczupłe ciało było bezwładne i zwiotczałe. Lewe koła samochodu najechały jej na klatkę piersiową i zmiażdżyły żebra.

Skóra była brudna i mocno poszarpana, ale krwi nie było dużo. Campion dotknął dłoni Chloe – okazała się chłodna, ale nie lepka. Przysiadł na piętach. W ciemności jego twarz zdawała się bez wyrazu. Przywołał go głos Poysera.

– Ma pan latarkę? Proszę z nią tu na moment przyjść.

Campion wstał i podszedł do niego. Na żwirowanej drodze wyraźnie było widać ślady hamowania. Za pomocą latarki znaleźli miejsce, w którym Sutane wcisnął hamulec, a kawałek dalej, na warstwie ziemi i kamieni widniała żałośnie mała plamka znacząca miejsce, w którym kobieta się przewróciła. Sutane zaczął szczękać zębami.

– Wleciała mi tuż przed maskę – powiedział. – Nie widziałem jej, póki nie śmignęła przed przednią szybą. Rzuciła się mi pod koła. Nie zdawałem sobie sprawy, co się stało, póki nie wysiadłem, żeby zobaczyć, na co najechałem.

– To był wypadek – stwierdził stanowczo Poyser. – Zwykły wypadek, chłopcze. Gdzie ona stała?

– Nie gadaj głupot. Zrobiła to specjalnie – odezwał się poirytowany Sutane. – Skoczyła stamtąd. – Wziął latarkę i poświecił w górę.

Poyser zaklął, bo nie spodziewał się tego, co zobaczył.

– Mostek… – powiedział ze spojrzeniem utkwionym w obrośnięty różami łuk. – Dobry Boże, nie widziałeś, że spada?

– Nie. Przecież mówię – odezwał się ponuro Sutane. – Jechałem jak wariat. Co oczywiste, patrzyłem na drogę, a nie w niebo.

– Tak czy inaczej, w świetle reflektorów moim zdaniem powinno być ją widać – upierał się agent, wpatrując się wciąż w zielone liście na przęśle.

W słabym świetle latarki Campion dostrzegł malujący się na drobnej twarzy przebłysk niepokoju i pomysłowości.

– Dokładnie – stwierdził raptownie. – Było dokładnie tak. Już rozumiem. Było dokładnie tak, Jimmy. Widziała, że jedziesz, i chciała cię zatrzymać. Pewnie wychyliła się, bo wyobrażała sobie, że jest wróżką czy jakimś trzmielem – miewała takie szurnięte pomysły – z jakiegoś powodu straciła równowagę i spadła pod koła, zanim zdążyłeś zahamować. Dokładnie tak było. Sprawa byłaby dużo prostsza, gdybyś widział, jak spada. Musiałeś widzieć.

– Ale nie widziałem, przecież mówię – upierał się Sutane.

– Jechałem bardzo szybko, patrzyłem przed siebie i myślałem o tych cholernych zaproszeniach. Nagle coś spadło mi tuż przed maskę, więc wcisnąłem hamulec. Poczułem szarpnięcie i zaraz potem się zatrzymałem i wrzuciłem wsteczny. Wysiadłem i znalazłem ją za samochodem.

– Jimmy – odezwał się przypochlebnym głosem Poyser – to musiał być wypadek. Sam pomyśl, mój drogi, zastanów się. To musiał być wypadek. Chloe przecież by się nie zabiła. Czemu miałaby to robić? Dzięki twojemu spektaklowi wróciła na scenę. Przyjechała do ciebie w gości. Nie rzuciłaby ci się z rozmysłem pod koła. O takiej wersji wydarzeń marzą dziennikarze, gdy nie mają o czym pisać. Chloe usiłowała zwrócić na siebie twoją uwagę i spadła. Jak dla mnie to oczywiste i uwierz, że sytuacja jest i tak fatalna.

Sutane milczał. Argumentacja Poysera wciąż niosła się echem w ciemności. Aktor zadrżał.

– Mogło tak być – powiedział niezbyt przekonująco. – Ale ja jej nie widziałem, Dick. Przysięgam, że jej nie widziałem.

– No dobrze. Ale to był wypadek. Zrozum to wreszcie.

– Dobrze już, dobrze. Rozumiem.

Pan Campion poprosił o zwrot latarki, mówiąc, że chciałby obejrzeć mostek.

– Dobra myśl. – Poyser konspiracyjnym gestem wcisnął mu w rękę latarkę, a Campion uznał, że ludzie biznesu szyją swoje intrygi naprawdę grubymi nićmi. Miał szczerą nadzieję, że cała sprawa pozostanie w gestii miejscowej policji i że przebiegły pan Poyser nie będzie musiał konfrontować się z detektywem ze stolicy.

Campion wdrapał się z powrotem na nasyp, przecisnął przez krzaki i bez większego trudu odnalazł ścieżkę. Mostek okazał się dużo solidniejszy, niż na to wyglądał z drogi. Balustrady, mimo że wykonane z „rustykalnych" elementów, były zaskakująco stabilne, a poza tym wzmacniała je dodatkowo plątanina pnących róż American Pillar i dzikiego białego powoju. W sztucznym świetle latarki, za pomocą której Campion badał dokładnie gąszcz kwiatów, jasnoczerwone róże wyglądały nierealnie i przedziwnie wiktoriańsko. Campion czuł narastający niepokój. Pociągnięte pokostem deski pod jego stopami nic mu nie powiedziały. Suche lato sprawiło, że były gładkie i tylko z lekka przykurzone.

Campion pracował nad ziemią z pospieszną dociekliwością, a jego obawy rosły z każdym krokiem. Jednak to nie jego odkrycia napawały go niepokojem. Głos Poysera, celowo przyciszony do niezrozumiałego pomruku, niósł się w ciepłym, łagodnym powietrzu w górę wraz z zapachem kwiatów. Co jakiś czas rozlegała się wyraźna, poirytowana odpowiedź Sutane'a.

– To by było do niej podobne – usłyszał jego głos Campion.

I znów, po przedłużających się pomrukach Poysera:

– Tak, lubiła mieć tajemnice.

W tym samym momencie na drodze pojawił się drugi snop światła i zaczął przybliżać się do nich z dużą prędkością. Campion zszedł pospiesznie z mostku i przecisnął się przez wawrzyny. W tej sytuacji zdecydowanie wolał być na miejscu, gdy zjawi się policja.

Wyszedł z krzaków i zsunął się na drogę w tej samej chwili, w której kilka metrów dalej jakiś samochód zahamował tak gwałtownie, że aż zgasł mu silnik. Campion zauważył przed sobą potężnego fiata, kilkulatka, solidną maszynę. Szyba po lewej stronie opuściła się z trzaskiem i jakiś starczy głos, powolny pretensjonalnością bywałego siedemdziesięciolatka, jak gdyby ojciec głosu wujcia Williama, odezwał się surowo:

– Moje nazwisko Bouverie. Otrzymałem telefon z informacją, że ktoś został ranny.

– Doktor Bouverie?

– Tak. – Szorstka, monosylabiczna odpowiedź wskazywała, że mężczyznę zdenerwował fakt, że jego nazwisko nic nikomu nie mówi. – Usuńcie z drogi samochód. Pacjent został przewieziony do domu, jak mniemam.

– Nie. Nie został. Jest tu – wtrącił Sutane.

Wysunął się pospieszenie naprzód i przybrał nieświadomie podenerwowany, choć autorytatywny ton, który zachowywał na potrzeby tych spośród nieznajomych sobie ludzi, których nie starał się z miejsca oczarować.

– Pan Sutane?

Głos z samochodu też brzmiał autorytatywnie, a do tego apodyktycznie.

– Wydaje mi się, że poznaliśmy się dziś po południu w pańskim domu. Czy to pan prowadził wóz?

Sutane natychmiast został wytrącony z równowagi.

– Tak – przyznał. – Ja.

– Aha!

Drzwi otworzyły się.

– Obejrzę zatem pańską ofiarę, powiadam.

Campion na zawsze zapamiętał widok postaci, która wytoczyła się z ciemnego samochodu i stanęła w maleńkim kręgu światła padającego z latarki. W pierwszej chwili zobaczył olbrzymi brzuch obleczony w biały garnitur. Potem dostrzegł starą, zadziorną twarz o opadających policzkach, a także mądre oko zerkające spod daszka dużej tweedowej czapki. Patrzyło z arogancją i uczciwością, i niepokojąco przypominało buldoga skrzyżowanego być może z posokowcem. Mężczyzna poza maleńką siwą kępką nad górną wargą był gładko ogolony, ale wierzch pulchnych, wyposażonych w krótkie palce dłoni miał owłosiony.

Twardziel ze starych dobrych czasów, pomyślał zaskoczony Campion i nigdy nie miał okazji zmienić swojego zdania.

Nie widział doktora na katastrofalnym podwieczorku i słusznie założył, że mężczyzna znalazł się w licznej grupie tych, którzy przybyli dość późno i wkrótce potem wyjechali. Sutane go pamiętał, przynajmniej to było jasne. Na jego twarzy malował się ów pogardliwy, nieprzychylny wyraz, który zawsze oznacza dużą dozę zażenowania.

Poyser, wyczuwając nadchodzące kłopoty, podszedł z przymilnym wyrazem twarzy.

– To był wypadek – pospieszył z wyjaśnieniem, starając się brzmieć rzeczowo, choć wypadł raczej tak, jakby się spoufalał.

– O! – Nowo przybyły uniósł głowę i spojrzał na niego. – Był pan w samochodzie?

– Nie. Pan Sutane był sam. Pan Campion i ja dopiero co tu przyszliśmy z domu. My...

– Cisza. Gdzie pacjentka. Mówicie, że to kobieta, tak? Gdzie ona jest?

Doktor Bouverie minął skonsternowanego Poysera i zwrócił się do Sutane'a. Zachowywał się do tego stopnia grubiańsko, że mógłby wręcz narazić się na śmieszność lub zostać posądzony o zwykłe chamstwo, gdyby jego postawa nie była w oczywisty sposób efektem wielu lat zwierzchnictwa. W obecnej sytuacji jednak budził jednoczesny strach i podziw, a w panu Campionie, który znał prawdę, zamarło serce.

Doktor wyciągnął z olbrzymiej kieszeni płaszcza osiemnastocalową latarkę i dał ją Sutane'owi do przytrzymania.

– Na tylnym siedzeniu, jak się domyślam – powiedział, podchodząc do bentleya.

– Nie, jest tu. – Sutane przesunął snop światła na skraj drogi z podświadomie dramatyczną gwałtownością, a nowo przybyły, który z każdym krokiem coraz bardziej przypominał uosobienie wiejskiego wymiaru sprawiedliwości, stanął w miejscu jak przestraszony grizli. Cmoknął cicho, wyrażając tym swoje zdumienie i najwyraźniej niesmak.

– Proszę podejść bliżej z łaski swojej – zakomenderował.
– Niech pan świeci prosto na nią. Tak lepiej. Jeśli nie jest pan w stanie utrzymać nieruchomo latarki, proszę ją oddać któremuś z panów.

Poyser przejął latarkę, a stary lekarz przyklęknął na trawie, upewniwszy się uprzednio, że nie jest wilgotna. Całą swoją osobą wyrażał najwyższy niesmak i dezaprobatę, ale jego kanciaste ręce poruszały się z wyjątkową delikatnością.

Po chwili wstał, odrzucając pomoc Sutane'a.

– Ona nie żyje – oświadczył. – Panowie oczywiście o tym wiedzieli, prawda? Co ona właściwie robiła tu nago?

Powiedział to tak pretensjonalnie, że słowo „nago" zabrzmiało jak coś dziwnie karygodnego.

– Taka była – wyjaśnił znużonym głosem Sutane. – Cały dzień chodziła w kostiumie kąpielowym. Jakie to, u licha, ma znaczenie?

Stare oczy pod daszkiem kaszkietu wpatrywały się w niego jak w jakąś osobliwość, a do rozmowy znów wtrącił się Poyser. Nalegał, żeby pozwolono mu przedstawić jego wersję wydarzeń, a w swej przemożnej chęci, by zrobić to zarówno zrozumiale, jak i przekonująco, zrobił to ze swadą zakrawającą na brak ludzkich uczuć.

Potężny starszy mężczyzna wysłuchał go do końca z lekko przechyloną głową. Pan Campion stwierdził, że sprawa jest z góry przegrana: jakby sprytna ryba usiłowała przegadać równie sprytnego psa – eksperyment, który musi się zakończyć wzajemną nieufnością.

Doktor Bouverie poświecił latarką na mostek.

– Ale jeśli spadła stamtąd przez przypadek, musiała się wdrapać na te róże – rzecz niebywała w tak lekkim stroju. Oto i człowiek, którego nam trzeba. Czy to pan, Doe?

– Tak. Dobry wieczór, panie doktorze.

Posterunkowy, młody i wyjątkowo przystojny w mundurze, który w zależności od twarzy swojego właściciela może wyglądać poważnie lub komicznie, zsiadł z roweru i oparł go delikatnie o nasyp. Doktor z miejsca wypalił:

– Doszło do straszliwego wypadku – powiedział tonem pułkownika zwracającego się do swojego ulubionego kaprala.

– Kobieta albo spadła, albo rzuciła się z mostu pod samochód pana Sutane'a. To pan Sutane. Kobieta nie żyje. Proszę zabrać ciało do Birley. Zadzwonię z samego rana do koronera i trochę później przeprowadzę zapewne sekcję zwłok.

– Tak jest, sir.

Doktor jeszcze nie skończył.

– Tymczasem – powiedział – chciałbym obejrzeć ten mostek. Jak można na niego wejść, panie Sutane?

– Ja wdrapałem się na zbocze, ale kawałek dalej jest brama.

– Znużenie Sutane'a budziło wręcz litość.

– A zatem z niej skorzystam. Byłby pan łaskaw pokazać mi drogę? – Stary lekarz był opryskliwy i pełen werwy. – Doe, niech pan przykryje czymś ciało tej nieszczęśnicy, a potem pójdzie ze mną.

Pan Campion nie przyłączył się do towarzystwa. Jak miał w zwyczaju, gdy jego obecność nie była bezwzględnie konieczna, natychmiast usuwał się w cień. Gdy tylko ucichły mocne kroki policjanta oddalającego się drogą, pan Campion podszedł do fiata i zajrzał do środka. Na tylnym siedzeniu leżała torba, złożony w kostkę pled i trójkątne drewniane pudełko pełne małych wazoników wstawionych w trzymadełka rozmieszczone równomiernie rzędami. W środku nie było nic poza tym, więc z najwyższą ostrożnością uniósł maskę samochodu.

Sutane wrócił jako pierwszy. Podszedł do Campiona, który stał bez celu oparty o bentleya. Z mostu dochodziły niewyraźne rozmowy. Sutane trząsł się z wściekłości.

– Czy ten człowiek nie przekracza swoich uprawnień? – zapytał szeptem. – Ten gliniarz traktuje go jak samego Pana Boga Wszechmogącego. Co go obchodzi, czy Chloe popełniła samobójstwo, czy nie? Cholerny stary dureń – ma chyba z dziewięćdziesiąt lat!

– No to pewnie w tym rejonie faktycznie może wszystko.

– Campion zniżył dyskretnie głos. – Człowiek o takiej osobowości wszędzie robi wrażenie, jeśli ma tylko odpowiednio dużo czasu. Niech pan będzie ostrożny, bo pewnie jest członkiem ławy przysięgłych.

Sutane otarł czoło. W świetle reflektorów wyglądał jak jedna z własnych fotografii wywieszonych przed teatrem – nieziemska postać uchwycona wśród przerażających cieni.

– Miarka się przebrała – powiedział. – To musiał być wypadek, Campion. Zaczyna to do mnie docierać. Poyser ma rację. Dla dobra nas wszystkich to musiał być wypadek. Dobry Boże! Po co ona to zrobiła? I dlaczego akurat tutaj?

– Co się stało? – Ze zbocza za ich plecami zsunął się Sock, który w słabym świetle wyglądał jak wymiętoszony strach na wróble. – Linda powiedziała mi coś okropnego – nie mogłem w to uwierzyć. Jimmy, przyjacielu, co jest grane?

Przedstawili mu sytuację, a on stanął przygarbiony, z rękami w kieszeniach, i wbił spojrzenie w nakrytą kocem postać.

– O Boże – szepnął dziwnie zdławionym głosem. – O Boże.

Campion dotknął jego ręki, odwiódł go trochę na bok i przedstawił swoją prośbę.

– Obawiam się, że stary będzie robił problemy – dodał na koniec. – Był dziś po południu na podwieczorku i nie wykazał zrozumienia dla sytuacji. Oczywiście sam bym poszedł, ale wolę być na miejscu, jak wróci.

– Ależ mój drogi, zrobię wszystko, co w mojej mocy. – Głos Socka wciąż drżał. Jak wielu bardzo silnych mężczyzn ulegał wpływom wszelkiego rodzaju emocji. – Zaraz wrócę. Cieszę się, że mogę się na coś przydać. Powiem reszcie, żeby została w domu, dobrze? W końcu i tak niewiele mogą tu pomóc.

Wdrapał się z powrotem na górę, gdy tymczasem kroki na drodze obwieściły powrót pozostałych. Doktor Bouverie w dalszym ciągu dowodził grupą.

– Jeśli nie stanęła na samej balustradzie, a żadna kobieta przy zdrowych zmysłach by tego nie zrobiła, to nie rozumiem, jak mogła spaść. – Stary, a przy tym wciąż potężny głos wypowiedział te słowa dla wiadomości towarzyszących mu mężczyzn.

On sam nie dopuszczał żadnych wątpliwości: nie rozumiał po prostu, jak udało jej się spaść.

– Ależ w jej przypadku nie ma w tym nic dziwnego, doktorze. Znałem ją. Wyczyniała takie rzeczy. – Głos Poysera wskazywał, że jego spokój jest na wyczerpaniu.

– Była niezrównoważona? Jej strój, czy raczej jego brak, by na to wskazywał.

– Ależ nie, nic z tych rzeczy. Była impulsywna – temperamentna. Bez trudu mogła wdrapać się na mostek, żeby pomachać do Sutane'a.

– W rzeczy samej. – Na doktorze Bouverie nie zrobiło to wrażenia. Zwrócił się do posterunkowego: – No cóż, ja swoje zrobiłem, Doe. Wie pan, jak dalej postępować. Proszę uznać, że to zwykły wypadek. Zapewne uda się panu zorganizować jakiś transport. Będę w Birley jutro rano około dziesiątej. Przyjadę prawdopodobnie z doktorem Deanem. Dobranoc, panowie.

Wsiadł do samochodu i nacisnął przycisk zapłonu. Fiat nie zareagował.

Przez kolejny kwadrans uwaga całego towarzystwa skupiła się na samochodzie. Zwykle za człowieka unieruchomionego na amen w samochodzie przejmują odpowiedzialność zgromadzone wokół niego osoby, ale doktor Bouverie w analogicznej sytuacji zachował kontrolę nad sytuacją. Świadomy bez wątpienia, że bóg w maszynie, która nie chce ruszyć, może z łatwością zamienić się w rozwścieczonego śmiertelnika, zachowywał godność i starał się nad sobą panować, ale mimo to wydawał się przy tym straszny. Tragiczna śmierć Chloe Pye na jakiś czas odeszła w zapomnienie.

Sock Petrie powrócił w lagondzie Campiona w samą porę. Poyser przestawił bentleya, żeby przepuścić szare auto, a w tym czasie Campion złożył elegancką propozycję.

– Proszę pozwolić się odwieźć, doktorze – mruknął. – W White Walls jest człowiek, który zreperuje pański samochód i odstawi go do domu.

Doktor Bouverie zawahał się. Przyjrzał się z zastanowieniem Campionowi swoimi przenikliwymi oczami, a nie zauważywszy w nim nic antypatycznego, przyjął jego ofertę z niespodziewanym wdziękiem.

– To bardzo uprzejme z pańskiej strony – powiedział. – To moja wina. Powinienem był zabrać ze sobą szofera, ale ponieważ przejechał już dziś ze mną sto dwadzieścia mil, pomyślałem, że dam mu odpocząć.

Ruszyli statecznym tempem, a Campion zaczął szykować się do subtelnej ofensywy.

– Znakomite drogi – zaczął ostrożnie. – To moja pierwsza wizyta w tych okolicach. Natychmiast zwróciły moją uwagę.

– Tak pan uważa? – Wyraźne zadowolenie w głosie starca dodało Campionowi otuchy. – Muszą być dobre. Diablo się namęczyliśmy, żeby przekonać władze, że boczne szosy są dla mieszkańców równie ważne co główne, służące przede wszystkim tym cholernym turystom, którzy są na najlepszej drodze, żeby zniszczyć ten kraj. Niemniej jednak udało nam się w końcu przemówić im do rozsądku. Mówi pan, że nie jest stąd? A był pan dziś po południu na tym podwieczorku?

– Tak. – W głosie pana Campiona zabrzmiał żal. – Przykra sprawa. Pomyłka sekretarza. Pomylił daty, sam pan rozumie.

– Naprawdę? Teraz rozumiem. Wydało mi się to dziwne. Londyńczycy nie rozumieją naszych wiejskich zwyczajów. Pan wybaczy, umknęło mi pańskie nazwisko.

Pan Campion przedstawił się i powiedział, że jest z Norfolk. Z ulgą przekonał się, że mają tam wspólnego znajomego, a gdy starszy pan zmiękł już wystarczająco,Campion zebrał się na odwagę.

– Cóż za przerażający wypadek – zaczął ostrożnie. – Panna Pye przez cały dzień zdawała się tryskać humorem.

– W rzeczy samej. Proszę skręcić w lewo, z łaski swojej. Koniczyna pięknie pachnie po zmroku, zauważył pan?

Campion wykorzystał sytuację i sięgnął po swoją najlepszą kartę.

– Czy to nie jest doskonały region dla róż? – spytał, mając w pamięci trójkątne pudełko w fiacie doktora.

Jego pasażer wyraźnie się rozpromienił.

– Najlepszy na świecie. Sam interesuję się trochę różami. – Urwał, po czym dodał z nieoczekiwanym rozbawieniem: – Wczoraj w Hernchester zdobyłem dwanaście spośród czternastu odznaczeń. Pięć pierwszych za róże. I puchar. Nieźle, jak na takiego staruszka, co?

– Powiedziałbym, że to doskonały wynik. – Pan Campion był pod autentycznym wrażeniem. – Czy stosuje pan nawóz z kości?

– Nie u siebie. Mam podłoże z prawdziwej gliny.

Przez kilka mil rozmawiali o uprawie róż. Nawet dla Campiona, który przywykł do znacznych kontrastów, wspólna jazda trąciła koszmarem. Doktor Bouverie rozprawiał o swoim hobby z wiedzą i pasją dwudziestolatka. Kruche ściany White Walls i teatru wydawały się bardzo daleko stąd.

Gdy dojechali do ciemnej wioski, lekarz był już całkowicie pochłonięty tematem.

– Pokażę panu Lady Forteviot. Jeśli ich pan nie widział, ominęło pana istne cudo – powiedział. – To tutaj.

Campion zorientował się, że ciemna ściana, którą wziął za bok wiejskiej fabryczki, była frontem ponurego georgiańskiego domu. Wiktoriański ganek zamknięty solidnymi drewnianymi drzwiami wystawał na drogę pod kątem, na który nie zezwoliłby żaden współczesny urząd.

Doktor zadzwonił i zawołał na całe gardło ze zdumiewającą mocą: „Dorothy!". Na ten dźwięk w oknie na piętrze zapaliła się lampka, a Campion podążył jej śladem przez niekończące się galerie. Blade światełko przeświecało to przez jedno, to przez kolejne okno, aż wreszcie zniknęło w ciemności tuż nad ich głowami. Chwilę później przy drzwiach rozległ się szczęk i po dłuższej chwili zgrzytania kolejnych zamków drzwi otworzyły się ze skrzypieniem. Pojawiła się w nich starsza kobieta z lampą parafinową uniesioną nad głową. Powitanie godne Dickensa.

Staruszka nie uśmiechnęła się ani nie odezwała słowem, tylko usunęła się z szacunkiem, robiąc im przejście. Doktor wyszedł poza krąg światła w mrok, a Campion poszedł za nim, boleśnie świadomy, że jest po północy.

Starzec klasnął w ręce gestem godnym sułtana, dziwnie pasującym do jego osobowości.

– Proszę podać whisky i wodę do jadalni oraz wezwać George'a.

– Na pewno już śpi, sir.

– To oczywiste, jeśli ma dość rozumu w głowie. Proszę mu powiedzieć, żeby założył płaszcz i spodnie i spotkał się ze mną w oranżerii. Chcę pokazać panu róże.

– Dobrze, sir. – Służąca odstawiła lampę i zniknęła w ciemności.

Campion zaprotestował słabo.

– Ależ to żaden kłopot. – Starszy pan zabrzmiał jak chłopiec z wiktoriańskiej sztuki. Campion stwierdził, że nigdy nie widział nikogo tak promieniującego szczęściem. – Jesteśmy na nogach o każdej porze dnia i nocy. Takie jest życie lekarza.

Doktor wziął lampę, a Campion zorientował się, że rzecz, o którą opierał się w przekonaniu, że to zakończenie poręczy, była pełnowymiarowym wypchanym wilkiem. Rozejrzał się wokół siebie i zauważył, że wąskie ściany przesłaniają witryny pełne spreparowanych ptaków.

– Poluje pan? – odezwał się gospodarz za plecami Campiona. – Sto trzydzieści dwie sztuki z własnej broni podczas samotnej wyprawy w październiku zeszłego roku. Nieźle, co? Dziesięć godzin polowania, a potem dyżur do świtu. W ogóle nie czuję, że mam siedemdziesiąt dziewięć lat.

Mówił z przechwałką w głosie, ale widać było, że nie przesadza.

Weszli do niewielkiej zagraconej jadalni, w której czerwono-złota tapeta niknęła niemal całkowicie pod paskudnymi obrazami olejnymi i kolejnymi gablotami z dzikim ptactwem.

W tym otoczeniu stary lekarz nie robił aż tak dziwnego wrażenia. Stał na dywaniku przed kominkiem, tak doskonale wpasowany w swój świat, że to jego gość poczuł się nie na miejscu. Pan domu przyglądał się mu z zawodową ciekawością, a Campion, który próbował odgadnąć myśli doktora, doznał nagłego olśnienia.

– Umie pan się bić?

Młodszy mężczyzna z zaskoczeniem stwierdził, że jest poirytowany.

– Zmierzę się z każdym mojej wagi – powiedział.

– Ha! Był pan na wojnie?

– Tylko ostatnie pół roku. Urodziłem się w 1900.

– Znakomicie! – Ostatnie słowo zostało wypowiedziane z ogromną emfazą, po której nastąpiła chwila ciszy. Doktor Bouverie posmutniał. – Nawet wtedy uważano mnie już za starca – wyznał z żalem.

Służąca wróciła z karafkami i kieliszkami.

– George już czeka, sir.

– Dobrze. Możesz się kłaść.

– Jak pan sobie życzy. – Jej głos był pozbawiony wyrazu.

Campion napił się trochę i pomyślał o Chloe Pye, Sutanie i gazetach. Podejrzewał, że jechał ze starszym mężczyzną najdalej pięć mil. Miał wrażenie, że to za mała odległość, żeby rozdzielić tak różne światy.

– Co do róż – doktor odstawił szklaneczkę – są niezwykłe. Żadna im nie dorówna na wystawie, chyba że stara odmiana Frau Karl Druschki. Ma gęstość. To najważniejsze w przypadku róż przeznaczonych na wystawę – gęstość.

Poprowadził swojego gościa przez salon, który mimo skwarnej nocy był chłodny, a także – jak wywnioskował Campion na podstawie pobieżnej obserwacji – wręcz w opłakanym stanie.

Oranżeria prezentowała się jednak wspaniale. Była przepełniona, ale sekcja begonii i gloksynii zapierała dech w piersiach.

W środku, z lampą sztormową w ręce, czekał na nich chudy, przygnębiony człowiek w filcowym kapeluszu i prochowcu.

– Gotowy, George? – zapytał doktor tak, jakby szykowali się na bitwę.

– Tak, proszę pana.

Poszli do ciemnego ogrodu, który pachniał wprawdzie rajsko, ale niestety nic nie było w nim widać. Róże składały się ze złocistożółtych kwiatów przechodzących w odcień brzoskwini i rosły na długich, starannie oberwanych z pączków łodygach. Przed niekorzystną pogodą osłaniały je małe białe płócienne kapturki przymocowane do tyczek.

Dwaj starsi mężczyźni, doktor i ogrodnik, nachylali się nad kwiatami jak matki. Ich entuzjazm był równie czuły, co nabożny. Doktor wsunął swoje krótkie palce pod kwiat i przechylił go delikatnie.

– Czyż nie jest piękna? – powiedział cicho. – Dobranoc, moja śliczna.

Poprawił płócienny kapturek.

– W całym kraju nie znajdzie pan piękniejszej róży – pochwalił się.

W drodze powrotnej do spowitego ciemnością domu Campion zebrał się na odwagę.

– Domyślam się, że kobieta zginęła tak naprawdę od uderzenia głową w ziemię? – spytał.

– Owszem, czaszka była pęknięta. Zauważył pan, prawda? – Stary doktor był wyraźnie zadowolony. – Nie rozumiem natomiast, w jaki sposób spadła, chyba że faktycznie sama skoczyła. Tę kwestię trzeba będzie wyjaśnić w czasie dochodzenia. Nie, nie wyczułem od niej alkoholu.

– Bo nie była pijana – wyjaśnił powoli Campion. – Przynajmniej technicznie rzecz biorąc.

Ku jego zaskoczeniu, starszy mężczyzna zrozumiał, o co mu chodzi.

– Histeryczka? – spytał.

Campion dostrzegł w tym szansę dla siebie.

– Nie sądzi pan, że histeria niespecjalnie różni się od tego, co zwykle nazywamy temperamentem? – zauważył.

Starszy mężczyzna milczał. Zastanawiał się.

– Nie mam zbyt dużego doświadczenia w kwestii temperamentu – odezwał się w końcu, jakby przyznawał się do winy.

– Leczyłem kiedyś pewną śpiewaczkę operową, niemal pięćdziesiąt lat temu. Była obłąkana. Nie podobał mi się dziś ten kostium kąpielowy. Cały dzień tak chodziła? Do morza jest stąd czterdzieści mil.

Campion zabrał się do ostrożnych wyjaśnień. Przedstawił Chloe Pye, jak umiał najlepiej. Wyjaśnił, że była próżna. Pracowita, atrakcyjna i chcąca za wszelką cenę wyglądać młodziej niż w rzeczywistości.

– Tak więc sam pan widzi – zakończył. – Bez trudu mogła wejść na tę balustradę, żeby pomachać Sutane'owi, który patrzył na drogę i jej nie widział.

– Tak. – Starszy mężczyzna był wyraźnie zainteresowany. – Tak. To prawda. Ale jeśli kobieta była wystarczająco sprawna, żeby tam wejść, a przy tym, jak pan mówi, była praktycznie akrobatką, czemu miałaby spaść?

Uwaga była słuszna, ale do niczego nie prowadziła. Campion był prawie pewny, że doktor jest sędzią.

– Może coś ją przestraszyło? – podsunął bez przekonania. – Może poślizgnęła się na połamanych gałązkach.

– Ale nie było żadnych połamanych gałązek – zaprotestował doktor Bouverie. – Specjalnie sprawdziłem. Mimo to dziękuję za informacje. Kobieta przestała być dla mnie aż taką zagadką. Zbadam ją dokładniej rano. Może znajdę coś, co mogło być przyczyną nagłego zasłabnięcia lub czegoś w tym rodzaju. To było niezwykle uprzejme z pańskiej strony. Proszę przyjechać kiedyś obejrzeć moje róże za dnia.

Odprowadził swojego gościa do drzwi, a Campion potknął się o coś w ciemności i poczuł na dłoni ciepły pysk. Przez cały czas jego wizyty pies nie wydał z siebie żadnego dźwięku, a Campion zorientował się nagle, że dwójka służących była dokładnie taka sama – milcząca, bezwzględnie posłuszna, a przy tym życzliwa i zadowolona.

Pan domu stanął na ganku z uniesioną latarnią.

– Dobranoc! – zawołał. – Dobranoc!

Campion wracał powoli do White Walls. Chmury przerzedziły się i gwiazdy rzucały słabą poświatę na ciągnące się wokół płaskie pola. Panowała tu przedziwna cisza i czuło się prawdziwą wieś. Campion miał wrażenie, że cofnął się o sto lat.

Dotarł do samochodu doktora zaparkowanego na poboczu w oczekiwaniu na szofera, który miał się nim zająć z samego rana. Podjechał bliżej, wysiadł i podniósł maskę. Odszukał główny przewód prowadzący z baku do cewki zapłonowej i podłączył go z powrotem. Włączył zapłon, a silnik uruchomił się posłusznie.

Wrócił do lagondy i ruszył dalej. Gdy zobaczył elegancki biały dom wznoszący się na tle nieba, zawahał się chwilę, walcząc z pokusą, by zawrócić do Londynu. Kilka godzin wcześniej zamierzał usunąć się cicho z życia Sutane'ów, i to jak najszybciej. Nie przypominał sobie, by kiedykolwiek wcześniej odczuwał równie duży niepokój, a odczucie to wcale nie było przyjemne. Teraz jednak sytuacja wymagała jego obecności, wyjazd w takich okolicznościach oznaczałby ucieczkę od czegoś bardziej konkretnego, a przez to mniej przerażającego i zarazem dużo ważniejszego od jego własnych uczuć.

Pan Campion nie był lekarzem, ale napatrzył się w życiu na ofiary gwałtownej śmierci. Doktor Bouverie, jak wiedział, był w ciągu ostatnich dwudziestu lat świadkiem wielu wypadków samochodowych, tak wielu, że zdążył do nich przywyknąć, a zatem istniała realna szansa, że pewien ważki, a oczywisty fakt mógł umknąć jego uwadze.

Rzeczą, którą Campion z miejsca zauważył, gdy nachylił się po raz pierwszy nad ciałem Chloe Pye, i która, jak upewnił się z wielką pieczołowitością, umknęła jak dotąd uwadze doktora, był zdumiewający brak krwi na drodze.

Ponieważ krew przestaje krążyć, gdy zatrzymuje się pompujące ją serce, pan Campion nabrał przekonania, że można postawić sto do jednego, że gdy ciało Chloe Pye spadało z mostku, ona sama była już martwa od jakichś piętnastu minut. To by oznaczało, rzecz jasna, że ani z niego nie spadła, ani nie zeskoczyła.

Wjeżdżając na dziedziniec, zastanawiał się, jak została zamordowana i kto zrzucił ją pod koła bentleya. Zastanawiał się też, czy zasługiwała na śmierć.

Nie przyszło mu jednak do głowy, by przyjrzeć się własnemu bezprecedensowemu zachowaniu w całej tej sytuacji.

ROZDZIAŁ 5

Drzwi od strony korytarza były otwarte i na wąskie schodki prowadzące na podjazd schodziła zygzakami szeroka smuga żółtego światła. W całym domu panowała atmosfera podniecenia, jakby na coś się zanosiło. Wypływała w noc dźwiękiem pospiesznych kroków na wyfroterowanych schodach i wymykała się przez okna rwanymi głosami i na wpół zrozumiałymi strzępkami rozmów.

Campion przystanął na dole schodów. Jego chuda, wiotka postać rzucała na ścieżkę długi cień. Niebo zaczęło się szybko przejaśniać i po drugiej stronie drogi, nad wiązową aleją, zawisł nisko poobgryzany księżyc. W ogrodzie było dosyć jasno. Kawałek dalej na trawniku stał leżak, który wujcio William ustawił rano dla Chloe Pye. Wyglądał jak łódka na spowitym światłem księżyca morzu.

Nagle Campionowi przyszło coś do głowy i obszedł dom, kierując się na ścieżkę wiodącą nad jezioro. Gdy mijał drzwi balkonowe od salonu, usłyszał wyraźnie zdenerwowany głos Sutane'a, który coś komuś odpowiadał.

– Mój drogi, a skąd mam wiedzieć? Ledwie ją znałem.

– Dobrze już, dobrze, nie denerwuj się tak. – Poyser był rozdrażniony. – Pomyślałem tylko, że musimy coś wymyślić.

Pan Campion oddalił się cicho. Pomyślał, że zazwyczaj tak jest. Niespodziewana śmierć zawsze sprawiała, że pojawiał się ktoś, kto chciał narzucić innym „plan działania", zupełnie nie zważając na fakt, że śmierć to jedyna sytuacja, którą społeczeństwo jako takie wciąż traktuje poważnie. Miłość czy pieniądze są w stanie przesłonić każde inne przykre wydarzenie w życiu społecznym, ale nagła śmierć jest święta. Zwłoki to jedyna rzecz, której nie da się zlekceważyć.

Idąc w samotności pomiędzy cisowymi żywopłotami, Campion zdał sobie nagle sprawę, że w czasach, w których każda w miarę przyzwoicie wykształcona osoba jest w stanie wykpić najgłębsze nawet uczucia, świętość i powaga nagłej śmierci jest rzeczą pocieszającą i zbawienną, ostatnią skałą wśród ruchomych piasków norm i pragnień człowieka.

Campion wyszedł spomiędzy skrywającego go żywopłotu i ruszył w dół do szerokiego kamiennego brzegu jeziora. Przypominało ono raczej duży staw w kształcie nerki, uformowany przez poszerzenie dna naturalnego strumyka przepływającego przez posesję. Poprzedni właściciel zasadził wokół kamiennego chodnika wierzby, a Sutane'owie dobudowali pawilon kąpielowy.

Campion od razu znalazł to, czego szukał. Na wschodnim brzegu, przed pawilonem, znajdowało się szerokie, brukowane podwyższenie, o powierzchni jakichś dwudziestu metrów kwadratowych, na którym stał mały czarny gramofon, z uniesioną jeszcze pokrywą.

W ciągu dnia miejsce wyglądało na trochę zarośnięte i zaniedbane, co miało swój urok. Sutane nie był przesadnie bogaty i mógł sobie pozwolić tylko na dwóch wykwalifikowanych pracowników i pomocnika, którzy dbali o cały teren. Jednak w świetle księżyca dawna elegancja i świetność uzyskana staraniem pierwotnych projektantów w magiczny sposób ożywała, a droga do gramofonu poprowadziła Campiona przez świat uporządkowanego majestatu równie wizjonerskiego co duchy przeszłości.

Campion stał chwilę na dolnym stopniu podwyższenia i przyglądał się uważnie jego powierzchni. Była gładka i sucha jak asfalt i mówiła równie dużo.

Zyskawszy pewność w tej materii, podszedł do gramofonu i przykucnął obok na piętach. Płyta grała, póki sama się nie zatrzymała. Campion odczytał tytuł: *Etiuda Vowisa* – niepoważny, eksperymentalny kawałek, niewart właściwie nagrywania. Jeśli Chloe Pye tańczyła do tej pozbawionej formy bagateli, należały jej się wyrazy szacunku.

Zerknął do kasetki z płytami i zobaczył, że dwie z nich zostały wyjęte. Rozejrzał się za brakującą i znalazł ją na szarej kopercie w cieniu rzucanym przez wieko gramofonu. Znalezisko wzbudziło jego ciekawość. Płyta była pęknięta, ale nie na dwie części, tylko na mnóstwo małych kawałków, jakby ktoś nadepnął na nią ciężką stopą. Ciągle jednak dało się odczytać etykietę, w czym Campion dopomógł sobie latarką. To była *Miłość czarodziejem* Falli. Część 1. Część 2 znajdowała się najprawdopodobniej z drugiej strony, więc Campionowi przyszła do głowy pewna myśl. Przy użyciu chusteczki, żeby nie zostawiać śladów, zdjął płytę, która wciąż znajdowała się w gramofonie. Tak jak podejrzewał, na drugiej stronie znajdowała się trzecia i ostatnia część baletu Falli. Campion uniósł brwi. Wiedział, że banalne utwory pokroju *Etiudy* często dorzucano, gdy poważniejszego dzieła nie dało się podzielić na parzystą liczbę płyt, ale jeśli panna Pye tańczyła do Falli, co wydawało się całkiem prawdopodobne, po co w ogóle słuchała *Etiudy* i gdzie była, gdy płyta automatycznie się zatrzymała, kładąc kres delikatnej niedorzeczności utworu.

Campion przysiadł na piętach i zaczął się rozglądać za drugą rzeczą, po którą tu przyszedł. Zaledwie rzut oka wystarczył mu, by zyskać pewność, że z kolejnym zadaniem nie pójdzie mu tak łatwo jak z pierwszym. Szkarłatny jedwab, wyraźnie widoczny za dnia, w figlarnej poświacie księżyca zamienia się zwykle w czarną plamę cienia. Niemniej jednak, gdy po raz ostatni widział Chloe Pye żywą, miała na sobie czerwoną, sięgającą kostek spódnicę z chusty, a na pewno nie była w nią ubrana, gdy leżała w dramatycznej pozie na trawiastym poboczu. Mężczyzna zastanawiał się, gdzie i kiedy ją zgubiła.

To w tym momencie swojego śledztwa, gdy siedział cicho w świetle księżyca tak jasnym, że człowiek dziwił się, że nie daje ciepła, zauważył nagle, że nie jest w ogrodzie sam. Pod dębami za pawilonem na połaci suchej, szorstkiej trawy coś się ruszało. W pierwszej chwili pomyślał, że to pies węszący za czymś pod drzewami, ale pewna rytmiczna regularność towarzyszących ruchowi odgłosów kazała mu zmienić zdanie.

Nie chcąc, by ktoś przyłapał go na oględzinach gramofonu, wstał ostrożnie i wszedł na nierówne kępy trawy porastające ścieżkę. Skrywał go cień pawilonu, więc przystanął cicho i popatrzył przed siebie.

Zaraz za pawilonem kąpielowym między drzewami uformowała się naturalna polana. Szeroki pas trawy i mchu, którym pozwolono dziko rosnąć, ciągnął się aż do porośniętych bluszczem pozostałości sztucznej ruinki. Budowla nigdy nie była zbyt udana, nawet za czasów swojej georgiańskiej świetności, a dziś pozostała już tylko zapisem porażki pozbawionego wyobraźni robotnika brytyjskiego, usiłującego odtworzyć na wpół zapamiętaną świetność budowli, na którą jego chlebodawca natknął się w trakcie *Grand Tour**. W cieniu poniżej ruin coś się ruszało, a Campiona oddzielała od tego poświata księżyca kładąca się plamami na trawie, przez co darń wyglądała jak rozpostarta skóra jakiegoś olbrzymiego łaciatego zwierzęcia.

Wpatrywał się w mrok i słyszał wyraźne kroki, powolny, równomierny szelest. Zorientował się nie bez zdumienia, że jest już pewnie około drugiej nad ranem. Tak późna pora sama w sobie zdawała się uzasadniać otwarte śledztwo, więc miał już wyjść z ukrycia, gdy wśród drzew zerwał się lekki wietrzyk, poruszając cieniami jak praniem na sznurze. Pan Campion stał w całkowitym bezruchu. Wśród cieni dostrzegł jakąś postać. Wpatrywał się w nią, a ona w tym czasie przesunęła się w stronę światła. To była dziewczyna, co tak go zdumiało, że nie od razu ją rozpoznał. Była ubrana w cieniutką koszulę nocną, na którą miała narzucone coś w rodzaju szyfonowego szlafroczka ze zwiewnymi rękawami. Tańczyła.

---

* Podróż, w jaką wyruszali młodzi arystokraci w celu poszerzenia swoich horyzontów myślowych i kulturalnych.

W porównaniu z profesjonalizmem prezentowanym przez Sutane'a i Slippers jej występ trącił dojmującą amatorszczyzną. Jej ruchom brakowało wdzięku i pomysłu. Ale była w nich intensywność uczucia i ekspresja, pierwotna i imponująca.

Dziewczyna była całkowicie pochłonięta tańcem, którego głównym motywem był najwyraźniej jakiś na wpół wymyślony rytuał. Campion patrzył, jak biega w tę i we w tę, pochylając się i wymachując rękami to nad swoją głową, to na wysokości barków. Rozpoznał Eve Sutane i z niewiadomych powodów mu ulżyło. Tu, w ciepłą noc, na powietrzu, z furkoczącym wokół ubraniem i spiętym z emocji ciałem była kimś zupełnie innym niż ponura dziewczyna o tępym wzroku, którą widział tego ranka.

Przypomniał sobie, że miała prawdopodobnie około siedemnastu lat. Jak na porządnego przedstawiciela epoki neogeorgiańskiej przystało, miał za sobą lekturę wspaniałego dzieła opisującego tę jałową epokę i wiedział co nieco na temat psychologii płci. Uświadomił sobie, choć nie miało to zupełnie znaczenia, że przedstawiciel epoki wiktoriańskiej zobaczyłby w tańcu Eve albo przejaw słodkiej, uduchowionej wrażliwości, albo brak świadomości, że taniec ów może zakończyć się poważnym przeziębieniem. Jemu natomiast nie dawała spokoju nieco pesząca myśl, że chodzi raczej o dojrzewanie soków, odkrywanie utajonych pragnień i pierwotny ekshibicjonizm.

Myślał właśnie, które z wyjaśnień mogło mieć w dłuższej perspektywie większy sens, gdy znów uświadomił sobie z pełną siłą niezwykłe okoliczności towarzyszące owej szczególnej manifestacji młodości. Zastanawiał się, czy to możliwe, że Eve nie wiedziała o śmierci Chloe Pye. Wyszedł zza pawilonu i odkaszlnął dyskretnie.

Minęła go w pędzie. Początkowo zamierzała go najwyraźniej zignorować, ale zmieniła zdanie i zawróciła. Entuzjazm sprawił, że wyglądała niemal pięknie. Oczy jej lśniły, a usta, szerokie i delikatne jak u jej brata, rozciągały się w uśmiechu, gdy tylko zapominała się kontrolować.

– Co pan tu robi? Myślałam, że pojechał pan odwieźć doktora.

Jej manierom brakowało ogłady, ocierała się niemal o grubiaństwo. Campion przyglądał się jej z lekkim zdziwieniem.

– Doktor jest męczącym dżentelmenem. Pomyślałem, że trochę się przewietrzę, zanim wrócę.

– Od dawna pan tu jest?

– Nie – skłamał uprzejmie. – Dopiero co przyszedłem. A czemu pani pyta?

Roześmiała się, a Campion nie był w stanie powiedzieć, czy zwyczajnie jej ulżyło, czy naprawdę tryskała aż tak wielką radością.

– Nie lubimy, jak ktoś tu węszy i myszkuje – stwierdziła. – Nie cierpimy takich osób. Dobranoc.

Odwróciła się i odbiegła. W każdym ruchu jej ciała i uderzeniu gołych stóp widać było szczęście.

Campion upewnił się, że weszła do domu i dopiero wtedy wrócił na polanę. Znalazł na niej czerwoną jedwabną spódnicę Chloe Pye, rozciągniętą niczym dywanik modlitewny. Eve rozłożyła ją sobie do tańca.

ROZDZIAŁ 6

TRAGICZNA ŚMIERĆ CHLOE PYE
ŚMIERTELNY WYPADEK ZNAKOMITEJ MŁODEJ TANCERKI
   Dziś wieczorem, tuż po dziesiątej, panna Chloe Pye, która led-
wie wczoraj powróciła z sukcesem na londyńską scenę w przedsta-
wieniu Ramol *wystawianym przez Teatr Argosy, zginęła tragicznie*
pod kołami samochodu. Do wypadku doszło w wiejskiej posiad-
łości pana Jimmy'ego Sutane'a, gdzie tancerka spędzała weekend.
Pan Sutane, który w chwili wypadku zasiadał za kierownicą, nie
może otrząsnąć się z szoku.

– Moim zdaniem nie da się nic więcej powiedzieć, jak sądzisz? Krótko i na temat. Oczywiście rzucą się potem na nas jak
stado wygłodniałych sępów. Ale to i tak nieuniknione.

Dick Poyser z piórem wiecznym w dłoni podniósł głowę znad
sekretarzyka w salonie. Sock siedział za jego plecami z rękami
w kieszeniach i wzruszył niespokojnie ramionami.

– Możesz wykreślić „w przedstawieniu *Ramol* wystawianym
przez Teatr Argosy" – powiedział. – I tak tego nie wydrukują.
No dobrze, staruszku, już dobrze. Każę to powielić i rozkol-
portować, jeśli takie masz życzenie. Może niektórzy nawet wy-
korzystają ten tekst. Ale uwierz, tak łatwo się nie wywiniemy.

Poyser rzucił piórem o biurko, zachlapując skończony tekst
atramentem.

– A kto u licha twierdzi inaczej? – spytał głosem piskliwym
z poirytowania. – Gdy będziesz już w tym biznesie tak długo,
jak ja, przekonasz się, że jeśli dasz dziennikarzowi gotowy
tekst, jest duża szansa, że go wykorzysta, zamiast samemu się
męczyć. Dziennikarzom nie można nic narzucać, ale czasem
można uciec się do perswazji, o ile nie są świadomi, że to robisz. Poza tym – dorzucił z wielką powagą – to tylko kwestia
czasu.

– Co ty nie powiesz – stwierdził ponuro Sock i wziął do ręki zapisaną kartkę.

– Och, na litość boską! – zdenerwował się Sutane.

Siedział na fotelu przy kominku, w którym panna Finbrough rozniecała ogień. Linda stała zasmucona za jego fotelem, a wujcio William siedział cicho w kącie i mrugał oczami. Jego okrągła różowa twarz lekko zsiniała, a pulchne dłonie spoczywały założone na brzuchu.

Mężczyźni przy biurku w jednej chwili zaprzestali sporów.

– Kładź się, Jimmy – nakazał Poyser. – Musisz być w formie, staruszku.

Sock uniósł głowę, a jego młodzieńcza twarz rozjaśniła się w cierpkim uśmiechu.

– Cała ekipa na tobie polega, James – powiedział z żalem.

– Zajmę się nim – mruknęła panna Finbrough tak, jakby mówiła o dziecku.

Sutane spojrzał po wszystkich, a na jego smutnej, inteligentnej twarzy pojawił się błysk szczerego rozbawienia.

– Za kogo ty mnie masz? – oburzył się. – Zostaw mnie, Finny. Potrafię świetnie sam o siebie zadbać. Nie jestem upośledzony. Być może jestem genialnym tancerzem, być może zarabiam kilka tysięcy rocznie, być może zabiłem właśnie tę biedaczkę, ale nie jestem, do cholery, dzieckiem. O, witaj, Campion, jak poszło z doktorem?

Zdumiewające, że jego przyjemny, choć podenerwowany głos mógł brzmieć równie autorytatywnie. Gdy Campion wszedł do pokoju, wszyscy umilkli.

Szczupły, młody mężczyzna uśmiechnął się do nich niewyraźnie i starannie dobierając słowa, zrelacjonował swoją wizytę.

– Staruszek nie jest wcale taki zły – powiedział na koniec, starając się uspokoić zebranych. – To ten kostium kąpielowy źle go usposobił. Gdy udało mi się już wytłumaczyć, że jesteśmy wszyscy zupełnie normalnymi, tyle że bardzo zajętymi ludźmi, znacznie spuścił z tonu. Oczywiście przeprowadzi sekcję zwłok.

Chyba... eee... chyba nie jest już aż tak bardzo przekonany, że to samobójstwo.

– Dobry z pana człowiek – stwierdził Sutane. – Dobry człowiek. Doceniam to, Campion. Sock opowiedział mi o samochodzie. Zabawne. Od razu powinienem był na to wpaść. Powinien pan pomóc nam przez to przejść, wie pan?

– Ale o co chodzi? O co chodzi? – zaciekawił się Poyser i ku zawstydzeniu Campiona przedstawiono w szczegółach jego mały podstęp.

Stał i patrzył na nich speszony, podczas gdy oni omawiali detale całego posunięcia z chłopięcą wręcz satysfakcją. Uświadomił sobie wówczas, że straszne z nich dzieciaki – wszyscy co do jednego. Ich entuzjazm, chęć, by uciec od strasznej rzeczywistości, skłonność, by nadając wszystkiemu większego dramatyzmu, uczynić to bardziej znośnym – wszak wszystko to były przymioty młodości.

Campion zerknął na Lindę. Jako jedyna zareagowała na tragedię w zrozumiały dla niego sposób. Stała za oparciem fotela Sutane'a, opuszczając ręce bezwładnie po bokach, twarz miała bladą i wyglądała na całkowicie wyczerpaną, jakby miała zasnąć na stojąco.

Sock wyszedł na korytarz i wrócił w niechlujnym skórzanym płaszczu. Wyglądał tak rześko, jakby dopiero co wstał.

– Będę się w takim razie zbierał – rzekł. – Spróbuję porozmawiać z każdym, z kim tylko zdołam. Nie damy rady utrzymać tego w tajemnicy. Jesteśmy tego świadomi, prawda? Ale szepnę to tu, to tam kilka łagodzących słów, a rano porozmawiam z policją. Idź spać, Jimmy. My się wszystkim zajmiemy.

Wyszedł, a Sutane odwrócił się i spojrzał na żonę.

– Mercer powinien przenocować naszych dwóch gości – stwierdził. – Gdzie on właściwie jest?

– Zostawiłem go w saloniku muzycznym – poinformował wujcio William, podrywając się gwałtownie. – Pójdę po niego.

Wyszedł z pokoju, a po chwili wrócił z kompozytorem. Mercer rozejrzał się poważnie po zebranych.

– Wiedziałem, że nie będę w stanie pomóc – wyjaśnił. – Więc usunąłem się, żeby nie zawadzać. Dobrze zrobiłem? Co się stało? Policja już pojechała?

– Tak. – Dick Poyser zatrzasnął sekretarzyk. – Tak. Wrócą rano. Będzie przesłuchanie. Będziesz musiał wziąć w nim udział, Jimmy. Może wolisz sobie zrobić przerwę w teatrze na dzień lub dwa? Konrad cię zastąpi.

Sutane zmarszczył brwi.

– Co ty sobie wyobrażasz... – zaczął żałośnie.

Linda weszła mu w słowo.

– Jest trzecia nad ranem – powiedziała. – On musi się przespać. Jutro porozmawiacie.

Panna Finbrough prychnęła.

– Dawno to mówiłam – wtrąciła tak ostro, że Campion aż na nią spojrzał.

Zauważył, że była zła, co uświadomiło mu, że nie lubiła, gdy jakakolwiek inna kobieta dbała od strony fizycznej o dobre samopoczucie Sutane'a. Najwyraźniej uważała, że to wyłącznie jej domena.

– Gdzie Konrad? – spytał Campion.

– Poszedł spać – poinformował ze śmiechem Poyser. – Kondzio musi się przecież wyspać bez względu na to, kogo akurat zamordowano. Musi dbać o własne zdrowie.

Linda zwróciła się do Mercera.

– Zastanawiałam się, czy nie mógłbyś przenocować u siebie wujcia Williama i pana Campiona? – spytała. – Nie planowali zostawać na noc i nie przygotowałam dla nich pokoju.

– Mógłbym. Z przyjemnością. – Muzyk powiedział to tak, jakby propozycja została złożona wyłącznie po to, by nie czuł się samotny. – W takim razie będziemy się zaraz zbierać, co? Robi się późno.

– Dobra myśl – zgodził się wujcio. – Z rana lepiej się myśli. – Wziął Lindę za rękę i przytrzymał ją w swojej. – Okropieństwo, moja duszko – dodał. – Okropieństwo. Ale jesteśmy na miejscu,

Campion i ja. Zrobimy wszystko, co w naszej mocy. Możesz na nas polegać. Spróbuj się przespać i zapomnieć o wszystkim do rana. Rano wszystko zawsze wygląda lepiej. Życie mnie tego nauczyło.

Słowa nie były odkrywcze, ale ich przekaz był jasny. Linda uśmiechnęła się do Faradaya z wdzięcznością.

– Jesteś kochany, wujciu – podziękowała. – Dobranoc.

Mercer rozejrzał się wokół siebie.

– Miałem płaszcz... – zaczął. – Nie, racja, nie miałem. Chyba lepiej, żebym pożyczył coś sobie z garderoby, prawda Jimmy? O tej porze bywa cholernie zimno.

Wyszedł po okrycie, a Poyser zachichotał. Jak to często bywa w przypadku bardzo drobnych mężczyzn, miał dziwny skrzekliwy śmiech, któremu towarzyszyło gulgotanie spotykane zwykle u dzieci.

– Co za facet! – mruknął. – Pójdę się przespać parę godzin i wstanę o świcie.

Wujcio William dotknął rękawa Campiona.

– Chodź, chłopcze – powiedział. – Po drodze zabierzemy naszego gospodarza.

Mężczyźni szli przez ciemny ogród w milczeniu, ale za mostem Mercer zatrzymał się i kazał sobie pokazać miejsce wypadku. Campion zerknął na niego ciekawie. W półmroku wyglądał dziwnie – szerokie barki rozciągały płaszcz Sutane'a do granic możliwości, zaś jego stosunek do całej sprawy niepokoił – przypominał podejście znudzonego, ale uprzywilejowanego widza.

– To musiało być samobójstwo – obwieścił z przekonaniem, gdy Campion zapoznał go ze sprawą. – Zachowam to oczywiście dla siebie, jeśli nie chcą tego rozgłaszać, ale każdy głupiec widzi, że musiała to zrobić celowo. Zaskakująca rzecz w przypadku kobiety. Pojechalibyście do domu nieznajomego na weekend, z pełnym spokojem skręcili sobie kark i narazili wszystkich na kłopoty i niedogodności? Mimo to jakoś mnie to nie szokuje. Dziś rano w salonie zrobiła na mnie zdecydowanie dziwne wrażenie.

Ruszył w dalszą drogę, a Campion i wujcio chętnie wzięli z niego przykład. Przed świtem było bardzo chłodno i wujcio szczękał zębami, zaś pan Campion z sobie tylko znanych powodów nie miał ochoty na rozmowę o śmierci Chloe Pye.

Mercer ciągnął dalej. Miał fatalną artykulację i najwyraźniej myślał na głos.

– Nie była z niej nawet żadna tancerka – ocenił. – Widziałem ją raz. Totalne beztalencie. Poyser mówił, że w sobotę była tragiczna. Czemu Jimmy w ogóle obsadził ją w przedstawieniu? Wie pan?

Najwyraźniej nie oczekiwał odpowiedzi i gadał dalej, póki nie doszli przez ogromny warzywniak do domu na obrzeżach posesji.

Campion zauważył sylwetkę długiego wąskiego ceglanego frontu na tle nieba, a chwilę później Mercer otworzył kopniakiem drzwi i przeszli przez wyłożony kamiennymi płytami hol z dębowym belkowaniem do dużego studia, czy też pokoju muzycznego, który zajmował co najmniej połowę budynku.

W pierwszej chwili Campion odniósł wrażenie, że dziwaczne pomieszczenie jest niezmiernie chaotyczne, a zaraz potem – że ekstrawaganckie. Jedną ścianę zajmowało w całości imponujące radio. Było to przedziwne ustrojstwo, które wyglądało, jakby zaprojektował je Heath Robinson, a ono później rozrosło się jak winobluszcz, obrastając wszystko, co znalazło się na jego drodze. Na środku pokoju stał wielki koncertowy steinway i jeden elegancki fotel. W pozostałej części pomieszczenia panował zupełny chaos. W każdym kącie piętrzyły się stosy zakurzonych papierzysk, wszędzie leżały porozrzucane książki, a wyjątkowej urody kantoński szal wiszący nad kominkiem był brudny i brzydko osmalony.

Mercer usunął z małego stolika stos papierów i jakieś części radiowe, po czym wyciągnął spod spodu tacę z karafką i kieliszkami.

– Częstujcie się, panowie. Ja w nocy nie pijam – powiedział i wyciągnął się w fotelu, by zaraz potem się z niego zerwać.

– Cholera, strasznie ciasny ten płaszcz – zaklął, po czym zdjął go i rzucił na podłogę, jakby miał do niego żal. – Nie cierpię za ciasnych ubrań.

Wujcio William przygotował sobie mocnego drinka i uparł się, żeby nalać też panu Campionowi. Stanęli oparci o kominek, podczas gdy Mercer rozsiadł się wygodnie w fotelu i przyglądał się im z posępną miną.

– Przychodzi tak szybko – mam na myśli śmierć – odezwał się poważnie. – Była sobie kobieta, której właściwie nie znaliśmy i niespecjalnie nawet chcieliśmy poznać. Ordynarna, hałaśliwa i brzydka jak noc. A teraz nie żyje. Dokąd odeszła?

Wujcio William odkaszlnął do kieliszka, a jego pulchna różowa twarz wyrażała zakłopotanie.

– Darujmy sobie tak makabryczne uwagi, mój chłopcze – powiedział. – To bardzo smutne i w ogóle. Szokujące. Trzeba się z tym zmierzyć.

Mercer był wyraźnie zaskoczony.

– Dobry Boże, chyba sam pan w to wszystko nie wierzy, co? – odrzekł z wyższością, mającą w sobie coś z młodzieńczej buty, co nie zmieniało faktu, że był przez to irytujący. – Smutne… szokujące… to tylko słowa. Myślałem dziś, że to bardzo dziwne, że umarła tak szybko. Można by pomyśleć, że powinno coś po niej zostać. Na przykład ten okropny, rwany śmiech. Chodzi mi o to, że wydawałoby się, że rzeczy, które sprawiały, że była tak kolorowa, będą chociaż znikać pojedynczo, a nie wszystkie naraz, jakby ktoś wyłączył światło. To ciekawe. Nigdy wcześniej nie myślałem o tym w ten sposób.

Wujcio William wpatrywał się w niego, jakby podejrzewał, że postradał zmysły.

– Mój drogi, niech się pan pójdzie położyć – poradził. – Jest pan w szoku. Jak my wszyscy.

– W szoku? – obruszył się Mercer. – Właśnie wpadłem na pewien pomysł. Nie jestem w szoku. Czemu niby miałbym być? Nawet jej nie znałem, a nawet jeślibym znał, to pewnie i tak bym jej nie lubił. Jej śmierć nic dla mnie nie znaczy. Nie ma ze mną nic wspólnego. Nie ma nic wspólnego z nikim z nas. Mam wrażenie, że Jimmy za bardzo się tym przejmuje. Ostatecznie kobieta wpadła mu tylko pod samochód. Nie miał jak jej wyminąć. Dobry Boże, nie jestem makabryczny! Stwierdzam tylko fakty. Dziś rano dała nam się we znaki, więc jej dziwactwa siłą rzeczy zwróciły moją uwagę. A teraz wszystko to zniknęło. Gdzie? Coś w tym jest. Rozumiecie, panowie? To bardzo konkretna myśl. Można by nawet zrobić z tego piosenkę. „W ciemności, gdzie nie mogę wziąć cię już w ramiona". Coś w tym stylu. Tak właśnie pisze się tego rodzaju piosenki. Coś kogoś spotyka i uruchamia ciąg skojarzeń.

– Muszę się położyć – oświadczył ze znużeniem wujcio William.

Mercer zmarszczył brwi.

– Ma pan rację – przyznał z żalem. – Człowiek musi spać. To okropna strata czasu. Beznadziejnie pomyślane. Czemu nie możemy żyć o połowę krócej, ale zawsze za dnia, zamiast tak się wygłupiać. Chodzić spać, potem znów wstawać, golić się. Szkoda czasu.

Campion przyglądał się mu spod zmrużonych powiek, ale po jego wyrazistej, ciemnej twarzy nie było poznać afektacji. Najwyraźniej mówił zupełnie szczerze. Wiara w nadprzyrodzoną moc, którą zdawał się sugerować taki tok rozumowania, była tak niespodziewana i tak bardzo nie w stylu Mercera, że Campion przez chwilę nie mógł w żaden sposób jej sobie wytłumaczyć, póki nie przyszła mu do głowy pewna myśl. W ogólnie przyjętym tego słowa znaczeniu, Mercer nie myślał. Przychodziły mu do głowy różne pomysły, z których rodziły się kolejne. Ale proces łączący jakiekolwiek dwa z nich spowijały mroki podświadomości.

Fakt, że próba konstruktywnego myślenia w wydaniu Mercera wypadała dziecinnie, potwierdziła jego następna uwaga:

– Nie ma chyba żadnego dobrego rymu do „w ramiona" oprócz „pokona", prawda? – stwierdził. – Beznadziejny język.

Muszę poprosić Petera Dilla, żeby napisał tekst. Chyba skomponuję tę piosenkę. Ma potencjał. Pasuje tu wszystko w stylu „gdzie jesteś" i „tak blisko, a jednocześnie tak daleko".

– On zwariował – ocenił wujcio William, gdy kilka minut później zamknęły się za nimi drzwi do pokoju, który mieli ze sobą dzielić. – Mam nadzieję, że pościel jest wywietrzona.

W dużym, staroświeckim pokoju znajdowały się trzy łóżka i wujcio obejrzał starannie każde z nich, zanim wybrał dwa najlepsze. Na górze Mercer wskazał im mimochodem drzwi do pokoju i to wujcio musiał upomnieć się o piżamy dla nich obu, które w końcu zostały wydane.

Usiadł na wybranym łóżku i parsknął. Siwe kędziory miał zaczesane do góry, a twarz tak różową i lśniącą, jak świeżo wykąpany cherubinek.

– Pieniądze – powiedział, jakby wyczuwał w powietrzu ich zapach. – Mnóstwo pieniędzy, tyle że wydawanych bez pomyślunku. Facet pewnie nigdy nie sprawdza swojego konta. Wygodne masz łóżko?

– Bardzo – odrzekł nieuważnie Campion. – To chyba jakiś wynalazek.

– Najprawdopodobniej. – W głosie wujcia nie było słychać aprobaty. – Bogaci, beztroscy ludzie kupują sobie wszystko, na co tylko przyjdzie im ochota. Sprzedawcy sami przychodzą do ich domów.

– Ale chyba nie z łóżkami?

– Ze wszystkim. – Starszy pan mówił z przekonaniem człowieka, który wie. – Jeśli nie zastaną właściciela, rozmawiają ze służbą. Bo chyba trzyma służbę?

– Na pewno – odpowiedział machinalnie Campion, gdyż jego myśli zajmował delikatny problem śmierci Chloe Pye i jego własny do niego stosunek. Nigdy dotąd nie zdecydował się zatrzymać dla siebie żadnych istotnych informacji, a nagłe odstępstwo od typowej dla niego bezstronności nie dawało mu spokoju. Ostatecznie zginęła kobieta i najprawdopodobniej zabiła ją jedna z osób, z którymi spędził dzień. Sprawa wymagała namysłu.

Wujcio William był jednak usposobiony rozmownie.

– A może wcale nie ma służby. Z takim człowiekiem jak Mercer nigdy nie wiadomo – zauważył. – Wiesz, co myślę, Campion? To typ, który powinien pomieszkiwać u innych na podłodze, rzucać się na ochłapy komfortu, kręcić się wokół własnych spraw jak londyński gołąb, ale jakimś trafem, powiadam, jakimś trafem udało mu się zbić majątek na tych bzdurnych pioseneczkach i zupełnie przez to zwariował. Spotykałem już takich jak on, ale nigdy bogatych.

Pan Campion, który dopiero w połowie tej przemowy zaczął słuchać, podniósł głowę.

– Chyba masz rację – zgodził się. – Nie ma na co wydawać pieniędzy, tylko na siebie.

– Otóż to – podchwycił coraz bardziej podekscytowany wujcio. – A to facet, któremu wiele nie trzeba. Lubi zawsze stawiać na swoim i oczywiście to robi. To nie jest człowiek, któremu w głowie diamenty.

– Diamenty?

– Jak nie diamenty, to słonie. Taka przenośnia.

– Rozumiem. – Pan Campion zamyślił się. – Jego piosenki odnoszą duży sukces – stwierdził.

– Zmysłowe banialuki – zawyrokował wujcio z wyraźnym niesmakiem. – Nie mam słuchu, ale potrafię rozpoznać beznadziejną piosenkę. Niemniej jednak najwyraźniej się podobają. Wszystko, co jest zbyt głupie, żeby to powiedzieć, można zaśpiewać. Tak stwierdził kiedyś pewien Niemiec.

Campion pokręcił głową.

– Wszystkie kawałki Mercera coś w sobie mają – powiedział. – To nie jest paplanie dla samego paplania. Jest w nich autentyczne uczucie, niezależnie od tego jak beznadziejnie wyrażone. Dlatego właśnie niektóre są tak nieznośnie żenujące.

Wujcio William rozpromienił się.

– Jak na przykład wtedy, gdy zwykły facet opowiada o swoich kłopotach i szokuje tym człowieka, bo przypomina mu o jego własnych potajemnych myślach na temat pewnej cudownej kobietki? – powiedział nieoczekiwanie. – Musisz wiedzieć, że to zauważyłem, ale nie chciałem o tym mówić. No cóż, każdy z nas jest snobem w głębi serca.

Odkrycie najwyraźniej go ucieszyło. Zachichotał.

– Najdziwniejsze, że on nie ma pojęcia o kobietach – kontynuował wujcio. – Śmieją się z tego w teatrze. Sutane zna Mercera, odkąd ten zaczął pisać. W życiu nie był zakochany. Nigdy nie zaprosił kobiety na kolację. Jest uprzejmy, ale niezainteresowany, jakby kobieta była króliczkiem albo czymś w tym rodzaju. Wszystko, o czym pisze, musi być wyssane z palca. Pamiętam, jak mój kuzyn Andrew – ten, który narobił tylu kłopotów – rozwlekał się na temat swojej pierwszej nocy. Do dziś pamiętam, że uznał to za „spełnienie marzeń". Według mnie to było chore i to właśnie mu powiedziałem. Ale ponieważ miałem okazję w pewnym sensie poznać życie, zauważyłem, że coś w tym jest. Mercer jest bezmyślny. Wyjątkowo samolubny. W domu ma pewnie kilka sypialni, ale wcisnął nas razem do jednego pokoju, bo nie chciało mu się dać nam drugiego.

Campion nic na to nie odpowiedział. Wujcio William zgasił światło nad łóżkiem i ułożył się wygodniej. W dalszym ciągu jednak nie chciało mu się spać.

– Samobójstwo czy wypadek? – mruknął, popadając w filozoficzny nastrój, co dla Campiona było nowością. – Co za różnica? Nie chciałbym, żeby zabrzmiało to okrutnie, ale mam wrażenie, że dla niej to lepiej, że nie żyje. Ze starością nie byłoby jej do twarzy, nie sądzisz?

Campion milczał, co jednak nie poskromiło jego towarzysza.

– Campion... – W szarym przedświcie głos wujcia zabrzmiał natarczywie.

– Tak?

– To zabawne zbiorowisko, mój chłopcze, nie sądzisz? Cholerna banda bandarlogów. Zupełnie inaczej niż w Cambridge.

Campion porzucił z żalem własne rozmyślania.

– Bandarlogów? – spytał.

– To po hindusku – wyjaśnił wujcio. – Oznacza ludzi-małpy. Z *Księgi dżungli* – dodał skromnie. – W moich pamiętnikach wszystko o Indiach jest z *Księgi dżungli* i *W osiemdziesiąt dni dookoła świata*. Przymierzałem się do *Kima*, ale nie byłem w stanie przez niego przebrnąć. Zabawna sprawa z tymi wspomnieniami, Campion. Gdybym zachował się, jak należy i trzymał się prawdy, nikt by ich nie przeczytał. A tak przynajmniej się ze mnie pośmiali i mogłem zbić małą fortunkę. Nie jestem głupi. Wiem, jak do tego doszło. Lepiej być klownem niż napuszonym starym głupcem: moja matka by się z tym jednak nie zgodziła, choć była mądrą kobietą, Boże świeć nad jej duszą. Tak się jednak stało i dzięki temu jestem tym, kim jestem. Zastanawiam się, czy będę musiał iść na przesłuchanie w związku z panną Pye? Nie byłem przesłuchiwany od czasu tej głupiej afery z Andrew. Nie wiem, czy mam na to ochotę.

Campion poruszył się.

– Gdzie byłeś cały wieczór?

– Ja? – roześmiał się wujcio. – Nic takiego nie robiłem. Nie musisz udawać policjanta. Od obiadu jej nie widziałem. Żaden ze mnie świadek. Byłem w saloniku muzycznym za jadalnią i słuchałem Mercera. Bez słów jego brzdąkanie mi nie przeszkadza. To goście, którzy wywlekają swoje prywatne sprawy, działają mi na nerwy.

Campion uniósł się na łokciu.

– Słuchałeś Mercera przez cały wieczór, od obiadu do kiedy?

– Aż przyszła do nas Linda, blada jak trup, i powiedziała o wypadku.

– Rozumiem. A gdzie był Konrad?

– To chuchro? – rzucił wzgardliwie starszy mężczyzna.

– Mówi, że zostawił pannę Pye nad jeziorem i poszedł do swojego pokoju, który znajduje się nad tym, w którym siedzieliśmy. Leżał przy otwartych oknach i słuchał – tak przynajmniej twierdzi.

Wujcio odwrócił się i opatulił kołdrą.

– Nie chciałbym być niemiły – dodał przez ramię – ale gdybym był kobietą, jeden rzut oka na tego facecika by wystarczył, żebym miał ochotę poderżnąć sobie gardło.

ROZDZIAŁ 7

Sutane leżał na brzuchu na stole obleczonym filcem i wystawiał się na ultrafioletowe promienie lampy, którą panna Finbrough trzymała tak, jakby to był święty ogień. Podpierał się na łokciach, a jego twarz, zwrócona w stronę zebranych, wyrażała posępne zamyślenie. Pokój był duży i bardzo jasny, różowe perkalowe firanki tańczyły lekko w ciepłych powiewach. Czubki drzew były zielone i złote, a po przestworzach nieba żeglowały małe białe obłoczki.

Wujcio William, odrobinę zakłopotany nietypowymi okolicznościami porannej audiencji, siedział obok Campiona na parapecie okiennym. Sock Petrie rozpierał się na wiklinowym fotelu. Oczy miał podkrążone z niewyspania, ale nie spuszczał wzroku z Sutane'a. Mercer też siedział na fotelu, z rękami założonymi na kolanach. Wyglądał na szczerze znudzonego.

W pokoju znajdował się jeszcze tylko Benny Konrad. Ubrany w krótkie spodenki i sweter leżał na wznak na podłodze, unosząc z męczącą regularnością raz jedną nogę, raz drugą. Od kilku minut panowała cisza i słychać było tylko głębokie oddechy Benny'ego: raz, dwa, trzy – wdech, raz, dwa, trzy – wydech, raz, dwa, trzy – wdech, i tak dalej, najwyraźniej bez końca. Jego nadąsana młodziutka twarz była czerwona z wysiłku, a jeden kosmyk delikatnych jasnych włosów leżał wilgotny na czole, starannie wymodelowany jak u dziewczyny.

– Za gorąco – odezwał się nagle Sutane, a panna Finbrough położyła mu na skórze swoją szkarłatną rękę.

– Prawie skończyliśmy – mruknęła uspokajająco. – Teraz nogi. Jeszcze dwie minutki.

– A zatem przesłuchanie dziś po południu w pubie – powiedział Sock. – To oznacza, James, że nie będziesz mógł wziąć udziału w próbie *W rytmie swinga*, ale nic na to nie poradzimy. Będą po prostu ćwiczyć chór. Jak poszło wczoraj Maisie?

Sutane skrzywił się. Panna Finbrough odstawiła lampę i zaczęła uciskać mu krzyż palcami jak stalowe młoteczki.

– Nieźle, całkiem nieźle – odparł bez entuzjazmu.

– Moim zdaniem była straszna – stwierdził radośnie Konrad.

– Góra – dół, góra – dół, góra – dół...

Sock obrzucił go długim, zamyślonym spojrzeniem.

– Komfortowy Konrad – powiedział poważnie. – Pasuje ci. Powinieneś przybrać taki przydomek na stałe. Masz w sobie wyraźnie purytański aspekt, prawda, Kondziu?

– Nie wiem, nie jestem pewny – odparł niedbale Konrad, ale na jego twarzy odmalowało się niezadowolenie.

Wyglądał jak dziewczyna, która nie jest do końca pewna, czy usłyszała komplement, czy krytykę. Ćwiczył dalej.

– Prasa jest zatem przychylna? – Sutane najwyraźniej nie zdawał sobie sprawy, że pytał już o to trzy razy.

– Taka jak zwykle, dzięki Bogu. – Sock rozpostarł swoje długie, zaskakująco delikatne dłonie. – Oczywiście tym razem są trochę bardziej zaciekawieni. Zabawne – dodał z zamierzoną naiwnością – że przez większą część życia robiłem wszystko, żeby o tobie pisali, a od kilku miesięcy robię wszystko, żeby cię przed tym uchronić.

Sutane pozwolił sobie na przelotny uśmiech.

– Owszem, to miecz obosieczny – odrzekł i położył głowę na rękach, bo panna Finbrough postanowiła właśnie zająć się mięśniami na jego karku.

Nagle jednak podniósł głowę i strząsnął z siebie jej energiczne palce.

– Aha. Dostałem to zaproszenie – poinformował. – Wczoraj wieczorem. Zupełnie o tym zapomniałem. Jest w wewnętrznej kieszeni marynarki, Sock. W pokoju obok, jeśli byłbyś tak dobry.

Sock skrzywił się i wstał.

– Nie powinieneś był tam jechać – stwierdził. – Teraz jednak nie ma to już chyba aż takiego znaczenia. Kto ci je dał?

– Radca Baynes z Merton Road – powiedział Sutane, naśladując przesadną wytworność swojego wczorajszego gościa. – Był wprost zachwycony, że może pomóc. Och, ach, ależ oczywiście. Wprost zachwycony. Wszystko przechowuje, najmniejszy skraweczek papieru, który kiedykolwiek został mu przesłany, a jeśli zechcę zaczekać momencik, z pewnością znajdzie bilecik. Ach, jest, w nienaruszonej postaci, razem z kopertą, w której przyszedł. Ojej, ojej, czyż to nie szczęśliwy traf? Cóż za przemiłe popołudnie. Niezwykle wytworny dom. Czy byłbym łaskaw zaczekać na panią B.? Właśnie zmienia suknię.

Parodia była bezbłędna, równie niewybredna, co okrutna. Radca pojawił się im przed oczami jak żywy. Niemal widzieli drżenie jego wąsików. Wszyscy się roześmiali, poza Konradem, który zaprotestował półgębkiem, mówiąc, że nieświadoma wulgarność jest przygnębiająca.

Gdy Sock powrócił z zaproszeniem, Sutane zszedł z kanapy i przyłączył się do zebranych wokół rzecznika mężczyzn. Campion dostrzegł ponad jego ramieniem wyraz twarzy panny Finbrough. Była wściekła. Jasnoniebieskie oczy patrzyły twardo, a usta zaciskały się mocno. Sutane zignorował ją.

– Niech pan spojrzy, Campion – powiedział przynaglająco. – Coś panu to mówi?

Młody mężczyzna w okularach w rogowych oprawkach przyjrzał się podejrzliwie podanym mu papierom. Ani w bileciku, ani w kopercie nie było nic niezwykłego. Obie rzeczy należały do gatunku określanego dość tajemniczo mianem „kremowy" i obie można było nabyć w dowolnym sklepie z przyborami piśmienniczymi w Królestwie. Puste miejsce na bileciku z wydrukowanym adresem zostało zapełnione odręcznie zielonym atramentem, a pismo było wspaniałym okazem standardowej kaligrafii, której przed laty nauczano w szkołach. Było okrągłe, płynne i zdumiewająco bezosobowe. Nadrukowane litery

R.S.V.P.* zostały przekreślone pojedynczą linią, a stempel poczowy na kopercie był dobrze znanym stemplem centralnego Londynu, co nie ułatwiało identyfikacji.

– Obawiam się, że poza odręcznym pismem nic tu nie znajdziemy – oświadczył w końcu Campion.

– Co dziwne, ten ktoś najwyraźniej w ogóle się nie maskował. Nikt oczywiście nie rozpoznaje tego pisma?

– Nie należy do żadnej znanej mi osoby – stwierdził z przekonaniem Sock. – Znam kilka osób, które piszą podobnie, ale żadna dokładnie tak.

Konrad zachichotał.

– To kobiece pismo – zawyrokował. – Jedna z twoich pięknych pań chyba się zdenerwowała, Sutane.

Jimmy odwrócił się i przyglądał się mu przez chwilę zimnym wzrokiem. Konrad powrócił tymczasem do swoich ćwiczeń. Twarz miał rozgrzaną, a oczy ponure.

Sock przyglądał się dalej bilecikowi.

– Zielony atrament faktycznie wskazywałby na kobietę. Nie wiem czemu – przyznał. – Choć właściwie cały ten głupi żart wydawał się mieć w sobie coś kobiecego, nieprawdaż? Znasz kogoś, kto tak pisze, James?

Choć Sutane poza małym ręcznikiem nie miał nic na sobie, nie stracił nic ze swojej godności.

– Gdybym znał, powiedziałbym dziewczynie parę słów do słuchu – skwitował sztywno.

– O ile by żyła – mruknął Konrad z podłogi.

Słowa spłynęły mu gładko z języka, jakby zupełnym przypadkiem. Z chwilą gdy tylko się odezwał, zbladł z przerażenia i ze zdwojoną werwą kontynuował ćwiczenia.

– Co u licha chcesz przez to powiedzieć? – Sock doskoczył do niego z wściekłością. – Pismo Chloe przypominało chińskie

---

* R.S.V.P. – umieszczany na zaproszeniach skrót francuskiego zwrotu *répondez s'il vous plaît*, oznaczający prośbę o potwierdzenie zamiaru przybycia.

znaki – wiesz o tym równie dobrze jak ja. Co chcesz przez to powiedzieć?

Konrad nic nie odrzekł. Krew znów napłynęła mu do twarzy. Wymachując nogą w przód i w tył, udawał, że nie słyszy.

– Widziałeś pismo Chloe czy nie? – naciskał Sock.

– Może wcale nie mówiłem o Chloe Pye – mruknął Benny Konrad, nie podnosząc wzroku na swojego dręczyciela.

– A o kim w takim razie? – Sock prawie już krzyczał. – Usiądź normalnie i zdecyduj się wreszcie. Siadaj, do cholery!

Szczupła postać na podłodze wyprostowała się powoli i z wdziękiem, wyciągając przed sobą gołe nogi. Chłopak zrobił potulną, lekko urażoną minę i uniósł się dziwnie dziewczęcą godnością, co mogło doprowadzić do szału.

– A więc?

– Co sugerowałeś?

– Nic nie sugerowałem. – Konrad zaczął się wiercić. – Nie jestem takim człowiekiem. Proszę, żebyś pozwolił mi wrócić do ćwiczeń, Petrie. Muszę dbać o formę.

– O formę! – warknął Sock. – Słuchaj, Kondziu, co chciałeś zasugerować, mówiąc, że kobieta, która napisała te zaproszenia, może być martwa?

Konrad żachnął się.

– Nie pozwolę na siebie krzyczeć – powiedział. – Nic nie chciałem zasugerować. Przyszła mi do głowy taka myśl, więc ją wyartykułowałem.

– Pod nosem! – Niechlujny młodzieniec zupełnie stracił nad sobą panowanie. – Należałoby nałożyć ci na głowę niebieski plastikowy worek. Nie potrafisz powściągnąć języka?

Konrad zamknął oczy.

– Wiem, że nie robisz tego celowo – wycedził. – Ale bardzo mnie ranisz. Spoczywa dziś na mnie ogromna odpowiedzialność. Muszę zachować spokój. Niełatwo jest zagrać z marszu główną rolę, zwłaszcza gdy człowiek jest już bardzo zdenerwowany, nawet jeśli od wielu miesięcy ćwiczył rolę dublera, usuwając się w cień i rujnując tym samym własną karierę. Ty tego nie zrozumiesz, ale jestem pod ogromną presją.

Sock otworzył już usta, ale uprzedził go Sutane, który miał właśnie wrócić na stół do masażu. Odwrócił się i natychmiast dało się wyczuć jego skrajną irytację. Jego twarz nic nie wyrażała, ale mięśnie na szczupłym ciele napięły się, a krew napłynęła mu z klatki piersiowej aż po szyję i policzki.

– Nie ma co się tak podniecać, mój drogi – oświadczył. – Nie zostawię cię dziś samego.

– Jak to? – Konrad zapomniał o swojej godności. Skrzywił się i usiadł nieświadomie w teatralnej pozie, podciągając pod siebie kolana. – Nie wyjdziesz dziś na scenę, prawda, Sutane? – zapytał drżącym z rozczarowania głosem. – Nie możesz! Poyser mówił...

Sock uniósł go w górę za kark i postawił na nogach. Sutane zbladł, ale wszedł na łóżko i dał znak pannie Finbrough, żeby wznowiła masaż. Przytrzymywany przez Socka Konrad cały się trząsł.

– Poyser mówił... – zaczął znów.

Sock spiorunował go wzrokiem.

– Zmień temat – doradził niebezpiecznie spokojnym tonem. – James powiedział, że zmienił zdanie co do występu, za co należą mu się wyrazy uznania.

Konrad miał łzy w oczach, a jego usta zrobiły się czerwone i brzydkie, gdy starał się nad nimi zapanować.

– Ale zrozumiałem, że mam dziś po południu iść na próbę – wyjąkał.

– Dziś po południu stawisz się przed koronerem i wyjaśnisz, czemu zostawiłeś Chloe samą nad jeziorem. Ty ostatni widziałeś ją żywą. Masz tego świadomość, jak sądzę?

– Mam. Mówiłem o tym inspektorowi dziś rano. Nastawiłem jej dwie płyty i sam też zacząłem tańczyć, ale ona zaczęła ze mnie kpić, obrażać mnie i okazywać zazdrość, więc, co oczywiste, zostawiłem ją samą i wróciłem do domu. Położyłem się na łóżku i słuchałem Mercera, który grał na dole. Wiem, że będę musiał iść na przesłuchanie. To mnie właśnie martwi.

Sock odsłonił zęby w rozbawionym uśmiechu.

– W takim razie nie musisz się już martwić – pocieszył go.

– Powiedziałeś o wszystkim policjantowi, prawda? Uwierzył ci?

Konrad zamrugał.

– Oczywiście, że tak. Czemu miałby mi nie uwierzyć? Powiedziałem, że nie miałem ochoty zostawać i nastawiać płyt kobiecie, która potraktowała mnie nieuprzejmie, gdy sam chciałem zatańczyć, a inspektor w pełni mnie zrozumiał.

– Jakie płyty pan nastawił? – wtrącił się Campion ze swojego miejsca w kącie.

– *Letni wieczór nad rzeką* Deliusa – odpowiedział szybko Konrad. – Utwór w ogóle nie nadawał się do tańczenia, o czym jej też napomknąłem. Wtedy właśnie zrobiła się wobec mnie nieprzyjemna. Powiedziałem jej więc, że jeśli chce stać w miejscu w pozie sentymentalnego żurawia, to równie dobrze może sobie sama nakręcać gramofon. Gdy odszedłem, nastawiła coś innego – chyba coś Falli.

– Rozumiem. Wrócił pan prosto do swojego pokoju?

– Tak.

– Czy ktoś pana widział?

– Minąłem się w holu z Hughesem.

– Jak długo siedział pan w pokoju?

– Aż nie usłyszałem zamieszania na dole. Chyba jakieś półtorej godziny. Zszedłem na dół w chwili, gdy pani Sutane dzwoniła na policję.

Campion pokiwał głową.

– Przez cały ten czas słuchał pan pana Mercera, który grał w saloniku muzycznym znajdującym się pod pańskim pokojem?

– Tak, oczywiście. Mówiłem już to policji.

Campion był już na najlepszej drodze, żeby załagodzić sytuację, ale przeszkodził mu w tym Mercer. Odwrócił się w fotelu i spojrzał z zamyśleniem na pana Konrada, jakby właśnie coś mu przyszło do głowy.

– A co grałem?

Konrad spiął się i spojrzał nieufnie.

– Nową melodię – odpowiedział szybko.

– Na początku, a potem?

Konrad zawahał się.

– Głównie jakieś urywki. Swoje stare piosenki i sporo początków nowych melodii. Nic specjalnego. Poza tym w kuchni grało radio.

Mercer roześmiał się. Dźwięk był tak raptowny i nietypowy, że Campion zdał sobie z zaskoczeniem sprawę, że nigdy wcześniej nie słyszał jego śmiechu.

– Dobrze – oświadczył. – Potwierdzasz, wujciu?

– Eee? – Pan Faraday musiał się zastanowić. – Tak, potwierdzam. Oczywiście sam nie mam słuchu, ale brzmiało ładnie, powiadam. Nie potrafiłbym jednak wymienić tytułów piosenek. Nigdy tego nie umiałem. Ale były bardzo melodyjne i ładne. Nic więcej nie jestem w stanie powiedzieć. Bardzo mi przykro.

Sock spojrzał z góry na Konrada. Po jego znużonej twarzy widać było, że jest zaintrygowany.

– Mercer grał właściwie to, czego można by się po nim spodziewać – powiedział. – Dał swój typowy recital. Jak zwykle po prostu głośno myślał przy fortepianie.

– A co ja mogę na to poradzić? – Konrad odrzucił obronnym gestem swoją złocistą głowę. – Nie rozumiem, jakie to ma znaczenie. Nie widziałem wypadku, jeśli o to wam chodzi. Wiem tylko to, co wszyscy, i to, o czym Sutane sam się przekona, jeśli dalej będzie się upierał, żeby zagrać dziś wieczorem w *Ramolu*. Zabił Chloe Pye. Przejechał ją samochodem i ją zamordował.

Sock uderzył go. Cios dosięgnął go w dolnej części brody, poderwał jakiś cal nad ziemię i posłał płasko na dywan. Campion i wujcio Williams doskoczyli jednocześnie do Petriego, a Mercer odsunął nieco fotel od bijatyki. Konrad podniósł się chwiejnie.

Z wściekłości i bólu cały zbladł i zaniemówił. Ale nie opuściło go zamiłowanie do dramatyzmu. Z przymkniętymi oczami i tragicznym wyrazem twarzy zrobił trzy chwiejne kroki naprzód i zaczął się już przewracać, by przybrać jeszcze wdzięczniejszą pozę i złożyć swą złotą główkę na ramieniu, ale zapobiegła temu interwencja z najmniej spodziewanej strony.

Panna Finbrough porzuciła swoje miejsce za stołem do masażu i przyskoczyła do niego jak walkiria. Jej nieładna, pulchna twarz była lśniąca i pąsowa, przez co jasnobrązowe brwi i rzęsy zrobiły się całkiem niewidoczne. Ujęła Konrada za miękkie przedramię, a jej twarde jak żelazo palce wpiły mu się w kość.

– Ty oślizgła jadowita gadzino! – warknęła i potrząsnęła nim.

Zaskoczenie i ból kazały mu porzucić dramatyczną pozę. Otworzył oczy i popatrzył na nią.

– Jak śmiesz... – zaczął, a niedorzeczne słowa zabrzmiały w jego ustach zawstydzająco. – Ty też go chronisz, tak? Wszyscy go chronicie, przez co mu się wydaje, że może bezkarnie rozbijać się po drogach i zabijać ludzi, tylko dlatego, że jego nazwisko widnieje na afiszach. Wkrótce się przekonacie, że się mylicie. On ją zabił. Ma jej krew na swoich rękach. Co roku tysiące bezbronnych rowerzystów ginie przez takich jak on, którzy jeżdżą po drodze jak po torach kolejowych.

Jego ostatnie stwierdzenie wyrażało skrajne rozczarowanie. Mercer zapiał przenikliwie z zachwytu i nawet Sock się uśmiechnął. Panna Finbrough wzmocniła uścisk.

– Milcz! – zakomenderowała. – Narobiłeś już wystarczająco dużo kłopotów. Zastanów się, przez co on musi przechodzić. Jest przepracowany, zmęczony, wyczerpany...

– Zamknij się, Finny. – Sutane zeskoczył na podłogę. Stał owinięty ręcznikiem, zziębnięty, poirytowany i nieskończenie inteligentniejszy od każdego z nich. – Co to ma być? Koszmar w trakcie prób? Na litość boską, weź się w garść. Konrad, ja w ogóle nie mam pojęcia, co ty robisz w mojej przebieralni.

Wynoś się. A co do ciebie, Finny, moja dobra kobieto, pilnuj do cholery swoich obowiązków.

Panna Finbrough wypuściła swoją rozdygotaną ofiarę. Stała przez chwilę i patrzyła na Sutane'a. Nieładna kobieta w średnim wieku, cała czerwona i rozgrzana od emocji, do których nie nawykła.

– Przepraszam, panie Sutane – wyszeptała potulnie i odwróciła się.

Ruszyła chwiejnie w stronę drzwi, a jej pierś rozerwał szloch, który zawstydził wszystkich zebranych, bo był równie prawdziwy, co odrażający.

Konrad odprowadził ją wzrokiem, po czym się wzdrygnął. Wciąż jeszcze drżał.

– Przepraszam za swoje zachowanie, Sutane – odezwał się z niejaką brawurą. – Ale tak właśnie myślę. I nie tylko ja – dodał.

– Dość. Wyjdź – rzucił Sock.

Konrad zabrał sweter i podszedł do drzwi. Na progu zatrzymał się.

– Możesz mnie zwolnić, kiedy zechcesz – rzekł. – W dalszym ciągu jednak twierdzę, że z ludzkiego punktu widzenia Chloe Pye została zamordowana.

Po zamknięciu drzwi jeszcze chwilę panowała cisza. Pierwszy ruszył się Mercer.

– A co jeśli faktycznie? – spytał.

Wszyscy spojrzeli na niego, ale on wbił w Sutane'a pytający i rozbawiony wzrok.

Urok został zdjęty wraz z pojawieniem się Hughesa, który przyniósł dość zaskakującą wiadomość, że doktor Bouverie czeka na dole i byłby wdzięczny, gdyby mógł zamienić słowo z panem Campionem.

ROZDZIAŁ 8

Pan Campion zszedł za Hughesem na dół i znalazł się w świecie chaosu.

White Walls gromadził zwykle w swych murach nadpobudliwych domowników, których codzienna równowaga wymagała zachowania staranności i uwagi, więc gdy tego ranka w sam środek delikatnej maszynerii uderzył przysłowiowy grom z jasnego nieba, zachodziło ryzyko, że cały budynek się rozleci, a wszyscy zgromadzeni w nim ludzie popadną w jakimś stopniu w obłęd.

W korytarzu kamerdyner spojrzał na niego bezradnie. Przy drzwiach wejściowych pokojówka próbowała nieudolnie pozbyć się natarczywego młodzieńca z aparatem fotograficznym, natomiast we wnęce pod schodami Linda Sutane rozmawiała z kimś przez telefon, a w jej łagodnym, głębokim głosie dało się wyczuć napięcie i żałość.

Po doktorze Bouverie nie było śladu.

– Stanowczo prosił, by pana wezwać – wyraźnie zdenerwował się Hughes. – Był tu jeszcze przed chwilą. – Nawet gdy mówił, zerkał nerwowo na drzwi, przy których pokojówka radziła sobie coraz gorzej.

W tej samej chwili w całym domu rozległ się dobiegający z góry głos doktora. Staruszek krzyczał, ewidentnie czymś rozwścieczony.

– Ależ oczywiście – odezwał się z ulgą Hughes. – Pan wybaczy, wypadło mi z głowy. Doktor jest z panną Sarah. Zapomniałem. – Zerknął znów w głąb korytarza i zadrżał. – Czy byłby pan łaskaw się do niego udać? Myślę, że zdecydowanie powinienem...

Nie dokończył zdania, bo wewnętrzny impuls okazał się silniejszy i kazał mu rzucić się na intruza jak buldog, który zerwał się ze smyczy.

Pan Campion wrócił na górę i idąc za głosem doktora, przypominającym teraz złowrogi pomruk, skręcił i wyszedł wprost na buchającego wściekłością starszego dżentelmena. Był on pochłonięty rozmową z niańką, którą Campion widział poprzedniego wieczora.

– Proszę przyprowadzić pokojówkę – wrzasnął doktor. – Niech pani nie stoi tu jak kretynka, tylko przyprowadzi mi pokojówkę i psa, powiadam.

Kobieta zawahała się. Miała swoje lata i figurę określaną dość niejasno mianem „słusznej". Twarz miała nieładną i rozsądną, ale w jej brązowych oczach widać było błysk uporu, który żywo przypomniał panu Campionowi pewne ważne persony z jego własnej wczesnej młodości.

– Dziecko się boi – zaczęła znów i aż nazbyt wyraźnie dało się wyczuć, że robi to po raz trzeci lub czwarty.

Obwisłe policzki doktora Bouverie zatrzęsły się i zadrżały.

– Rób, co ci każę, kobieto.

Rzuciła mu ostatnie zbuntowane spojrzenie i oddaliła się, szeleszcząc wykrochmalonym fartuchem.

Starszy pan odwrócił się i zobaczył Campiona.

– Dzień dobry. Chciałbym za chwilę z panem pomówić – powiedział i zajrzał przez ramię do pokoju, w którego progu stał.

W luźnych ubraniach jego potężna postać robiła imponujące wrażenie. Szeroki kołnierzyk leżał niemal na płask, żeby pomieścić swobodnie liczne podbródki doktora, a w butonierce tkwił bukiecik różyczek Little Dorrit.

– Gdzie jej matka? Wie pan może? – zapytał. – Telefonuje? Co za absurd. Może pan będzie mógł mi pomóc. Proszę podejść, z łaski swojej.

Campion wszedł za doktorem do dużego białego pomieszczenia zamienionego w pokój dziecinny. Na pierwotny nowoczesny wystrój, wraz z jego wesołymi parawanikami i obrazkami edukacyjnymi, nakładały się przejawy bardziej tradycyjnej myśli: krzesło z ohydnej brązowej wikliny, wiekowy ekran przed kominkiem i zdumiewająca ilość schnącego prania.

Doktor Bouverie wskazał na niskie łóżko pod oknem po przeciwnej stronie pokoju.

– Dziecko jest pod łóżkiem – powiedział. – Nie chcę jej wyciągać na siłę, powiadam, a jeśli przesunę łóżko, mogę jej niechcący zrobić krzywdę. Uniesiemy je delikatnie. Niech pan złapie w nogach, z łaski swojej.

Campion zastosował się do polecenia i przeniósł z doktorem dziecinne łóżeczko na środek pokoju. W kącie pod ścianą kuliła się Sarah Sutane. Klęczała, nakrywając pulchnymi rączkami głowę, a spod licznych halek wystawały jej podeszwy małych okrągłych stópek. Doktor Bouverie podszedł do niej.

– Gdzie cię ugryzł? – zagaił.

Sarah zadrżała, ale nie poruszyła się, a kiedy doktor się nachylił i wziął ją na ręce, była tak sztywna, że musiał zanieść ją do łóżka w pierwotnej, przykurczonej pozycji.

– Nie ma się czego bać. – Starszy pan nie był niemiły, ale także nie przesadnie współczujący. – Musimy obejrzeć zadrapanie, powiadam. Trzeba je tylko przemyć letnią wodą. Ugryzienie psa nie jest groźne. Nie dostaniesz wścieklizny ani nic z tych rzeczy. Gdzie cię chapnął?

Pan Campion nagle sam poczuł się bardzo młody. Ten na wpół wzgardliwy ton, w którym pobrzmiewał jednocześnie absolutny spokój, przypomniał mu o dawno minionych czasach, kiedy to po raz pierwszy zetknął się z takim głosem, a w głowie z niezbitym przekonaniem przynależnym prawdzie pojawiła się myśl: „Tak przemawia Bóg".

Sarah rozluźniła się ostrożnie i zerknęła na nich przez plątaninę potarganych i mokrych od łez włosów. Była bardzo blada i miała mocno zaciśnięte szczęki. Na wewnętrznej stronie jej przedramienia czerwieniło się zadrapanie. Doktor obejrzał je z zawodową ciekawością.

– Nic więcej ci nie zrobił? – zapytał.

Poruszenie za ich plecami stłumiło odpowiedź, której mogło udzielić dziecko. Do pokoju wróciła niania, rozzłoszczona i posępna, prowadząc ze sobą rozpromienioną wiejską dziewczynę w niechlujnym stroju. Okrągłe oczy pokojówki lśniły z podekscytowania, a w ręku trzymała za fałdę na karku małego czarno-białego skundlonego teriera. W jej postawie widać było zarówno poczucie triumfu, jak i odwagę. Doktor Bouverie przyjrzał się całej trójce.

– Proszę puścić psa, powiadam.

– Może się na nią rzucić, sir – odezwała się radośnie pokojówka, niemal z nadzieją.

– Proszę go puścić.

Sarah stłumiła szloch, a niania nie była w stanie się już pohamować.

– Malutka się boi – powiedziała. – Proszę tylko na nią spojrzeć. Proszę kazać zabrać stąd psa. Przeraża ją pan. Dostanie napadu konwulsji.

Jej przepowiednia nie była bezpodstawna. Sarah siedziała wyprostowana na łóżku, nie spuszczając psa z oczu i wykrzywiając potwornie twarz. Doktor Bouverie złapał ją za nadgarstek i uniósł brwi, ale gdy pokojówka odwróciła się w stronę drzwi, krzyknął z pełnym rozdrażnienia uporem:

– Proszę puścić psa.

Niechętnie i z wyraźnym dramatyzmem dziewczyna postawiła psa na ziemi i odskoczyła w tył. Terier siedział skulony, patrząc błyszczącymi, przerażonymi ślepiami. Doktor Bouverie wziął go na ręce i pogładził drżące ciałko.

– Niezbyt groźny piesek – stwierdził. – Powiedz, mała – spojrzał na Sarah – czemu cię ugryzł?

Pokojówka wysunęła się naprzód, paląc się do wyjaśnień.

– Biegali po dworze, sir, a on się na nią rzucił – zrelacjonowała bez tchu. – Zamykamy go, gdy w domu jest dog panny Bellew, a on zaraz po wypuszczeniu zawsze szaleje. Panna Sarah zaczęła krzyczeć, więc przybiegłam, żeby go odciągnąć. – Aż spuchła z dumy, na wspomnienie własnej odwagi. – A potem zobaczyłam, że ją ugryzł, więc zawołałam nianię.

Pan Campion odchrząknął i odważył się zadać pytanie, mimo że mógł nim rozdrażnić doktora.

– Czy powiedziała jej pani, że pies zostanie zabity? – zapytał.

Dziewczyna spłoszyła się i popatrzyła na niego, jakby dał wyraz jakimś nadprzyrodzonym mocom.

– No tak, sir – przyznała po chwili. – Chciałam ją jakoś uspokoić – dodała z pośpiechem. – Powiedziałam jej, że pan Spooner, nasz stajenny, go zastrzeli.

Doktor Bouverie spojrzał na Campiona i roześmiał się nagle.

– I cała tajemnica wyjaśniona – rzekł. – Proszę, mała, masz swojego psa.

Rzucił zwierzę na łóżko, mimo protestu niańki, a dziecko wzięło je na ręce i przytuliło z takim uczuciem, że tylko psu mogło się to podobać. Krew napłynęła jej znów do twarzy, a powieki zrobiły się ciężkie. Terier zaczął ją lizać z zapałem.

Doktor Bouverie otrzepał pulchne dłonie.

– Proszę ją położyć – nakazał. – Dać jej termofor i kubek kakao. Podeślę coś na uspokojenie. Albo lepiej sami kogoś do mnie przyślijcie. I zostawcie tu psa.

– Ale rana, sir... – Niańka była wyraźnie poirytowana.

– Posmaruj jodyną, dobra kobieto. Dziewczynka doznała szoku. Ta głupia dziewucha powiedziała jej, że zabiorą jej psa i go zastrzelą, więc nic dziwnego, że się przeraziła. Bardzo go kocha.

Sarah nie wypuszczała psa z objęć. Obrazek nie był sentymentalny, raczej okropny. Głód miłości u tego dziecka budził litość.

Młoda służąca stała z wahaniem, oburzona, że za jej heroizm i przezorność odpłacono jej tak okrutnie. Doktor Bouverie przyglądał się jej chwilę.

– Ty jesteś Mudd? – spytał.

– Tak, sir. Z Rose Green.

– Tak mi się zdawało, że poznaję kształt twojej czaszki. – Starszy pan był wyraźnie zadowolony. – Wracaj do pracy i nie histeryzuj. Cała twoja rodzina to głupcy. Widziałaś, że w domu panuje zamieszanie, więc pomyślałaś, że dolejesz trochę oliwy do ognia, co?

– Nie, sir. – Panna Mudd spąsowiała.

– Nie kłam – odezwał się znów tonem Boga doktor Bouverie. – Znikaj. I nie mąć więcej.

Niania wyszła za nimi z pokoju, głośno wyrażając swój sprzeciw:

– Sarah nie może spać z psem, sir.

– A to dlaczego?

– Pies może być zapchlony.

Stary mężczyzna spojrzał na nią z góry.

– Proszę go w takim razie wykąpać – oświadczył. – Są gorsze rzeczy niż pchły. Proszę mnie posłuchać. Ta mała jest bardzo samotna i ma wybujałą wyobraźnię, więc jeśli zabierze jej pani psa, nie zaśnie, tylko będzie sobie wyobrażać, że ktoś go zaraz zastrzeli. Usłyszy huk i zobaczy krew. Zobaczy jego martwe ciałko równie wyraźnie, jakby zabiła go pani na jej oczach. Okrucieństwo, dobra kobieto, to rzecz względna. Dziecko doznało szoku, a może panią zainteresuje, że na skutek szoku umiera więcej ludzi niż na skutek jakichkolwiek chorób. Proszę ich czymś przykryć. Musi im być ciepło.

– Skoro pan tak twierdzi, sir. – W głosie kobiety wciąż było słychać wzgardę, ale mimo wszystko była pod wyraźnym wrażeniem.

Starszy pan odprawił ją pomrukiem godnym mieszkańca Olimpu i już miał iść dalej, gdy nagle w głowie zaświtała mu pewna myśl.

– Niech pani da psu ciepłego mleka – polecił. – To dobry psiak.

Mężczyźni zaczęli schodzić na dół, a doktor zerknął na Campiona.

– Trafny domysł – powiedział, co w jego ustach zabrzmiało jak komplement.

Gdy znaleźli się w holu, Linda w dalszym ciągu stała przy telefonie. Campion stwierdził, że w jej głosie pobrzmiewa niemal histeria i musiał siłą pohamować odruch, który kazał mu, nieproszonemu, pospieszyć jej na pomoc.

– Ależ naturalnie – usłyszał jej słowa. – Naturalnie. Musi pani koniecznie przyjechać. Zrobimy wszystko, co w naszej mocy. To był dla pani potworny szok. Wiem. Zdaję sobie z tego oczywiście sprawę.

Doktor Bouverie dotknął rękawa Campiona i wyprowadził go na słońce. Zatrzymał się na schodku i wciągnął głęboko w swój nieduży nos letnie powietrze. Campion uznał, że wygląda jak jakieś wielkie zwierzę. Może bizon.

– Nie lubię niepotrzebnych nerwów – wyznał. – Bezkresne pastwiska, piękne drzewa, ładne kwiaty, ptaki – wszystko to, powiadam, godne pochwały rzeczy. Dobre. Solidne. Czasem mi się wydaje, że wszystkim nam dobrze by zrobiło, gdybyśmy przestali myśleć. Cały ten wytężony rozwój umysłu jest niedobry. Nie jesteśmy do tego stworzeni. Ludzki organizm tego nie zniesie. Proszę się ze mną przejść. Chcę z panem porozmawiać. Na temat tej nieszczęśnicy, która zginęła wczoraj w nocy. Wie pan może, czy się na coś leczyła?

Campion zastanawiał się chwilę.

– Nie jestem pewny – powiedział. – Ale nie wydaje mi się. Wie pan, dopiero co wróciła z dwuletniego tournée po koloniach. Ale mogę się dowiedzieć. Sutane powinien wiedzieć.

– Chwileczkę – wtrącił z pośpiechem starszy mężczyzna. – Wie pan, nie chcę chyba zadawać żadnych pytań. To zadanie koronera. Zastanawiałem się tylko, czy może pan coś zauważył, a może widział pan, że coś jej dolega: że kaszle, ma ataki duszności, problemy z oddychaniem?

Jasne oczy pana Campiona spojrzały przenikliwie zza okularów.

– Nie – odparł ostrożnie. – Nie wydaje mi się. Sam pan rozumie, kobieta była zawodową tancerką. A jednak jeden z wielkich uczonych odkrył, że nie w każdym przypadku pojawiają się tego rodzaju objawy kliniczne. Kto to był? Morgan?

Doktor Bouverie zatrzymał się w pół kroku.

– Niezwykły z pana młodzieniec. Studiował pan medycynę?

– Wyłącznie sądową – wyjaśnił skromnie pan Campion. – Gdy wymienił pan symptomy, od razu pomyślałem o *status lymphaticus**. Domyślam się, że sekcja zwłok to właśnie wykazała?

– Owszem. Nie wiem, czy powinienem o tym panu mówić. Niezwykle ciekawy przypadek.

Doktor Bouverie zrobił krótką pauzę. Campion milczał zachęcająco, a starszy lekarz przyglądał się mu w tym czasie.

– Uważam się za znawcę charakterów – zauważył niespodziewanie. – Zachował się pan wobec mnie bardzo uprzejmie, więc, powiadam, jestem gotów panu zaufać. Mogę liczyć na pańską dyskrecję?

– Myślę, że tak – zapewnił Campion z powagą.

– To dobrze. – Doktor Bouverie przypominał w każdym calu wybitnego przedstawiciela epoki wiktoriańskiej, którym w istocie był. – Właściwie chętnie omówię tę kwestię z kimś inteligentnym, kto znał tę biedaczkę. Cała trudność w tym, że niewiele wiadomo na temat *status lymphaticus*. Obawiam się, że trzeba spojrzeć prawdzie w oczy. Wiadomo, że skutkiem pracy grasicy po osiągnięciu określonego wieku – zdaje się, że jest to wiek pięciu lat, zgadza się? – jest określony zespół objawów. Problem w tym, że u każdego pacjenta zdają się one inne. Ta kobieta, jak mówię, miała usunięte migdałki, zapewne w dzieciństwie, więc pod tym względem nie mamy się czego uchwycić. Otworzyłem ją, powiadam, i znalazłem znacząco powiększoną grasicę. Znacząco. Serce nie było uciskane, ale aorta była węższa niż zwykle,

_____

* *Status lymphaticus* – stan limfatyczny, czyli przerost układu chłonnego.

a serce trochę za słabo rozwinięte, więc sam pan widzi, że w tym świetle sprawa zaczyna wyglądać inaczej.

Pan Campion poczuł, że zaczyna iść coraz wolniej i sam się na siebie zezłościł. Nagle dotarło do niego, że nie chce, by prawda wyszła na jaw. Że nie chce, żeby ten górnolotny, choć sympatyczny starzec wciskał swój nochal w sprawę, która śmierdziała na odległość. Nie chciał, żeby życie rodziny Sutane'ów zostało zaburzone na skutek olbrzymiego emocjonalnego i fizycznego wstrząsu towarzyszącego dochodzeniu w sprawie morderstwa, nie ze względu na wujcia Williama i jego sukces, nie ze względu na Sutane'a i jego karierę, ale ze względu na Lindę, która w ciągu trzydziestu godzin nabrała dla niego niedorzecznie wielkiego znaczenia.

Świadomość ta sprawiła, że od razu poczuł się lepiej.

Doktor Bouverie znów podjął wątek.

– Odświeżyłem sobie dziś rano wiadomości na ten temat – powiedział. – Specjaliści w dalszym ciągu nie są co do tego zgodni. Nikt nie wie, jaką rolę w zdrowym organizmie odgrywa grasica. Nie zmienia to faktu, że gdy w grę wchodzi nagła śmierć z niewyjaśnionych powodów, bardzo często przyczyną jest przerost grasicy. Swego czasu miałem kilka takich przypadków. Pamiętam, że pewien biedak umarł po podaniu chloroformu w trakcie ekstrakcji zęba, a dziecko z Birley wetknęło głowę między szczebelki łóżeczka i zmarło, siła wyższa najwyraźniej. Innym razem w Lower Green pewien mężczyzna w czasie kłótni złapał brata za gardło i facet zmarł mu w rękach, ale nie przez uduszenie. Wtedy bardzo nas to zdumiało. Wszystkie te osoby miały bardzo powiększoną grasicę.

Odchrząknął, a Campion uświadomił sobie, że wykład sprawia doktorowi przyjemność.

– Wracając do tej nieszczęśnicy – odezwał się Bouverie. – Podczas oględzin wczorajszego wieczora obaj zauważyliśmy pęknięcie czaszki, do którego doszło na skutek upadku. Sklepienie czaszki wgniotło się, a u podstawy wgniecenia zrobiło się rozległe pęknięcie. Uraz głowy doprowadziłby w ciągu jakiejś godziny do śmierci, gdyby kobieta już wcześniej nie była martwa. Campion wziął głęboki wdech. A więc dochodzili do sedna sprawy.

– Nie zginęła pod kołami samochodu? – spytał niezręcznie.

– Nie sądzę. – Doktor Bouverie był z siebie bardzo zadowolony. – Zmarła na skutek przerażenia. Przerażenia, które uruchomiło *status lymphaticus*. Stała i machała do pana Sutane'a i nagle zrobiło jej się słabo, straciła równowagę, a doznany szok ją zabił. Gdy spadła na ziemię, była już martwa.

Campion wpatrywał się w starszego mężczyznę i ulżyło mu do tego stopnia, że musiał siłą się pohamować, żeby się głupio nie roześmiać. Dopiero po chwili dotarło do niego, co się właściwie stało, ale stopniowo zaczął wszystko rozumieć. Doktor Bouverie był człowiekiem, który myślał w sposób prosty i bezpośredni. Od początku borykał się z dylematem, czy doszło do wypadku, czy samobójstwa. W pierwszej chwili uznał, że przyczyną śmierci były obrażenia spowodowane przez samochód, żeby przynajmniej tym nie musieć zawracać sobie głowy. Kwestią, która nie dawała mu spokoju do tego stopnia, że zaniedbał wszystkie pozostałe, było pytanie, dlaczego Chloe Pye w ogóle spadła z mostku. Powodem była powiększona grasica, a on chętnie na to przystał. Jakimś cudem jego uwadze wciąż umykał prosty fakt, że przy takim założeniu serce Chloe Pye musiało przestać bić niecałe pięć sekund przed tym, jak jej głowa i klatka piersiowa zostały zmiażdżone przez koła samochodu, z czym wiązałoby się niezwykle obfite krwawienie. Campion czuł się jak dziecko, które stara się nie patrzeć na położony w widocznym miejscu naparstek podczas zabawy w ciepło-zimno. Starał się przypomnieć sobie, jak wyglądała wczorajszego wieczora Chloe Pye. Zobaczył znów jej podarty kostium kąpielowy i poszarpaną pierś w miejscu, w którym zgruchotało ją koło. Powinno być widać krew, mnóstwo krwi, a nie tylko powierzchowne krwawienie z drobnych naczyń.

Odkrycie doktora wyjaśniało jednak prawdziwą przyczynę śmierci. Campion zastanawiał się, kto mógł tak bardzo przerazić Chloe Pye, że zmarła. By ją zabić, nie trzeba było wielkiej siły, może nawet żadnej. Campion przypomniał sobie opowieść doktora o mężczyźnie, który złapał swojego brata za gardło i niemal w tym samym momencie poczuł, że ten nie żyje. Campion wolał pożegnać się ze starszym panem, zanim z ust wymknie mu się pytanie, które miał już na końcu języka. Czy Chloe miała na szyi albo ramionach jakieś siniaki?

Od niedyskrecji wybawił go Sutane, który zmierzał w ich kierunku przez trawnik, powiewając luźnym jedwabnym szlafrokiem, spowijającym jego kościstą postać. Był ożywiony i zaciekawiony, a siła jego osobowości ogarnęła ich fizycznie wręcz odczuwalną falą, czego mieli dość przykrą świadomość. Emanował taką bezradnością, że skojarzyło się to Campionowi z nieszczęsną Sarah, a doktor odniósł najwidoczniej podobne wrażenie, bo z miejsca zaczął mówić o dziecku.

– To tylko szok, panie Sutane. Zajście w pełni go uzasadnia.

Młodszy mężczyzna wpatrywał się w niego, jakby podejrzewał go o obłęd.

– Szok? – powtórzył. – Na litość boską, przejechał ją samochód!

Doktor Bouverie znieruchomiał, a w jego starych oczach pojawił się ostry błysk.

– Mówię o pańskiej córce, sir – wyjaśnił.

Sutane zamrugał, a towarzyszący mu mężczyźni wyraźnie widzieli wysiłek, jakiego wymagało od niego przejście od jednej kwestii do drugiej. W Sutanie uderzała niezwykła sugestywność, z jaką bez użycia słów dawał wyraz swoim myślom.

– Sarah? – powiedział nie bez zainteresowania. – Co z nią?

Doktor Bouverie zamarł. Campion wyczuwał jego wzgardę, ale mógł się tylko bezradnie przyglądać obu mężczyznom. Wiedział, że doktor nie wyobrażał sobie sytuacji, w której mężczyzna kocha swoje dziecko, a mimo to w ogóle o nim nie myśli,

Sutane natomiast nie zdawał sobie sprawy, że istnieje rzeczywistość, w której czas na takie myślenie nie tylko nie był reglamentowany, ale występował wręcz w takiej obfitości, że zupełnie tracił wartość.

– Pańska córeczka jest w dobrych rękach. Pokojówka ją nastraszyła. Dziecko myślało, że straci swojego psa – wyjaśnił zimno doktor, nie kryjąc niechęci względem wcielenia samolubstwa, które jego zdaniem miał właśnie przed sobą.

Sutane słuchał go z przekrzywioną głową i najwyraźniej uważał, że doktor jest lekko obłąkany.

– Ale pies już się znalazł?

– Tak. Z przyjemnością mogę powiedzieć, że i dziecko, i pies znajdują się pod troskliwą opieką.

Aktor ze znużeniem położył sobie dłoń na czole.

– Dobry Boże – westchnął.

Widząc minę doktora, Campion przypomniał sobie pewnego starszego dżentelmena, który zwykł opowiadać, jak chodził dokoła domu pogardzanego przezeń człowieka i „spluwał na niego mentalnie". Doktor Bouverie robił właśnie to samo.

Campion zmienił temat.

– Sutane – zaczął – wie pan może, czy Chloe Pye zdarzały się czasem napady duszności lub omdlenia?

Doktor odkaszlnął ostrzegawczo, ale widać było po nim zaciekawienie. Podobnie po Sutanie. Spojrzał gwałtownie na nich obu.

– Nic mi na ten temat nie wiadomo – poinformował. – Właściwie to jej nie znałem.

Doktor Bouverie spiorunował go wzrokiem.

– Ale mimo to gościła w pańskim domu...

Aktor zarumienił się lekko.

– Nie znałem jej – powtórzył pospiesznie. – Poznałem ją dopiero, gdy dołączyła do obsady *Ramola*. Wcześniej widywałem ją czasem na przyjęciach. – W rozpaczliwym pragnieniu, by wypaść przekonująco, żarliwość jego wypowiedzi przeczyła wypowiadanym słowom. – Była dla mnie kimś obcym.

Doktora zdenerwowała wrogość wyczuwalna w jego głosie.

– Będzie się pan tłumaczyć koronerowi – podsumował.

Sutane zatrzymał się w pół kroku.

– Naturalnie – powiedział i zawrócił w miejscu, po czym oddalił się szybko gniewnym krokiem.

Odprowadzając doktora do samochodu, Campion przypomniał sobie, jak Chloe Pye usiadła Sockowi na kolanach, a w jego głowie odezwał się na nowo jej piskliwy głos:

– Jesteśmy z Jimmym starymi przyjaciółmi.

ROZDZIAŁ 9

– Bywają chwile, mój drogi chłopcze – powiedział wujcio William – gdy cały świat pędzi na złamanie karku i wali się człowiekowi na głowę, siejąc w jego życiu straszliwe spustoszenie. W takim momencie można zrobić tylko jedno, a mianowicie zapalić dobre cygaro, wziąć do ręki kieliszek i zaczekać, aż zza chmur wyjdzie słońce. Wyznaję tę zasadę całe życie i jeszcze nigdy mnie nie zawiodła. Siadaj chłopcze, a ja przyniosę coś do picia.

Zupełnie niedźwiedziowaty w swoim staromodnym flanelowym garniturze w brązowo-beżowe prążki wskazał Campionowi fotel przy kominku w małym saloniku muzycznym, a sam podszedł do barku znajdującego się w dolnej części regału na książki.

– Kochani ludzie – stwierdził, przyglądając się karafce ze szkocką, którą znalazł w środku. – Pomyśleć, że pamiętają o mnie w takiej chwili. To moje prywatne zapasy. Gdy przyjechałem tu po raz pierwszy w zeszłym roku, Jimmy pokazał mi tę szafkę i powiedział, że zaordynował, aby w środku zawsze była karafka i kieliszki, żebym, gdy tylko najdzie mnie taka ochota, mógł się napić bez potrzeby rozglądania się za trunkiem. Oni tacy właśnie są, Campion. Kochani ludzie, serdeczni, troskliwi i inteligentni. Człowiek czuje się u nich jak u siebie w domu. I to w lepszym, niż niejednokrotnie mieszkałem – dodał z namysłem. – Biedna mama! Zero wygód w dzisiejszym tego słowa rozumieniu. Mimo to była z niej bardzo wytworna kobieta, Campion. Wypijmy za nią. Niech Bóg ma ją w swojej opiece.

Campion wzniósł milczący toast za stryjeczną babkę Caroline, żałując, że już nie żyje, choć w obecnej sytuacji niekoniecznie chciałby ujrzeć jej budzącą respekt postać. Wujcio William mówił dalej.

– Sutane, Konrad i Sock na przesłuchaniu, Linda na górze z dzieckiem, Eve z Mercerem w Birley, a cała ta Finbrough też gdzieś na szczęście zniknęła – stwierdził z zadowoleniem. – Możemy we dwóch spokojnie nad wszystkim się zastanowić.

– A gdzie Slippers Bellew? – chciał wiedzieć Campion.

– Wyjechała. Rozsądna dziewczyna. – Jasnoniebieskie oczy wujcia wyrażały aprobatę dla jej rozumu. – Gdy tylko cała afera wyszła wczoraj na jaw, Sock wpakował ją do samochodu i pojechała, wybierając na wszelki wypadek inną drogę. Wcale nie postąpiła aż tak bezdusznie, jak by się mogło wydawać. Jak słusznie zauważył Sock, Slippers nie jest kobietą, tylko człowiekiem teatru, z określoną reputacją. Powiedział jej, że i tak w niczym nie pomoże, a być może będzie musiała zająć się przedstawieniem, jeśli Sutane wypadnie na wieczór lub dwa. Dziewczyna nie ma w sobie nic z typowej aktorki. Wszystko ma rozpisane. Tyle a tyle snu, tyle a tyle ćwiczeń, tyle a tyle pracy. Na scenie wydaje się jednak zupełnie inna.

Wujcio pokręcił głową z lekkim żalem i usadowił się naprzeciwko Campiona.

– Nie cierpię powtarzać plotek – stwierdził, zerkając jednym okiem na młodszego mężczyznę. – Nie lubię tego. Nigdy nie lubiłem. To mankament tego rodzaju sytuacji. Ludzie zaczynają chować się po kątach i gadać. Nie da się tego uniknąć. Teraz też tak będzie. Tuż przed lunchem, gdy rozmawiałeś z doktorem w ogrodzie, doszło do bardzo zabawnej sytuacji.

– Tak? – spytał zachęcająco Campion, a wujcio William pokiwał głową.

– Bardzo zabawnej – powtórzył. – Zmusiła mnie do zastanowienia. Może to nic takiego. Ale stwierdziłem, że i tak ci powiem, bo chyba nikt by się za to na mnie nie pogniewał. Zszedłem na dół zaraz po tym, jak opuściłeś sypialnię – uznałem, że w przyglądaniu się Sutane'owi podczas porannej toalety nie ma nic ciekawego. Ledwie usiadłem, do pokoju wślizgnął się Konrad. Szukał mnie. Wcale go do tego nie zachęcałem. Nie znoszę faceta. To on chciał koniecznie ze mną porozmawiać. Spytał, czy moim zdaniem to nie jest ciekawe, że zginęła akurat Chloe

Pye. Odpowiedziałem, że nie wydaje mi się, by było w tym coś bardziej dziwnego, niż gdyby zginął ktokolwiek inny. Dałem mu wręcz wyraźnie do zrozumienia, że ja bym ją oszczędził. Nigdy nie byłem nadmiernie sentymentalny, Campion. Chloe była straszna i w domu jest znacznie spokojniej, gdy człowiek nie natyka się na nią wszędzie. Taka jest prawda i nie ma co temu przeczyć. Pobajdurzyliśmy trochę, a wtedy Konrad powiedział mi coś, co od początku chciał powiedzieć. Podszedłem rzecz jasna do sprawy z lekceważeniem, choć nie obeszło się bez kilku interesujących wzmianek.

Urwał i zahaczył swoje drobne, tłuste stopy o nóżki fotela.

– Chloe dostała angaż w przedstawieniu w dość dziwnych okolicznościach. Wiedziałeś o tym? – zaczął powoli. – Sutane poinformował po prostu o tym znienacka i zjawiła się zaraz potem. Właściwie to nic takiego. Być może spodobał mu się jej taniec, choć znasz moje zdanie na ten temat. To małe chuchro, Konrad, mówi jednak, że był w teatrze podczas próby nowej sceny, a Sutane siedział dwa rzędy przed nim i przyglądał się przedstawieniu, nie wiedząc, że Konrad też tam jest. Chłopak podsłuchiwał, trzeba mieć tego świadomość. Nagle w ciemności zjawiła się ona, Chloe Pye, i przysiadła się do Sutane'a. Konrad twierdzi, że nie chciał się ruszać z miejsca, więc musiał zostać i słuchać.

Mówiąc to, wujcio William parsknął wymownie.

– Panna Pye zaczęła opowiadać o jakimś telefonie, który otrzymała od Sutane'a. Konrad powtórzył mi, co powiedziała. Mógł oczywiście coś pomieszać, ale i tak postanowiłem ci to zrelacjonować. Ta mała gnida twierdzi, że Pye zwróciła się do Jimmy'ego: „Skarbie" – to akurat nic nie znaczy, bo zawsze tak mówiła – „Skarbie, nie bądź głuptasem. Twoja żona mnie zaprosiła, więc mam zamiar się zjawić". Potem Konrad usłyszał – a musiał nieźle nadstawiać ucha – jak Sutane mówi: „Nie chcę, żebyś przyjeżdżała, Chloe. Zrobiłem wszystko, co miałem zrobić, i nie chcę cię u siebie widzieć".

Wujcio William zamilkł, wychylił spory łyk whisky i wytarł nos.

– Straszna rzecz, takie podsłuchiwanie i rozsiewanie plotek, powtarzanie, gdzie popadnie, słów, które zostały zapewne przeinaczone – mruknął niezadowolony. – Ale teraz będzie ciekawie, o ile to oczywiście prawda. Konrad utrzymuje, że Chloe Pye... – Co to za bezwstydnica, Campion, skoro facet mówi jej wprost, że nie jest mile widziana, a ona dalej mu się narzuca! No sam pomyśl, nic do niej nie dotarło, choć powiedział jej wprost! – Konrad utrzymuje, że Chloe Pye powiedziała: „Jak zatem mnie powstrzymasz, słodziutki?", a Sutane na to, prosto z mostu, jak to ma w zwyczaju: „Nie wiem. Jeśli jednak spróbujesz rozbić mi małżeństwo, powstrzymam cię, choćbym miał cię udusić".

Wujcio rozsiadł się wygodniej i przyglądał się Campionowi bez jednego mrugnięcia.

– No to wyszło szydło z worka – sapnął. – Powtórzyłem ci wszystko co do joty. Uznałem, że powinienem. Oczywiście to wszystko może być wierutnym kłamstwem. Mimo to dziwne, gdyby wymyślił coś takiego, poza tym Jimmy sam mi mówił, że nie chce, żeby Chloe tu przyjeżdżała, ale ona dopadła któregoś dnia Lindę za kulisami i wymusiła na niewinnej dziewczynie zaproszenie. Mam wrażenie, Campion, że gdyby to były plotki, Konrad by ich raczej nie rozpowiadał, prawda? Dlatego nie mam serca winić Eve.

– Eve? – spytał pan Campion, który nagle przestał cokolwiek rozumieć.

Różowa twarz wujcia pociemniała.

– Właśnie do tego zmierzałem – mruknął. – Siedziała na leżaku tuż przy oknie. Słyszała, że Konrad ze mną rozmawia. A raczej przysłuchiwała się nam.

– Mówiła coś?

– Doszło do sceny, o której już wspominałem – odparł wujcio krótko. – Zostawiłem ich samych. Miałem wrażenie, że tak będzie najlepiej. Gdy ludzie obrzucają się obelgami, zawsze jest szansa, że coś się komuś pomyli i pomyśli, że to ty coś powiedziałeś. Wolałem się usunąć.

Siedzieli przez jakiś czas w milczeniu. W małym północnym pokoju było chłodno i ciemnawo. Ogród za oknem lśnił w popołudniowym słońcu.

Pan Campion myślał o Bennym Konradzie.

– Kilkakrotnie słyszałem wzmianki o jakimś rajdzie – odezwał się. – O co chodzi?

– O klub Speedo Konrada – odparł wzgardliwie wujcio. – Ich zdaniem to sposób na rozgłos. Na pewno obiło ci się o uszy, mój chłopcze. Facet jest najwyższym kapłanem cyklistów. Co za niedorzeczność.

Pan Campion przypomniał sobie niejasno jakieś wzmianki w prasie. Wujcio William pospieszył z wyjaśnieniami.

– Parę lat temu Konrad wykonał bardzo udany taniec z rowerem i użyczył swojego nazwiska na potrzeby reklamy. Człowiek wszędzie widział jego zdjęcia ze sprzętem jednej z firm rowerowych. Jak to często bywa w takich wypadkach, skończyło się na tym, że powołano do życia klub, a Konrad został prezesem. Wręcza nagrody, jeździ na wyścigi do Francji i takie tam. Swego czasu, jak sądzę, klub był dość liczny i składał się z wielu entuzjastycznych młodych ludzi, którzy przychodzili oglądać i oklaskiwać Konrada. Problem w tym, że Konrad jest kiepski. Sam jeden nie udźwignie przedstawienia. Po porażce w *Koła się kręcą*, zaczął, jak to mówimy, szukać dla siebie miejsca i diablo się ucieszył, mogąc dublować Sutane'a w kilku pomniejszych numerach w *Ramolu*. Cały czas jednak pracuje intensywnie nad autoreklamą. Ten wyścig to bardzo ważne wydarzenie w kalendarzu imprez klubu. Klub ma teraz niewielu członków, ale za to bardzo oddanych. Uważają go tam za swojego bohatera, za pewnego rodzaju księcia – że też dali się tak zwieść.

Wujcio nachylił się i dźgnął Campiona w kolano krótkim palcem.

– Konrad to gość, który ma wszystko, żeby odnieść sukces, poza talentem – przyznał z powagą. – Przypomina faceta w eleganckim fraku, który jednak na nim wisi, bo gość nie ma wystarczająco dużo ciała.

– A na czym polega ten wyścig? – Ciekawość Campiona nie została jeszcze zaspokojona.

– Jadą od pubu w Londynie do pubu w Essex, a kończą w jeszcze innym, gdzie czeka na nich obiad i przemówienia. Rajd odbędzie się w przyszłą niedzielę.

Wujcio nalał sobie kolejnego drinka.

– Zdrzemnę się chwileczkę. Bardzo intensywny okres. Zastanów się nad tym, co ci powiedziałem, Campion. Jimmy to dobry człowiek. Nie mogę pozwolić, żeby ktoś obrzucał go kalumniami, zwłaszcza gnida pokroju Konrada. Zastanów się nad tym, mój chłopcze.

Campion podniósł się z fotela.

– Dobrze – obiecał, a jego szczupła twarz wyrażała namysł.

Bardzo wyraźnie przypominał sobie postać Sutane'a, która pojawiła się w oknie poprzedniego wieczora, a także jego zachowanie na miejscu wypadku. Nagle dopadły go nieprzyjemne wątpliwości.

Campion zostawił wujcia ułożonego w fotelu do wypoczynku, z krótkimi nogami skrzyżowanymi w kostkach i miną wyrażającą gotowość do filozoficznej kontemplacji, i wyszedł do dużego holu, w którym słońce kładło swoje długie, lśniące palce na kamiennych płytkach. Popołudnie było senne, a w domu panowała cisza i spokój. Stał jakiś czas zapatrzony w ogród i zorientował się, że Linda zeszła na dół, dopiero wtedy gdy stanęła tuż za nim. Była blada i zmęczona, a jej szczęka wydawała się nagle mniejsza i ostrzej zarysowana.

– Zasnęła – powiedziała. – Biedactwa! Wyglądają jak z bożonarodzeniowego obrazka. Rufe to dobra psina. Obudził się, gdy się ruszyłam, ale sam ani drgnął. Bardzo ją kocha.

– A co z nianią? – spytał pan Campion.

Linda roześmiała się i spojrzała mu w oczy. Mężczyzna odwrócił wzrok i spojrzał na drzewa rosnące po drugiej stronie trawnika.

– Lepiej przygotujmy oba pokoje do podwieczorku – zaproponowała. – Będzie nas dziś sporo.

Campion poszedł za nią niechętnie do salonu i pomógł jej rozsunąć harmonijkowe drzwi, które oddzielały pomieszczenie od pokoju śniadaniowego.

– Przywiozą panią Pole z synem – wyjaśniła znużonym głosem Linda. – To bratowa Chloe Pye. Jej mąż jest za granicą, a ona jest jej najbliższą krewną. Chyba bardzo się przejęła. – Westchnęła, a Campion spojrzał na nią.

– Robiła problemy?

– Raczej boję się, że może je robić. Trzymała mnie dziś rano na telefonie przez trzy kwadranse. Koszmar, prawda? Ale jakoś nie czuję, że ktoś umarł. To straszne, co powiem, ale mam raczej wrażenie, jakby chodziło o nowe przedstawienie.

Poczęstowała się papierosem, którego jej podsunął, i usiadła przy oknie, a Campion stanął przed nią.

– Dobrze by było, gdyby się pani trochę przespała – poradził i zrobiło mu się trochę głupio. – Ostatnia doba była dla pani potwornie stresująca – najpierw wypadek, potem dziecko.

Spojrzała na niego z dziwną miną.

– Dbam o moje dziecko – rzuciła. – Kocham je. Nie jestem nierozważna. Robię, co mogę. Pozwoliłabym jej nawet wyjechać, gdybym wiedziała, że dobrze to zniesie. Ale ona jest jeszcze taka mała, taka malutka. Moje małe biedactwo.

Wyjrzała przez okno. Nie rozpłakała się, ale nie do końca panowała nad swoimi ustami. Była rozbrajająca w swojej bezradności, a Campion zapomniał na chwilę o obezwładniającej, nieznanej mu nieśmiałości, która zaczynała go przy niej ogarniać.

– Przecież to oczywiste – stwierdził cicho.

– Naprawdę?

– Tak uważam.

Uśmiechnęła się do niego z wdzięcznością i z mokrymi oczami, co z bliżej nieznanego powodu ścisnęło go za serce i przypomniało mu, zupełnie bez związku, a co za tym idzie ze wszech miar irytująco, o dokładnym usytuowaniu tego organu w jego ciele.

– Przez panią Pole nie mogłam porozmawiać z doktorem – zapewniła solennie. – I tak jest ciągle. Niby nie mam żadnej konkretnej pracy do wykonania, ale i tak odnoszę wrażenie, że nigdy mnie nie ma, gdy sytuacja tego wymaga. To absurd skarżyć się na dom, mając do dyspozycji armię służących, ale miejsce, przez które bez żadnej zapowiedzi ciągle przetaczają się tłumy, wymaga sporego nadzoru. Od służby nie można wymagać myślenia. Jeśli da się im listę rzeczy do zrobienia, zrobią je, bez tego jednak w każdej bardziej skomplikowanej sytuacji trzeba myśleć za nich. Poza tym są na przemian przemęczeni i na śmierć znudzeni. I trzeba jeszcze ogarnąć różnego rodzaju drobiazgi typu terminy, rozkład jazdy pociągów i zabawianie ludzi, którzy nie są akurat nikomu potrzebni. Nie zaniedbuję Sarah, naprawdę. Poświęcam jej każdą wolną chwilę. Nie spisuję się jednak najlepiej. Ciężko jest przestawić umysł na tory dziecka, a bez tego dziecko jest albo znudzone, albo zdezorientowane. Sarah czuje się bardzo samotna.

Linda urwała, żeby nabrać powietrza, a widząc minę Campiona, przypomniała sobie chyba po raz pierwszy, że praktycznie się nie znają.

– Przepraszam – powiedziała z młodzieńczym zakłopotaniem. – Cały dzień chodzę rozdrażniona przez to, że nie mogłam porozmawiać z doktorem Bouverie o córce. To wszystko jest tak strasznie niesprawiedliwe, że ciągle nie mogę się z tym pogodzić, a ponieważ pan był akurat w pobliżu, zrzuciłam to wszystko panu na głowę. Bardzo przepraszam.

Campion starał się znaleźć stosowną odpowiedź, jednocześnie elegancką i kojącą. Nic takiego jednak nie przyszło mu do głowy, więc w zamian za to dał wyraz myśli, która pojawiła się jako pierwsza. Zrobił to jednak nieporadnie i niewprawnie.

– Pani też czuje się bardzo samotna, prawda? – powiedział.

Dziewczyna rzuciła mu krótkie, inteligentne spojrzenie.

– Jest pan bystry – zauważyła. – Dużo bystrzejszy, niż sądziłam. To zabrzmiało nieuprzejmie. Nie miałam takiego zamiaru... Eve i Mercer powinni niedługo wrócić. Bardzo to miłe z jej strony, że z nim pojechała.

Campion zgodził się uprzejmie na jej niezdarną zmianę tematu i przyglądał się jej profilowi na tle okna. Linda mówiła dalej, odrobinę zbyt pospiesznie.

– Pojechali do Birley po papier nutowy. Tylko Mercer mógł się uprzeć, że w takim momencie potrzebny mu papier nutowy. Nic go nie rusza. Jego służący ma wolne, więc obawiam się, że Eve nie miała wyjścia i musiała mu zaproponować, że go zawiezie. On sam nie siada za kierownicę. Niedługo wrócą. Skończy się na wypadku, prawda? Sock mówił, że wszystko pan załatwił.

– Nic nie zrobiłem – powiedział Campion, choć zreflektował się, że może nie musiał być aż tak prawdomówny. – Ale owszem, myślę, że stwierdzą, że to wypadek.

Linda pokiwała głową.

– Po co by miała odbierać sobie życie? – spytała. – Biedaczka! Wydawało mi się, że jest z siebie bardzo zadowolona. A na dodatek była *en grande tenue*. To takie dziwne.

– *En grande tenue*?

Linda wydawała się nieco zakłopotana.

– W pełnym rynsztunku, w sensie seksualnym – wyjaśniła. – Chodzi o rodzaj energii, którą ma w sobie człowiek, czy może raczej, którą emanuje, gdy chce zastawić na kogoś sidła. Niektórzy robią to podświadomie cały czas, a inni tylko wtedy, gdy zależy im na konkretnej osobie. Takie rzeczy wyczuwa się instynktownie.

Pan Campion uniósł brwi.

– Chloe Pye była w pełnym rynsztunku?

– Tak mi się wydaje. – W cichym głosie Lindy słychać było namysł. – Zastanawiałam się, o kogo chodziło. Myślałam, że o Socka. On podoba się wielu kobietom. Wygląda, jakby wymagał opieki. Nie jest zapuszczony. Raczej nieco niechlujny, jeśli wie pan, co mam na myśli.

Campion uśmiechnął się szeroko.

– Ale Chloe Pye nie bardzo by to odpowiadało, prawda? – wysunął przypuszczenie.

– Nie wiem. – Linda spojrzała na niego poważnie. – Zanim do nas przyjechała, widziałam ją tylko raz. W zeszłym tygodniu siedziałam sama w garderobie Jimmy'ego, a Sock przyprowadził ją do mnie, bo chciała porozmawiać. Powiedziała, że chciałaby spędzić weekend na wsi, więc zaprosiłam ją wstępnie, a ona przyjęła moje zaproszenie. Jimmy zdenerwował się, gdy go o tym poinformowałam i zażądał, żebym odwołała zaproszenie, ale nie chciałam tego robić, bo wydawało mi się to bardzo nieuprzejme. Teraz żałuję.

Umilkła na chwilę.

– Być może to był wypadek – odezwała się w końcu, ale w jej głosie nie słychać było przekonania. – Cała ta sprawa jest przerażająca.

– Przerażająca?

Spojrzała na niego, a on dostrzegł w jej oczach przebłysk czegoś, co nim wstrząsnęło.

– Za dużo panu mówię – stwierdziła. – Ma pan dar, skłania pan ludzi do mówienia, bo ich pan rozumie.

Campion usiadł.

– Można mi zaufać – powiedział tylko. – Czego się pani boi?

Linda zawahała się chwilę, ale nagle odwróciła się do niego.

– Czy miał pan kiedyś w domu szczury? – spytała niespodziewanie. – Myszy to zwykła niedogodność, jak muchy czy sterty starych gazet, ale gdy zalęgną się szczury, człowiek ma poczucie, że w domu czyhają na niego wrogie, inteligentne istoty, które mogą wyrządzić mu krzywdę. Jeśli pan tego nigdy nie doświadczył, jest to niewytłumaczalne, jeśli jednak zna pan to uczucie, wie pan, o czym mówię. Ma się wtedy wrażenie, że wróg czyha. Tak właśnie się teraz czuję. Coś w śmierci tej kobiety jest nie tak i nakłada się na całe mnóstwo innych rzeczy, które są nie tak.

Wpatrywała się w niego, skulona na przyokiennym siedzisku. Jej skóra złociła się ciepło na tle ciemnej satynowej sukienki, a mała twarz wyrażała ożywienie i inteligencję. Linda była szykowną, drobną i bardzo namacalną osobą, a Campion zorientował się nagle, że jest w niej zakochany i że już nigdy nie poczuje się przy niej w pełni swobodnie.

Miała rację co do sytuacji w White Walls. Wróg czyhał i jeśliby on ją teraz opuścił, byłaby to dezercja w pełnym tego słowa znaczeniu. Choć nie spuszczał wzroku z jej twarzy, przestał ją widzieć. Odkrycie, którego właśnie dokonał, nie obezwładniało zaskoczeniem, bo myśl ta zaczęła w nim kiełkować w chwili, gdy zobaczył Lindę po raz pierwszy. Myśl szokowała go nie dlatego, że Linda była żoną Sutane'a i matką Sarah, a zatem kimś dla niego niedostępnym, ale dlatego, że zjawisko, które jak dotąd uważał w znacznej mierze za babski wymysł, w końcu objawiło się mu jako fakt dokonany, a nie przelotna moda. Wiedział, że zjawił się w White Walls w normalnym stanie umysłu, a mimo to w ciągu godziny zawładnęła nim jakaś wielka siła.

– Patrzy pan na mnie, jakbym zrobiła coś karygodnego... – powiedziała Linda Sutane.

Campion zesztywniał, jakby trzepnęła go w ucho. Uśmiechnął się do niej szeroko. Spojrzenie miał roztańczone, a długie bruzdy ciągnące się wzdłuż jego policzków pogłębiły się. Nagle wyglądał na dużo młodszego i dużo bardziej pełnego życia.

– Słuszna uwaga – przyznał lekko i dodał: – Najbardziej okrutna, jaką mogła pani uczynić.

Linda przypatrywała się mu przez chwilę ciekawie, a on zobaczył, że na jej twarzy odmalowuje się pewna nieśmiałość, co wzbudziło jego zachwyt i dodało mu skrzydeł, a jednocześnie przeraziło go nie na żarty.

Linda pokręciła głową, mimowolnie dziecinnym ruchem, otrząsając się z jakiejś myśli.

– Być może to tylko moja wyobraźnia – stwierdziła.

– Być może – zgodził się. – Bez względu na to, w czym rzecz, dowiem się tego.

Pani Sutane wyciągnęła rękę.

– Nie sądzę, żeby to była kwestia wyobraźni – powiedziała. – A pan?

Campion wstał i zaczął się przechadzać bez celu po pokoju.

– Nie – odparł i spojrzał na pusty kominek. – Na pewno nie. Chwilę później oboje wzdrygnęli się na widok Hughesa, który wszedł do salonu i sam też wyglądał na lekko zdumionego.

– Pani Paulowa Geodrake, madame – mruknął. – Mówiłem, że pani wyszła, ale zauważyła panią przez okno. Prosiła, żeby przekazać, że jest pewna, że na pewno poświęci jej pani chwilę. Czeka w jadalni. Nie miałem gdzie jej poprosić. – Spojrzał z wyrzutem na otwarte podwójne drzwi.

– Kto to jest? Znamy ją? – spytała wyraźnie zaskoczona Linda.

Hughes zniżył konfidencjonalnie głos.

– Mieszka w Old House przy dolnej drodze, madame. Nie było pani, gdy zjawiła się z wizytą po raz pierwszy, a ona z kolei była nieobecna podczas rewizyty.

Linda cofnęła się o krok.

– Nie mogę jej teraz przyjąć, bo lada moment przyjadą pozostali.

– Ojciec jej męża, starszy pan Geodrake, był zaprzyjaźniony z pani świętej pamięci wujem, madame – powiedział z wyraźną przyganą Hughes. – Pani Geodrake prosi tylko o chwilę. To dość zdeterminowana dama.

Linda skapitulowała, a Hughes oddalił się zadowolony.

Pani Geodrake weszła do salonu niczym do szturmowanej fortecy. Miała około trzydziestu pięciu lat i była kobietą o młodzieńczej twarzy, rudych włosach, eleganckim i raczej gustownym stroju oraz autorytatywnym, nieprzyjemnym głosie, z którym nie mogło się równać nic, co Campion słyszał do tej pory.

Od razu przyszło mu do głowy, że moda na krzykliwe elegantki już minęła. Wolałby też, żeby kobieta nie okazywała aż tak sztucznego ożywienia.

Podbiegła do Lindy z wyciągniętymi rękami.

– Musiałam przyjść – rzuciła, wpijając badawczo spojrzenie swoich jasnych inteligentnych oczu w twarz gospodyni. – Siedziałam w domu, myśląc o pani, i nagle stwierdziłam, że przyjdę i powiem, że nie trzeba się martwić. W końcu jesteśmy najbliższymi sąsiadkami, prawda?

Linda wpatrywała się w nią w osłupieniu. Mniej pewna siebie osoba umilkłaby na widok bezbrzeżnego zdumienia malującego się na jej twarzy, ale pani Geodrake była twardą sztuką. Spojrzała na drobną panią domu ze współczuciem niepozbawionym pewnej dozy satysfakcji.

– Biedactwo – dodała. – To oczywiste, że jest pani przerażona. W wiosce aż huczy. A ludzie mają skłonność do przesady, nieprawdaż? Będą gadać.

Linda nic nie powiedziała. Nie odezwała się ani słowem od chwili pojawienia się gościa, a pani Geodrake, litując się nad jej brakiem ogłady, postanowiła pomóc jej wybrnąć z sytuacji.

– Nie przedstawi mnie pani? – spytała, zniżając głos o jeden ton i przyglądając się Campionowi krytycznie, co uznał za irytujące.

Linda dopełniła uprzejmie ceremoniału, a pani Geodrake powtórzyła nazwisko, bez wątpienia umieszczając je starannie w zakamarkach swojej pamięci.

– To nie pani mąż? – spytała i z błyskiem w oku zerknęła na swoją rozmówczynię.

– Nie – potwierdziła Linda.

– Naturalnie, małżonek jest na przesłuchaniu – stwierdziła pani Geodrake, świadoma braku odzewu ze strony swoich rozmówców, choć w najmniejszym nawet stopniu nie onieśmielona tym faktem. – Moja droga, zna pani starego Pleyella, koronera? Uroczy człowiek. Naturalnie przeraźliwie sztywny, ale przemiły.

Polubi go pani. Wszystkiego dopilnuje i zrobi, co należy. Cóż za straszliwy pech – to dopiero pani drugi rok tutaj. Kogo pani wezwała? Doktora Bouverie, zgadza się? Uroczy starszy pan, nieprawdaż? A jak pani mała? Słyszałam, że pogryzł ją pies. Dzieci nie powinny mieć psów. Są względem nich przeraźliwie okrutne, nie uważa pani? Marzę o charcie rosyjskim, ale mój mąż za nimi nie przepada. Czy musi pani we wszystkim słuchać męża, pani Sutane? Wykreśliłam te słowa z użycia w naszym małżeństwie, ale niewiele to zmieniło.

Roześmiała się, a oni zawtórowali jej uprzejmie, choć raczej z wysiłkiem. Campion miał nieprzyjemne uczucie, że powinien jakoś powstrzymać tę kobietę, i żałował, że nie znajduje się we własnym domu.

Pani Geodrake otworzyła torebkę i wyjęła papierośnicę.

– Zapalę własne, jeśli nie ma pani nic przeciwko – oświadczyła z sztucznym uśmiechem, gdy Linda podsunęła jej nieco poniewczasie papierośnicę z kominka. – Proszę mi powiedzieć, czy ta zabita dziewczyna była pani bliską przyjaciółką?

Niepokój w jej głosie był tak płytki, że równie dobrze można powiedzieć, że go nie było.

– Nie – odparła bezradnie Linda. – Nie znałam jej wcześniej.

– Rozumiem. A zatem znajoma męża. Ciekawe!

Jej jasne oczy przypomniały nagle panu Campionowi oczy dawnego znajomego, inspektora Stanislausa Oatesa.

– Nie, nie. – zaprzeczyła nagle obronnym tonem Linda. – Występowała po prostu w jego przedstawieniu, więc ją zaprosiłam.

– Ach, znajoma z pracy? – Pani Geodrake odnotowała w pamięci z trudem zdobyty szczegół. – Musi się z tym pani czuć bardzo niezręcznie. Ale to i tak lepiej, niż gdyby przydarzyło się to komuś znajomemu i raczej lubianemu. Proszę mi powiedzieć, jak to się stało, że była naga? Wioska jest tym zaintrygowana. Policjant cały się rumienił, moja droga. Urządzaliście przyjęcie nudystyczne?

Linda i Campion wpatrywali się w nią w osłupieniu, ale zanim ich bezbrzeżne zdumienie zdołało przybrać formę

133

poirytowania, zobaczyli w jej przenikliwych, twardych oczach dziwnie tęskny wyraz. Campionowi przypomniała się oryginalna panna Hoyden ze sztuki, nie ta wybuchowa i wulgarna, w jaką zamieniły ją kolejne pokolenia rozentuzjazmowanych aktorek, ale stworzona przez autora dorodna i śmiertelnie znudzona postać o żywej wyobraźni budującej z plotek docierających z beztroskiego świata sielankowy wręcz obraz swobody i emocji, które tylko najmłodsi duchem i najsilniejsi ciałem byli w stanie znieść, i to nie dłużej niż kilka dni. Teatr, cyganeria, przyjęcia, romans. Dla pani Geodrake były to najwyraźniej synonimy.

Campion zerknął ukradkiem na Lindę. W dalszym ciągu wyglądała na lekko oszołomioną.

– Ależ nie – wyjaśniła. – Ćwiczyła po prostu nad jeziorem. I nie była naga. Miała na sobie kostium kąpielowy do tańca.

– Była sama?

Pani Geodrake wydawała się rozczarowana.

– Tak, sama.

W korytarzu dało się słyszeć jakieś głosy, a Linda podniosła się z determinacją.

– Bardzo mi miło, że pani wpadła – powiedziała i wyciągnęła rękę.

– Żaden kłopot. Czułam, że to mój obowiązek. – Nachalna kobieta zignorowała wyciągniętą dłoń i odwróciła się do drzwi z wyrazem zaciekawienia i wyczekiwania. – Czy to pani mąż? – spytała. – Będzie już znał werdykt, prawda? Umieram z ciekawości, a pani?

Mówiąc to, uśmiechnęła się do nich rozbrajająco, a oburzony pan Campion zorientował się, że ideał „najwyższego opanowania" wysławiany przez pisarzy młodego pokolenia to poważny błąd. Ręka Lindy opadła wzdłuż ciała, drzwi uchyliły się i do środka zajrzał Mercer.

Zobaczył panią Geodrake, stwierdził, że to ktoś nieznajomy, przyjrzał się jej, po czym wycofał bez słowa, mijając się w drzwiach z Sutane'em.

ROZDZIAŁ 10

– „Nieszczęśliwy wypadek ze skutkiem śmiertelnym".

Sutane spojrzał na zgromadzonych, ale nie było słychać, żeby mu ulżyło. Był blady, zaabsorbowany i najwyraźniej dzielił się informacją bez zastanowienia. Nawet pani Geodrake, która wstała podekscytowana i przypochlebna, nie odważyła się do niego odezwać.

Wszedł do pokoju, obrzucił gościa spojrzeniem, jakim obrzuca się nieznajomego w lobby hotelowym, po czym opierając plecy o kominek, utkwił ciężkie spojrzenie w drzwiach i czekał.

Hughes i pokojówka, którzy weszli od strony pokoju śniadaniowego, uwijali się z tacami z herbatą i wyciągniętymi specjalnie na tę okazję stołami. W pokoju nie słychać było nic poza cichym brzękiem przestawianych sprzętów.

Pani Geodrake znów usiadła.

W korytarzu ktoś zachichotał nerwowo. Był to wyjątkowo bezmyślny śmiech, nic niezwykłego, raczej niepokojąco znajomego, choć w obrębie White Walls będącego już anachronizmem.

– Tędy, pani Pole – dobiegł ich głos Konrada, łagodny i nieszczery.

Weszli razem, mężczyzna z umyślną gracją, lekko zgięty w pasie, ostrożnie stawiając każdy krok, pochylając swą złotą główkę, kobieta zaś świadoma siebie, triumfująca, zadowolona z siebie, z zapałem amatorki, której przypadła w udziale główna tragiczna rola w przedstawieniu charytatywnym.

Była niska i pulchna, i nie tyle ubrana, ile owinięta i przystrojona w czerń. Z kapelusza, ramion i obleczonych w czarne rękawiczki dłoni zwisał jej czarny szyfon. Od płaskich butów z ostrym noskiem po czubek toczka spowijała ją żałoba w najbardziej prozaicznym wydaniu. W zestawieniu z tak pokazową żałobą, złociste loczki Konrada wydawały się niepoważne i nie na miejscu.

Za tą dwójką podążał duży, ponury młodzieniec w czarnym garniturze, nieco przymałym jak na jego pulchne ciało. Był wyraźnie zakłopotany i z sumiennym idiotyzmem przynależnym młodości starał się to pokryć nienawistną furią. Jego twarz, szyja i ręce zwracały uwagę intensywną czerwienią. Obok niego szedł Sock, wyczerpany i zaniepokojony jednocześnie. Eve i Mercer weszli jako ostatni, tyle że kompozytor bez entuzjazmu.

Konrad spojrzał na Lindę, bardziej żeby sprawdzić, gdzie stoi, niż żeby coś jej przekazać.

– Pani Pole – odezwał się cicho. – Przedstawiam pani panią Sulane.

Bratowa Chloe Pye uniosła woalkę, a w pokoju rozległ się jej nerwowy, smutny śmiech.

– Bardzo mi miło – powiedziała. – Czy to nie straszne? – zachichotała ponownie żałośnie.

Kobiety podały sobie ręce, a Linda wskazała gościowi miejsce przy tacy z herbatą. Pani Pole przestała walczyć z woalką i próbować założyć ją za uszy niczym odwrócony kwef. Operacja ta jednocześnie ją oślepiła i zawstydziła. Ostatecznie naciągnęła po prostu szyfon na kapelusz, odsłaniając okrągłą, zdeterminowaną twarz i niebieskie oczy z czerwoną obwódką.

Wiedziała, jak prowadzić konwersację, i choć obecnie czuła się nieco zagubiona, starała się dzielnie zachować swoją zwykłą pozycję i od czasu do czasu dawała wyraz typowej dla siebie determinacji w dążeniu do celu.

Pani Geodrake została chwilowo zapomniana. Siedziała z gracją na małej kanapce na środku pokoju, a jej inteligentne oczy lśniły z ożywieniem i rozbawieniem, aż nazbyt wyraźnie antypatycznym. Była jak widz, który znalazł się nagle w środku sztuki i bez kompleksów świetnie się bawił.

Pani Pole rozejrzała się po pokoju.

– Gdzie Bobby? – spytała raptem.

– Tu, mamo. – Robert Pole przecisnął się do niej przez grupkę osób, które najwyraźniej uważał za wrogie. Został przedstawiony Lindzie i z grymasem na twarzy podał jej rękę.

Pani Pole poczęstowała się herbatą i kanapkami, a jej syn zajął bezpieczną pozycję za jej fotelem. Konrad stanął z galanterią na wysokości zadania. Uwijał się z filiżankami, talerzykami i dzbanuszkami ze śmietanką, gestykulując i przybierając takie pozy, jakby znajdował się na scenie.

Bratowa Chloe Pye miała donośny głos z akcentem, który nie rzucałby się w oczy, gdyby w najmniej spodziewanych momentach nie starała się go nagle neutralizować.

– Bardzo dziękuję za herbatę – powiedziała. – Biedna, mądra Chloe… – Upiła łyk i otarła się chusteczką. – Cóż za wstrząs. Wybraliśmy się wszyscy w sobotę, żeby ją zobaczyć. Tata – to znaczy mój mąż – wyjechał w interesach, więc zabrałam sąsiadkę i przez całą drogę powrotną nie mówiłam o nikim innym, tylko o Chloe. Nigdy bym się nie spodziewała, że tak skończy. Widziała ją pani, pani Sutane? Moja droga… – Zniżyła głos i przeszła do makabrycznych szczegółów. – Była taka śliczna, prawda? Jak na swój wiek… Na scenie wyglądała czasem jak młoda dziewczyna. Czuła przez to ogromną presję. Gdy człowiek się jej przyjrzał, od razu to zauważał. A teraz nie żyje. Zabiorę ją do domu. Tata by sobie tego życzył. Rozmawiałam już z zakładem pogrzebowym.

Pani Geodrake przysiadła się trochę bliżej.

– To musiał być dla pani straszny cios – zaczęła zachęcająco.

Pani Pole spojrzała na nią z wdzięcznością i odstawiła filiżankę.

– To prawda! – przyznała. – Znała ją pani? Była taka utalentowana, od dziecka. Zawsze uważaliśmy, że jest geniuszem – kobieta znów zachichotała piskliwie.

Swoją wypowiedzią pani Geodrake zwróciła na siebie ogólną uwagę. Sutane wpatrywał się w nią, jakby dopiero teraz ją zobaczył. I może faktycznie tak było. Rzucił żonie pytające spojrzenie.

Pani Geodrake jednak, która zdawała się mieć oczy dookoła głowy, podniosła głowę, zanim Linda zdążyła się odezwać.

– Zastanawiałam się, kiedy mnie pan zauważy, panie Sutane – powiedziała i uśmiechnęła się do niego filuternie. – Jestem Jean Geodrake. Mieszkam obok. Wpadłam po południu, żeby złożyć pańskiej żonie wyrazy współczucia.

Gdy mówiła, w pokoju panowała cisza, a Sutane, który, podobnie jak większość mężczyzn nie był odporny na śmiałe spojrzenia i uśmiechy, zdawał się zaintrygowany, choć nie porażony.

– Z powodu wypadku – dodała dama. – To dla państwa przykra sytuacja. Dla całego domu.

Pani Pole pociągnęła z wyrzutem nosem i wybuchnęła konsternującym płaczem. Pani Geodrake stanęła na wysokości zadania.

– Ależ naturalnie, pani jest z rodziny, prawda? – zwróciła się do płaczącej kobiety. – Ciotka?

– Bratowa – warknęła pani Pole, a w jej niebieskich oczach pojawił się niebezpieczny błysk. – Bardziej jak siostra – dodała wojowniczo.

– Ale ona nie odwiedzała nas zbyt często – wyrwało się Robertowi ciut głośniej, niż zamierzał, a jego twarz przyoblekła się intensywną purpurą. Chłopak spojrzał ukosem na zebranych.

Pani Pole odwróciła się do syna.

– Nieprawda, ty gamoniu – wybuchnęła. – Byliśmy przecież w jej nowym mieszkaniu? Zawiesiłam jej przecież zasłony? Co ty pleciesz? Była z nami bardzo zżyta. Jestem pewna, że tata, to znaczy jej brat, ją uwielbiał. Tak się cieszyliśmy, gdy dostała ten angaż.

Pani Geodrake uśmiechnęła się z demoniczną słodyczą.

– Bez wątpienia – mruknęła. – A więc była urodzoną aktorką?

Linda przerwała im z cichą determinacją.

– To musiał być dla pani okropny dzień, pani Pole – powiedziała. – Może zechce pani pójść na górę i się odświeżyć?

– Nie, dziękuję.

Kobieta była wzburzona. Spojrzenie, jakim obrzuciła panią Geodrake, wskazywało jednoznacznie, że nie miała zamiaru znosić żadnych impertynencji ze strony jakiejś protekcjonalnej wieśniaczki, bez względu na to, jak bardzo sama zadzierała nosa. Podziękowała pani Sutane, która bez wątpienia chciała dobrze, ale sama umiała o siebie zadbać – o siebie i swoją wielką boleść.

– Ojciec Chloe był dość zamożnym człowiekiem – oświadczyła z godnością, wpijając spojrzenie zaczerwienionych oczu w podekscytowaną twarz pani Geodrake. – Od dziecka posyłał ją na lekcje tańca. Tata, mój mąż, mówił, że Chloe wyglądała w swoich białych sukieneczkach jak mała królewna. Gdy trochę podrosła, dołączyła do trupy dzieci z dobrych domów i wzięła udział w pantomimie. Później sama zajęła się rozwojem swojej kariery. Któż mógł przypuszczać, że będziemy musieli udać się do sądu i wysłuchać oświadczenia przewodniczącego ławy przysięgłych, który powie, że ze względu na brak wystarczających dowodów sąd uznał, iż doszło do nieszczęśliwego wypadku ze skutkiem śmiertelnym.

Linda i pan Campion spojrzeli jednocześnie na Socka. Ten skinął przytakująco głową i odwrócił ze znużeniem głowę.

Pani Pole ciągnęła dalej. Zachowywała się z przedziwną mieszaniną godności i uporu i nie pozostawiała wątpliwości co do tego, że jest kobietą silnego charakteru.

– Któż mógł przypuszczać, że dowiemy się poniewczasie, że biedactwo poważnie chorowało, że miała przerośnięte węzły chłonne i najmniejszy nawet szok mógł ją zabić. Gdybyśmy o tym wiedzieli, okazywalibyśmy więcej wyrozumiałości i tolerancji względem jej małych dziwactw.

Linda przysiadła się do niej.

– Nie wiedziałam, że chorowała – powiedziała.

– Ależ chorowała! Odkryli to, gdy badali biedactwo po śmierci. Przeżyłam ogromny szok, słysząc o tym po raz pierwszy w sądzie. Najwyraźniej jej węzły chłonne… – Pani Pole ściszyła głos do skromnego szeptu, wchodząc na temat, który uważała za swą wyłączną domenę.

Sutane odwrócił się od niej z ulgą i spojrzał znów na panią Geodrake, która uśmiechała się w dalszym ciągu ze słabo tuszowaną złośliwością.

– Jak to możliwe, że nie spotkaliśmy się wcześniej? – spytał uprzejmie. – Naturalnie rzadko tu bywamy, w każdym razie ja, ale to i tak niezwykłe, że w ogóle się nie znaliśmy.

Aktor uruchomił cały swój urok, a kobieta otworzyła się przed nim, stała się bardziej ludzka, choć wciąż odrobinę dziecinna.

– Ale ja was widziałam – podkreśliła. – Wszystkich. Na wsi człowiek zauważa nowych ludzi. Tak mało tu osób, które byłyby choć w najmniejszym stopniu interesujące. Widziałam was – pana, panią Sutane, pańską siostrę i waszą córeczkę. Pana też widziałam – dodała, błyskając w uśmiechu zębami i zwracając się do Konrada. – Już chciałam się do pana wczoraj wieczorem odezwać, ale mnie pan nie zauważył.

Mówiła figlarnie, najwyraźniej wcale nie z myślą o wywołaniu dramatycznego efektu, ale wszyscy zgromadzeni, z wyjątkiem pani Pole i jej syna, znieruchomieli raptem, jakby ktoś rzucił między nich kamień. Pani Pole kontynuowała stłumionym szeptem.

– ...jako dziecko była duża i miała skłonności do tycia. Bardzo się tym przejmowała. Brała...

Nikt jej nie słuchał. Choć nikt nie patrzył na Konrada wprost, cała uwaga skupiła się na nim. Konrad stał przed panią Geodrake z filiżanką herbaty. Miał lekko ugięte kolano i odrobinę przekrzywioną głowę. Była to jedna z jego najbardziej eleganckich i niedbałych póz.

– Nie wydaje mi się – powiedział.

Kobieta była rozkosznie nieświadoma wrażenia, jakie zrobiła. Ciągnęła radośnie dalej.

– Ależ widziałam – sprzeciwiła się. – Na drodze około – która to była godzina? – około dziesiątej.

Konrad roześmiał się wyraźnie zdenerwowany.

– Jestem niewinny, szanowna pani. To nie byłem ja.

– Ależ to pan – upierała się pani Geodrake, zadowolona ze wzbudzanego zainteresowania.

– Przechodziłam obok waszej drogi. Nasz dom znajduje się niżej, a ja szłam do skrzynki pocztowej. Zerknęłam na drogę, bo strasznie chciałam spotkać kogoś z was i natychmiast pana zauważyłam. Coś nie tak? Popełniam jakiś nietakt? Niech pan tylko nie mówi, że szedł pan w konkury, jak to mówią u nas na wsi. Niech pan posłucha, żeby panu udowodnić, że mam rację, powiem, w co był pan ubrany. W żółty pulower i eleganckie białe flanelowe spodnie. Mam rację?

Spojrzała pytająco po zebranych w pokoju osobach. Instynkt podpowiadał jej, że Konrad nie jest specjalnie lubiany i droczyła się z nim w niewinny, choć bezmyślny sposób, chcąc pozyskać względy innych mężczyzn. Aktor odsunął się od niej, jakby go użądliła, a jego twarz gwałtownie spochmurniała. Nie odezwał się ani słowem, więc to Sutane przerwał niezręczne milczenie.

– Zgadza się, pani Geodrake. Stawiamy go w stan oskarżenia. Proszę mi powiedzieć, co pani porabia całymi dniami?

Jego ciche, życzliwe pytanie rozluźniło nieco atmosferę, ale gdy kobieta przeszła do monotonnej wyliczanki, podkreślając zwłaszcza niezaprzeczalną nudę swojej codziennej rutyny, ciemne oczy Sutane'a spoczęły pytająco na Konradzie. Eve i Sock też mu się przyglądali, Campion również był zaciekawiony.

Bohater klubu Speedo wycofał się pod kominek i oparł o niego z omdlewającą miną. Czuł się wyraźnie nieswojo.

W połowie wyliczanki pani Geodrake pani Pole zorientowała się nagle, że nikt jej nie słucha. Odstawiła filiżankę, wytarła palce w mokrą chusteczkę i zaczęła naciągać czarne skórkowe rękawiczki.

– Pogrzeb odbędzie się u nas w domu – powiedziała do Lindy tonem, który miał najwyraźniej przywołać wszystkich zebranych do porządku. – Podałam adres pani mężowi. Kwiaty najlepiej przesłać od razu tam. Na dłuższą metę pozwoli nam to zaoszczędzić wielu kłopotów. Zdaję sobie sprawę, że o pogrzebie będzie głośno, ale jestem na to przygotowana. Chloe cieszyła się dużą popularnością i to naturalne, że jej przyjaciele z obu stron sceny będą chcieli przyjść i złożyć jej swoje uszanowanie. Bez obaw, dopilnuję, żeby wszystko odbyło się jak należy. Teraz już będę się zbierać, bo przed siódmą muszę jeszcze zajrzeć do sklepu z artykułami piśmienniczymi i kupić bileciki. Trzeba je jak najszybciej rozesłać. Dobry Boże, co za wstrząs!

Znów zalała ją fala emocji i otarła zaczerwienione oczy.

– Nie potrafię nad tym zapanować – wyjaśniła Lindzie złamanym głosem. – Widzi pani, ona nie miała nikogo na tym świecie, mimo... mimo wszystko.

Myśl, której o mały włos nie wypowiedziała, ewidentnie ją zawstydziła, więc – jak miała najwyraźniej w zwyczaju cała jej rodzina – żeby ją zamaskować, zaczęła się gęsto tłumaczyć.

– W końcu była aktorką – stwierdziła ze złością. – Powszechnie wiadomo, że aktorki różnią się od innych ludzi. Przede wszystkim są wystawione na więcej pokus. Mężczyźni schlebiają im, przynoszą prezenty, a one muszą być miłe, bo jest to wpisane w ich zawód. Chloe była na pewno dobrą dziewczyną – a przynajmniej tak zawsze uważała jej rodzina – i trzeba jej okazać wyrozumiałość zwłaszcza teraz, gdy biedaczka leży martwa.

Lekceważenie okazane zarówno osiągnięciom zawodowym Chloe Pye, jak i zdobytemu przez nią rozgłosowi miało w sobie bezwzględność upływającego czasu i co bardziej wrażliwi wśród zebranych wzdrygnęli się lekko. Filuterna, uwodzicielska Chloe Pye faktycznie nie żyła. To tak, jakby ktoś zamknął szufladę z kapeluszem z minionego sezonu.

– Zdecydowałam się na piątek ze względu na popołudniowe spektakle w sobotę – dodała pani Pole i podniosła się z miejsca. – Jutro porozmawiam z jej prawnikiem. A ty, Bobby, idź na górę po jej rzeczy. Równie dobrze możemy teraz je ze sobą zabrać.

Mam nadzieję, że wydadzą mi klucze do jej mieszkania. Biedactwo, zawsze cierpiała niedostatek. Naturalnie miała biżuterię. Prawnik wszystko wyjaśni.

Kobieta położyła Lindzie na ramieniu wilgotną dłoń.

– Proszę mi nie mieć za złe, że myślę praktycznie, pani Sutane – poprosiła. – Sytuacja wymaga pragmatyzmu. Dlatego w pewnym sensie cieszę się, że to ja tu jestem, a nie tata. On by tylko siedział bez ruchu i cierpiał. Każdy z nas by to zrobił, gdyby mógł, ale ci z nas, którzy zawsze biorą na siebie brudną robotę, wiedzą, że to bezcelowe, gdy trzeba dopilnować pewnych spraw. Chodź, Bobby. Nie stój tak z rozdziawionymi ustami.

Sock wyprowadził młodzieńca z pokoju, a pani Pole znów otarła oczy, przygotowując się do skrycia przed ludzkim wzrokiem za swoją okropną woalką.

– Muszę przyznać, że okazali mi państwo wiele serca – powiedziała tonem nieoczekiwanej pochwały. – Nie mam do pana żalu, panie Sutane. Nie był pan w stanie w porę zahamować, a nawet gdyby, to na nic by się to nie zdało, bo ona i tak już nie żyła. Doktor nie pozostawił co do tego żadnych wątpliwości. To znajomy państwa, jak mniemam?

– Nie. Nie znaliśmy się wcześniej. Służbą zajmuje się jego współpracownik, a my mamy lekarza w mieście – Linda sprzeciwiła się oskarżycielskiej sugestii.

Pani Pole, która wyglądała w tej chwili jak monstrualny czarny muchomor, pokiwała głową.

– Robił wrażenie miłego, uczciwego staruszka – dodała. – Czy Bobby zszedł już na dół z bagażami? Jak możemy się dostać na stację?

– Mój kierowca czeka już na państwa w samochodzie. – Sutane wysunął się zdecydowanie naprzód.

Pani Pole pożegnała się ze wszystkimi uściskiem dłoni i niemal zaniemówiła z nadmiaru emocji, najwyraźniej szczerych.

– Wyślę do państwa powiadomienie o pogrzebie – odezwała się w drzwiach. – Proszę mi podać wszystkie nazwiska i adresy, jakie tylko przyjdą państwu do głowy. Dobranoc. Niech Bóg ma was w swojej opiece.

Sock i jej syn odprowadzili ją do oczekującego samochodu. Gdy ucichł warkot silnika, pani Geodrake też zaczęła się zbierać, choć z lekkim ociąganiem.

– Tak się cieszę, że wreszcie udało mi się państwa poznać – powiedziała z oczywistą szczerością, której nie dało się jednak odwzajemnić. – Mam nadzieję, że odwiedzą nas państwo, jak już będzie po wszystkim. To rzeczywiście bardzo trudny okres dla państwa! Do widzenia, pani Sutane, do widzenia.

Spojrzała wesoło na Konrada, który unikał jej wzroku.

– Jestem przekonana, że skrywa pan jakąś tajemnicę – stwierdziła radośnie. – Jestem przekonana, że ma pan jakiś tajemniczy powód, skoro nie chciał pan być widziany na drodze. Ale rozstańmy się w przyjaźni.

Wyciągnęła do niego rękę, a on uścisnął ją niechętnie.

Sutane się roześmiał. W uszach kobiety, która go nie znała, zabrzmiało to naturalnie i radośnie, ale dla pozostałych, którzy znali jego nastroje, był to groźny sygnał.

– Wyjaśnijmy coś sobie – zaczął. – Było wtedy dość ciemno, prawda?

– Nie bardzo. Ten pan jest dość charakterystyczny. – Kobieta z zachwytem podjęła na nowo temat. – Wracając z poczty, widziałam go wyraźnie. Szłam dolną drogą, a on znajdował się u wylotu górnej.

Konrad wpatrywał się w nią, a jego bladość zastąpił gwałtowny rumieniec.

– To nie byłem ja – wydusił z siebie zmienionym głosem. – Tylko tyle mogę powiedzieć. Jest pani w błędzie. Może to nie było wczoraj.

– Nie, na pewno wczoraj – upierała się ze śmiechem pani Geodrake. – Nie dam się zastraszyć. Jestem dobrym świadkiem. Co pan chciał zmalować, łobuziaku?

Konrad zaczął się lekko trząść i chciał już coś odpowiedzieć, ale Sutane ujął delikatnie swojego gościa za łokieć.

– Bardzo to miłe z pani strony, że wreszcie pani do nas zaszła – mruknął i wyprowadził ją z wdziękiem na korytarz.

Gdy wyszli, w pokoju zapanowała cisza, a Konrad ruszył ze spuszczoną głową w stronę drzwi. Eve zastąpiła mu drogę. Wyglądała bardzo młodziutko ze swoimi ciemnymi, sterczącymi na wszystkie strony włosami i ożywionym spojrzeniem.

– Co tam robiłeś? – zapytała. – Poszedłeś ją podglądać?

Konrad znieruchomiał. Bezpośredni atak wywołał w nim najwidoczniej na tyle duży sprzeciw, że zdołał wreszcie się opanować. Roześmiał się beztrosko, a Campion przypomniał sobie nagle, że młodzieniec jest przecież aktorem.

– Ta kobieta jest stuknięta, skarbie – rzucił. – Nie było mnie wczoraj wieczorem na drodze. Musiała mnie widzieć przy innej okazji, a teraz chciała tylko wzbudzić zainteresowanie. Nie ma się czym ekscytować. Muszę iść się przebrać. Nie zachowuj się jak dziecko.

Brzmiał bardzo przekonująco, więc Eve usunęła się z drogi, robiąc mu przejście.

Wracając myślami do tej sceny, Campion zastanawiał się, czy gdyby Eve nie postąpiła tak pochopnie, obyłoby się bez kolejnych ofiar.

ROZDZIAŁ 11

Atak Mercera na panią Pole był tym bardziej zaskakujący, że wyjątkowo niesprawiedliwy i przypuszczony z tak nieoczekiwanego kierunku.

– Co za baba! – zaczął. – Co za niepohamowane, absurdalne, obmierzłe, wulgarne babsko! Nie zbierało się wam na wymioty przez cały ten czas, jak tu była? Nie liczyliście na to, że samochód się roztrzaska, gdy ona tak pławi się w luksusie, do którego nie nawykła? Że skręci sobie ten swój obrzydliwy, rybi kark?

Reszta towarzystwa spojrzała na niego z lekkim zaskoczeniem, a reakcja ta najwyraźniej w ogóle się mu nie spodobała. Do śniadej twarzy napłynęła krew, a jasne oczy rozgorzały szczerą nienawiścią.

– Myślcie sobie, co chcecie – powiedział i usiadł trochę niewprawnie na poręczy fotela. – Ale poważnie, słuchaliście jej? Widzieliście ją? Co za straszna żałoba! Wstrętne, przypochlebne zawodzenie z jednym okiem łypiącym łapczywie na wszystko, co mogło przypuszczalnie zostać po jej cholernej krewnej! Nie rozumiecie? Będzie przebierać w jej starych ciuchach, grzebać w koszach z bielizną pościelową, otwierać stare portmonetki, przymierzać brudne, podarte szmaty, które i tak by na nią nie pasowały, wciskać się pod łóżka i przeszukiwać tapicerkę foteli?

– Rany boskie! – krzyknęła wstrząśnięta Linda. – To miła kobieta. Może nieco przeciętna.

– Przeciętna! Boże, gdybym tak pomyślał, chybabym poderżnął sobie gardło. – Mercer roześmiał się szyderczo i przez chwilę zdawał się przenosić całą swoją gwałtowną niechęć na panią domu. Linda poczerwieniała.

– Jesteś nader nietolerancyjny – skarciła go. – Kobieta chce dobrze, a poza tym ma przecież prawo być sobą.

– To mnie właśnie mierzi – skwitował Mercer tonem ucinającym wszelką dyskusję. – Zastanawiam się, czy w zakładzie pogrzebowym kazała zachować kostium kąpielowy. A nuż porządnie zacerowany będzie pasować na małą Evelyn?

– Błagam, przestań! Jesteś straszny. – Linda odwróciła głowę. – To bardzo miłe z jej strony, że zabrała rzeczy Chloe. Dzięki temu nie będę musiała odsyłać ich później.

– Zastanawiam się, czy wzięła wszystko. Gdzieś leżała torebka Chloe.

– Tak. Widziałam ją – wtrąciła ospale Eve. Jak dotąd nie wtrącała się do rozmowy, tylko przyglądała się całej scenie ze wzgardliwym rozbawieniem. – Leżała na fortepianie w pokoju śniadaniowym.

– Tak? Przyniosę ją. – Mercer zerwał się z miejsca. – W środku jest pewnie bilet powrotny do Londynu. Nie możemy dopuścić, żeby się zmarnował – rzucił z pogardą i poszedł do drugiego pokoju, pozostawiając wszystkich z poczuciem, że ich obrażono, tym głębiej, że zupełnie niezasłużenie.

Na krótką chwilę zapadła złowieszcza cisza, a zaraz potem Mercer wrócił z czerwoną chustą i książką Chloe.

– Nie ma torebki – powiedział. – Na pewno ją miała?

– Oczywiście, że tak. Poza tym sama ją tam widziałam – stwierdziła z werwą Eve. – Musi tam być. Kopertówka, biała z pozłacanym zatrzaskiem.

Wszyscy przenieśli się do drugiego pokoju i zaczęli poszukiwania, przeprowadzane w ten mało entuzjastyczny sposób, typowy dla działania zbiorowego, którego większość zaangażowanych w nie osób nie pochwala. Tylko Mercer wykazywał się zapałem. Jego nagła i burzliwa niechęć względem pani Pole zdawała się wlewać w niego niewyczerpane pokłady energii. Szukał z gorliwością dziecka, zaglądając w najbardziej nieprawdopodobne miejsca i zostawiając po sobie straszny bałagan. Eve i Linda szły za nim i sprzątały.

– Nie ma jej tu – zakomunikował w taki sposób, jakby stwierdzał wysoce podejrzany i ważki fakt. – Gdzie ona może być? Skoro torebka tu była, nie mogła zniknąć. Nie rozpłynęła się w powietrzu. Gdzie jest? Wezwijcie służbę.

– Nieważne. Znajdzie się – wtrąciła pospiesznie Linda. – Może została spakowana z całą resztą rzeczy.

Muzyk wcisnął ręce do kieszeni.

– Myślę, że trzeba ją znaleźć – upierał się. – Ta kobieta jest zdolna do najróżniejszych insynuacji. W torebce mógł być nawet szyling czy dwa. To by ją zmartwiło. Miałaby nad czym biadolić. Wezwę służbę.

– Proszę, nie. – Linda wyciągnęła przed siebie odruchowo rękę, a gdy do środka wszedł sprężystym krokiem Sutane, a zaraz za nim Sock, spojrzała błagalnie na męża.

– Torebka Chloe? – Pan domu rozejrzał się wokół siebie, a w jego zachowaniu dało się nagle zauważyć pewną powściągliwość. – Racja, Mercer, trzeba ją znaleźć. Eve, poszukaj w drugim pokoju, a jak znajdziesz, przynieś ją tu.

Poszukiwania zostały wznowione, ale tym razem Mercer, poirytowany i zniecierpliwiony, oparł się o fortepian.

– Przeszukaliśmy już cały pokój – stwierdził gorzko. – Ktoś ją gdzieś przełożył. Wezwij służbę.

Sutane natychmiast nacisnął dzwonek, a gdy zjawił się Hughes, zaczął go obcesowo wypytywać. Co zdumiewające, po mężczyźnie było wyraźnie widać zdenerwowanie, a pan Campion przyglądał się zajściu z rosnącym zainteresowaniem. Hughes obruszył się na ton swojego chlebodawcy, po czym wyszedł, żeby odszukać pokojówkę obsługującą pokój śniadaniowy.

Dziewczyna, która zjawiła się chwilę później, była wystraszona, ale udzieliła pewnych wyjaśnień. Torebka leżała rano na fortepianie i wydaje jej się, że widziała ją też tam, gdy podczas lunchu przyszła uprzątnąć gazety. Biała. Nie ruszała jej. Hughes, z bladą zwykle twarzą teraz zaróżowioną z oburzenia, powtórzył, że on też niczego nie ruszał i zgodził się pójść dowiedzieć czegoś w kuchni, choć był pewny, że przez cały dzień żaden inny służący nie wchodził do pokoju. Oddalił się wzburzony.

– To dlatego, że chodzi o torebkę, kochanie – wyjaśniła Linda w odpowiedzi na uniesione brwi Sutane'a. – A to, jak się domyślasz, sugeruje pieniądze. Poczuł się urażony.

– Co za głupiec – skwitował Sock niezbyt pomocnie. – Tak czy inaczej torebka zniknęła. Lindo, zatrzymaj ją, jak już ją znajdziesz. Nie… nie zaglądałbym do środka.

– Paradnie – jęknął Mercer. – Była i nagle zniknęła. Kto ją zabrał? Czy niania była w pokoju? Albo dzieciak? Gdzie ona jest?

Linda wpatrywała się w zebranych.

– Za bardzo się przejmujecie – oceniła. – Jakie to ma znaczenie? To niedorzeczne.

– Co jest niedorzeczne, szanowna pani? – Konrad wpadł do pokoju wystrojony w smoking. Jego schludny wygląd i ogólne zadowolenie, które z niego biło, najwyraźniej podsyciły wzbierającą wściekłość Sutane'a.

– Ktoś zabrał torebkę – rzucił bez żadnych wstępów. – Białą z pozłacanym zatrzaskiem. Należała do Chloe Pye. Widziałeś ją?

Konrad uśmiechnął się.

– Tak mi się wydaje – odrzekł. – Mała, zamszowa? Zaraz przyniosę.

Wyszedł z pokoju, a Mercer za nim. Wrócili niemal natychmiast. Konrad minął kompozytora na schodach, gdy schodził znów na dół.

– O to chodzi, prawda? – spytał pogodnie, obracając w dłoniach małą, uperfumowaną torebkę. – Czy pogrążona w bólu bratowa zadzwoniła, żeby o nią spytać?

Sutane wyrwał mu ją z rąk i zawahał się z palcami na klapie. Campion wychwycił spojrzenie, które rzucił Sockowi, i doznał olśnienia.

– Gdzie była, Kondziu?

– Na stoliku w korytarzu na piętrze. Zauważyłem ją, jak schodziłem na dół. – Młodzieniec mówił z pewną nonszalancją i nieskrywanym zadowoleniem z własnej osoby.

– Kłamie. Widziałem, jak wychodzi z nią ze swojego pokoju – a przynajmniej słyszałem, jak zamyka drzwi, co na jedno wychodzi. – Oczy Mercera zalśniły z emocji.

Konrad zmierzył go wzrokiem.

– Mylisz się – odparł chłodno. – Wziąłem ją ze stolika przed moim pokojem. Skąd te nerwy?

Kompozytor wzruszył ramionami.

– Czemu zabrałeś ją na górę do swojego pokoju? – spytał.

– Jak dotąd cała sprawa raczej mnie nudziła, ale teraz zaczyna mnie ciekawić. Nigdy cię nie lubiłem, Konrad. Zawsze wydawałeś mi się małym śmierdzielem. A teraz dotarło do mnie, że w twoim przypadku rzeczywiście coś śmierdzi. Jako ostatni widziałeś Chloe żywą. Szedłeś gdzieś potajemnie drogą na chwilę przed jej śmiercią, a teraz chowasz jej torebkę.

– Staruszku! – Sock położył mu rękę na ramieniu – Trochę cię poniosło, co? Zapomnij o tym, Konrad. Nadmiar emocji odbiera mu rozum.

Mercer wyrwał się i podszedł do wypolerowanego fortepianu, na który Sutane wytrząsnął zawartość torebki. Stał i wpatrywał się w mały zwitek banknotów, szminkę, kompendium i czarny wizytownik z mory. W środku znajdowało się też trochę drobnych i tutka tabletek aspiryny.

Sutane pokazał, że torebka jest pusta.

Squire Mercer był wciąż pobudzony wizytą pani Pole. Stał przy fortepianie, prezentując swoje plecy reszcie towarzystwa. Ręce miał ciągle w kieszeniach spodni, więc marynarka była zadarta ponad ciężkimi pośladkami, a krótkie nogi prezentowały się chyżo i sprężyście. Barki miał potężne, a rozczochrana głowa na krótkiej szyi przechylała się lekko. Jemu samemu najwyraźniej podobał się niezwykły przypływ energii, który go opanował. Otworzył wizytownik, w którym nie znalazł jednak nic poza typową zawartością. Odwrócił się do Konrada.

– Co zabrałeś? – spytał. – Nie masz co jęczeć jak jakiś podrzędny aktorzyna. Coś zwędziłeś. Co to było?

Pan Campion, który swego czasu uczestniczył w wielu rodzinnych kłótniach, był zaintrygowany. Mercer zachowywał się w typowo nierozsądny sposób, ale ani Sock, ani Sutane nie robili nic, żeby go pohamować. Stali i wpatrywali się w Konrada, a Eve również nie spuszczała z młodzieńca wściekłego spojrzenia.

Konrad zbladł, a zerkając na jego nadąsaną twarz, Campion uświadomił sobie nagle, że jego spojrzenie jest pełne jadu.

– Mówiłem już, że nie zaglądałem do środka – powiedział głosem piskliwym z emocji. – A nawet gdyby, to i tak nie twoja sprawa, Mercer, więc się odczep. Wiem, co wszyscy o mnie myślicie i mało mnie to obchodzi, serio, mało mnie to obchodzi. Ale jeszcze mi za to zapłacicie! To ostrzeżenie. Przez dzień, dwa, do zakończenia wyścigu będę trzymać język za zębami, ale potem lepiej miejcie się na baczności. Wszyscy. Mówię poważnie.

Stał, piorunując ich wzrokiem – mała, mściwa i w tych okolicznościach ze wszech miar komiczna postać. Mimo to, jak zauważył z zainteresowaniem Campion, nikt nie wydawał się ani trochę rozbawiony.

Konrad zawahał się. Cały aż się gotował z wściekłości i choć miał świadomość, że kurtyna opadła, nie mógł zmusić się do zejścia ze sceny.

– Zawsze mnie nienawidziliście – powtórzył słabo, po czym w przypływie natchnienia rzucił oklepane słowa: – Ale teraz wszyscy pożałujecie.

Odwrócił się i wyszedł, zatrzaskując za sobą drzwi. Sock nasłuchiwał.

– Wujek Wania spadł ze schodów – poinformował uprzejmie, choć bez związku. Ale na jego ustach nie widać było uśmiechu, a w oczach malowała się powaga.

Mercer odwrócił się znów do fortepianu.

– Teraz cały ten śmietnik można oddać tej potworzycy – powiedział i zaczął ze śmiechem ładować drobiazgi do torebki.

Sutane spojrzał najpierw na niego, potem na Socka, a w końcu – pytająco – na Campiona. Drzwi w korytarzu trzasnęły, co samo w sobie było zjawiskiem ciekawym, bo w lecie nigdy ich nie zamykano. Linda zarumieniła się.

– Nie możemy pozwolić tak mu odejść – rzuciła. – Jest naszym gościem. Poza tym to niedorzeczne.

Wybiegła z pokoju, a Sutane stał w miejscu i wpatrywał się w czubki swoich butów, pogwizdując bezmyślnie. Potem zrobił dwa lub trzy taneczne kroki, nie przesuwając stóp o więcej niż cal czy dwa od wyjściowej pozycji. To zajęcie wyraźnie go pochłonęło. Mercer przyglądał się mu, a Sock objął ramieniem Eve, która w żaden sposób nie zareagowała na tę poufałość. Nikt się nie odzywał.

Wszedł Hughes, wciąż zaczerwieniony i wyraźnie urażony.

– Pan Konrad właśnie wyjechał swoim samochodem, sir, ale zostawił chyba rower, ten posrebrzany. Jest w garderobie.

– A kogo to, u licha, obchodzi? – rzekł tylko Sock, a Sutane tymczasem natarł na kamerdynera z pełną siłą swojej osobowości.

– To bez znaczenia – powiedział. – Nie stój tak z wybałuszonymi gałami. To bez znaczenia. Bez najmniejszego znaczenia. Znikaj.

Hughes był wstrząśnięty. Otworzył usta, żeby coś powiedzieć, zmienił zdanie i wyszedł, zamykając za sobą drzwi, delikatnie, ale stanowczo. Sutane znów zaczął gwizdać. Atmosfera w pokoju zrobiła się nie do zniesienia. Eve zrzuciła z siebie ramię Socka i opierając się o pokrywę fortepianu, zaczęła się bawić torebką. Ze swoim posępnym spojrzeniem i ożywioną, niezadowoloną twarzą wyglądała jak uosobienie złowrogiego ducha całego towarzystwa.

– Zostawił go, żeby móc tu wrócić – stwierdziła z namysłem. – Tchórzliwa mała gnida, co?

Nikt nic na to nie powiedział, ale jej głos zdjął urok i przerwał milczenie.

– Wezmę dziś ze sobą Finny do miasta – poinformował Sutane, podnosząc głowę. – Henry potrzebuje pomocy. Sock, mógłbyś jej powiedzieć, żeby zakładała kapelusz? Muszę jechać. Słucham, Lindo?

Dziewczyna wsunęła się bezszelestnie do pokoju, ale zdradziła ją mina.

– Hughes odchodzi – oświadczyła martwym głosem. – Zatrzymał mnie w korytarzu. Uważa, że zrobiło się zbyt problematycznie i odchodzi jeszcze dziś. Mówi, że ma dość. Co ty mu powiedziałeś?

– Nic, absolutnie nic – zdenerwował się Sutane. – Rany boskie, ci ludzie powinni występować w teatrze! Ale to chyba i tak nie ma znaczenia, prawda? Pokojówki wszystkim się zajmą.

Żona wpatrywała się w niego bezradnie, a on skierował się do wyjścia.

– Muszę jechać. Kolacja będzie, gdy wrócimy. Finny jedzie ze mną. Może przywiozę ze sobą Dicka Poysera. Chciałbym też, żeby Campion i wujcio William zostali z łaski swojej. To chyba wszystko. Właściwie nawet się cieszę, że Hughes odchodzi. Nie za bardzo do nas pasował.

Ostatnie słowa rzucił przez ramię, wychodząc już z pokoju. Linda odwróciła się, a Campion, wyczulony na wszystko, co jej dotyczyło, pojął rozpacz ogarniającą panią domu, gdy trzon jej służby porzuca ją w trudnej chwili. Przyszła mu do głowy pewna myśl.

– Mam człowieka – powiedział. – Obawiam się, że nie jest zbyt wytworny, ale wykona wszystkie pani polecenia i pozwoli przetrwać kilka następnych dni, póki nie znajdzie pani kogoś bardziej odpowiedniego. Sprowadzić go?

Jej ulga była tak wyraźna, że Campiona natychmiast ogarnęły złe przeczucia. Magersfontein Lugg raczej nie odpowiadał typowym wyobrażeniom o ideale kamerdynera, Campion natomiast tak bardzo chciał się przysłużyć Lindzie, że nie przemyślał odpowiednio wcześnie, czy moczymorda pokroju Lugga to ktoś odpowiedni dla rodziny Sutane'ów. Klamka jednak zapadła. Kobieta przystała na jego propozycję.

– Pojadę po niego – oznajmił z galanterią.

– Ależ nie, niech pan nigdzie nie jedzie. Jimmy mówił, żeby pan został. Nie może pan po niego zadzwonić?

Jej niepokój przydał prośbie niespodziewanej żarliwości i Campion musiał się uśmiechnąć.

– Nie sądzę. Lugg to dobry człowiek, ale przenosiny będą wymagały poważnej operacji logistycznej. To coś jak transport słonia. Wieczorem będziemy z powrotem.

Wyszedł pospieszenie z pokoju, zanim Linda zdążyła znów coś powiedzieć i zaszedł do wujcia Williama, który jeszcze drzemał z opróżnioną karafką u boku.

– Mieć oko na panie? Naturalnie, mój chłopcze – oświadczył i zamrugał wesoło. – Chyba za długo spałem. Starzeję się. To straszne. Wyglądasz na bardzo z siebie zadowolonego. – Rozprostował swoje pulchne palce u stóp jak kot i czknął dyskretnie. – Co mam robić? Jestem na twoje rozkazy.

Campion zastanowił się chwilę.

– Jeśli ci się uda, porozmawiaj z Eve – poprosił. – Dowiedz się, co porabia, czym się interesuje, jakie ma ambicje. Zachęć ją, żeby opowiedziała coś o swoim dzieciństwie.

– Eve? – Jasnoniebieskie oczy wujcia wyrażały zaciekawienie. – Dość posępna panieneczka, jeśli mogę tak rzec. Nie rozumiem tych nowoczesnych młodych kobiet. Jak na mój gust są za bardzo skryte.

Wujcio podniósł się z fotela.

– Nie lubię kobiet, które wiecznie się czymś zamartwiają – stwierdził. – Nigdy nie lubiłem. Ale zrobię, co w mojej mocy. Chciałbyś wiedzieć coś konkretnego?

– Nie. Ale rok 1920 jest kluczowy.

– Dziewczyna ledwie się wtedy urodziła! – zaoponował wujcio.

– Wiem. Ale może będzie w stanie powiedzieć coś o swojej rodzinie – rzucił pan Campion, a w drodze do samochodu uznał, że to zastanawiające, iż jedyną rzeczą, jaką Benny Konrad zabrał z torebki Chloe Pye, której zawartość Campion osobiście przejrzał wcześnie rano, był tani srebrny zegarek z urwanym paskiem. Zegarek zainteresował go podczas inspekcji torebki ze względu na napis na spodniej stronie cyferblatu:

C. od J.
NA ZAWSZE
1920

ROZDZIAŁ 12

Były aspirant Blest odstawił kieliszek na biurko pana Campiona i wyciągnął sobie papierosa z leżącej obok srebrnej papierośnicy. Gabinet w mieszkaniu przy Bottle Street był ciepły i zaciszny. Miasto zaczął spowijać niebieski zmierzch, a od strony Piccadilly docierał uspokajający, niewyraźny warkot samochodów.

Blest był postawnym mężczyzną o rudawozłotych włosach, czerwonych uszach i bezgranicznej serdeczności, skrywanej nieśmiało za maską fanfaronady. W obecnej chwili jego duma właśnie dochodziła powoli do siebie.

– Nie mam nic przeciwko temu, żeby z panem pracować. Czy nawet dla pana – oświadczył. – Nie podoba mi się po prostu, że o niczym mnie nie poinformował. To wszystko. To dziwaczny człowiek, zgodzi się pan? Właściwie nawet niespecjalnie go lubię. Wciąż daje mi do zrozumienia, żeby nie zawracać mu głowy, bo jest strasznie zajęty. Skoro jest taki przepracowany, czemu nie znajdzie sobie zajęcia na miarę swoich możliwości? Nie mam czasu dla ludzi, którzy są tak zabiegani, że nie starcza im czasu na życie. Miałem się właśnie z nim widzieć, gdy pan zadzwonił. Co znów zmajstrował? Przejechał jedną ze swoich aktorek? Tak między nami, mnie to wygląda na samobójstwo. Co było nie tak? Znów miłość? Nie pojmuję, czemu kobiety ciągle zabijają się z miłości. Czy zwrócił pan uwagę, że jedyni mężczyźni, którzy zabijają się z miłości, to rolnicy? To fakt. Niech pan poczyta gazety. To chyba przez to, że mają za dużo czasu na myślenie. Cóż, pańskie zdrowie.

Podniósł znów kieliszek, a pan Campion, ośmieliwszy się uznać ich pojednanie za fakt dokonany, przeszedł ostrożnie do bieżących spraw.

– A więc to była gosposia – zaczął. – Jakiego typu? Wiadro, miotła, kaszkiet, papiloty? Czy może ktoś w rodzaju miłej starszej cioteczki w znoszonej sukience?

– Obawiam się, że tego drugiego – odrzekł przygnębiony Blest. – Gońcy pamiętają, że kwiaty przyniosła starsza kobieta. Gdy zacząłem drążyć, stwierdzili, że może to była gosposia, ale czy miała na sobie brązowy prochowiec, czy czarne sztuczne futro, tego nie byli w stanie powiedzieć. Jeden posłaniec mówi, że przypomina sobie dużą agrafkę, ale nic poza tym. Chłopak przy biurku w ogóle nic nie pamięta. Nie za dużo, co? Tyle udało mi się dowiedzieć i nie wyobraża pan sobie, ile wysiłku mnie to kosztowało. Najpierw musiałem znaleźć właściwą agencję kurierską.

Przyglądał się beznamiętnie swoim stopom.

– Panie Campion – odezwał się nagle. – Nie chciałbym pana urazić, ale mam pewną myśl. Nie sądzi pan, że może cały ten Sutane wodzi nas za nos? Nie chodzi chyba o reklamę, co? Jest pan pewny, że coś jest na rzeczy?

Campion siedział, z wzrokiem utkwionym przed siebie, z wyjątkową powagą na szczupłej twarzy. Oczyma wyobraźni zobaczył Chloe Pye leżącą na poboczu, przerażająco zniekształconą głowę i ranę na środku piersi. Przypomniał też sobie, jak siedziała na kolanach Socka, a jej wymizerowana twarz zapłonęła ożywieniem, które w młodości musiało mieć ogromny powab.

– Na Boga, zdecydowanie coś jest na rzeczy – odparł. – O to nie należy się martwić.

– Coś poważnego? – Blest zerknął na niego ciekawie i zawstydzony podciągnął się na krześle.

– Ktoś urządził nagonkę na Sutane'a – odpowiedział Campion. – Ktoś toczy przeciwko niemu kampanię. Mówiłem panu o niezaproszonych gościach. To się wydarzyło naprawdę. Są też inne rzeczy. Niektóre zupełnie dla mnie niezrozumiałe. Ale po wstępnej analizie wydaje mi się, że przyczyna kłopotów jest dość oczywista. W przedstawieniu gra pewien podrzędny aktor, Benny Konrad. To człowiek, którego pan szuka.

– Konrad? Widziałem go. Kto by pomyślał! Ale z drugiej strony nie powinienem się dziwić. – Blest pokiwał głową z miną światowca. – To bardzo prawdopodobne. On też jest w pewnym sensie tancerzem, prawda? Skoro już o tym mowa, miernoty posuwają się do takich właśnie rzeczy. Do rzeczy małostkowych. Mają w sobie jakąś podłość. Mamy jakiś trop?

– Nie bardzo. Powiem panu, co wiem – zaczął ostrożnie pan Campion. – Wiem, że szaleńczo zazdrości Sutane'owi. Miał dziś wieczorem zagrać główną rolę, a kiedy spotkało go w tej materii rozczarowanie, omal się nie rozpłakał. Wczoraj wieczorem z kolei widziano go przy końcu drogi prowadzącej od domu. Zaklinał się, że go tam nie było z zupełnie niepotrzebną zapalczywością. Widzi pan, miało to miejsce zaraz po podwieczorku, a ja przypadkiem zauważyłem, jak zaraz po jedzeniu poszedł na górę i zszedł z jakimś kluczem. Dziś wieczorem, jadąc tutaj, przejeżdżałem dolną drogą i zobaczyłem to, czego się spodziewałem. Mniej więcej sto jardów od wylotu drogi znajduje się budka telefoniczna związku automobilowego. Musiał się wymknąć, żeby zadzwonić, bo nie chciał używać żadnego z domowych aparatów. Wiem, że to niewiele, ale zawsze coś. Musi mieć jakiegoś wspólnika.

Były aspirant zmarszczył brwi.

– Możliwe – zgodził się. – Zawsze to jakiś punkt zaczepienia. Jakie ma motywy? Zwykła zawiść czy może coś poważniejszego?

Pan Campion przyglądał się intensywnie swoim paznokciom.

– Nie daje mi spokoju pewna brzydka myśl – powiedział. – Uświadomiłem sobie mianowicie, że jeśli Sutane będzie miał załamanie nerwowe, to Konrad go zastąpi, jest jego dublerem. Jeśli człowiek jest przepracowany, wystarczy mu trochę podokuczać, żeby doprowadzić go do ostateczności. Chłopak może sądzić, że Sutane stoi mu na drodze do kariery.

– Heh! – Blest był wyraźnie zadowolony. – Nie przeczę, że to pewne ułatwienie – stwierdził. – Skontaktuję się z najbystrzejszym gońcem z biura i pokażę mu gosposię, zgoda?

– Zgoda, tylko niech pan uważa. Nie wolno panu spłoszyć króliczka. Poza tym nie wydaje mi się, żeby okazało się to aż tak proste. Konrad wynajmuje mieszkanie przy Marble Arch.

Pan Campion nie był w nastroju do wyjaśnień. Nie miał ochoty uczyć ojca dzieci robić i dał to Blestowi do zrozumienia w oględny sposób.

– Zastanawiam się, czy ma jakiegoś kolegę – odezwał się w końcu. – Jakąś oddaną duszę w podobnym wieku, może trochę starszą, która całym sercem pragnie, żeby odniósł sukces. To pewnie jego pismo.

Blest wziął do ręki zaproszenie, które radca Baynes tak przezornie zachował, a jego czerwona twarz pojaśniała.

– Zawsze pełen inwencji, co? – stwierdził z uznaniem. – Ma pan jego adres?

Campion pokręcił głową.

– Nie. Nie mam nawet pewności, czy istnieje. Ale jeśli to Konrad stoi za tymi atakami na Sutane'a – a moim zdaniem nie może być inaczej – to musi mieć wspólnika, choćby tylko po to, żeby wypisał te zaproszenia.

Urwał, a po chwili podjął z namysłem.

– Wyobrażam sobie, że to dość młody mężczyzna, który wykazuje chorobliwe zainteresowanie karierą Konrada i jest raczej niemądrym, histerycznym typem. W Londynie jest takich pełno. Niewykluczone, że będzie pan potrzebować trochę czasu, żeby go znaleźć, ale Konrad to człowiek, który lubi mieć wielbicieli. Sprawdziłbym sekretarza klubu Speedo, sponsorowanego przez Konrada.

Były aspirant wstał. Odzyskał wcześniejszy zapał.

– To z grubsza tyle – powiedział, wsuwając zaproszenie do portfela. – Muszę przyznać, że jestem panu wdzięczny. Ten wspólnik zaczyna nabierać kształtu w mojej głowie. Dorwiemy go, choć z dużym prawdopodobieństwem Sutane nie zdecyduje się wnieść oskarżenia. Prywatne osoby rzadko to robią.

Westchnął z tęsknoty za dniami swojej zawodowej świetności i zaczął rozglądać się za kapeluszem.

– Jeśli uda mi się znaleźć powiązanie między wspólnikiem i gosposią, a później między Konradem i wspólnikiem, to będziemy w domu – stwierdził.

Campion nachylił się nad biurkiem. Zmrużył oczy i zdawał się całkowicie pochłonięty obserwowaniem nakrytej dłonią bibułki. Patrząc na niego, były aspirant stwierdził w duchu, że Campion wygląda dziś zdecydowanie mniej głupkowato niż zwykle. W jego przygarbionych ramionach i pochylonej głowie malowała się niezwykła dla niego determinacja.

– Blest – odezwał się z wystudiowaną beztroską. – Nie wiem, czy to wszystko ma sens. Na ten moment tak mi się wydaje i z przyjemnością panu o tym opowiedziałem, może to pan wykorzystać wedle własnego uznania. W zamian chcę usłuszeć wszystko, czego się uda panu dowiedzieć na temat tych ludzi, choćby było to z pozoru zupełnie bez znaczenia. I niech mi pan wyświadczy przysługę: niech się pan postara, żeby nikt się nie domyślił, że pan go śledzi.

– O? – Zainteresowanie Blesta znów wyraźnie wzrosło i zrobił zachęcającą pauzę. – Wedle życzenia – dodał po krótkiej chwili. – Wedle życzenia.

Campion w dalszym ciągu nic nie mówił, więc detektyw postanowił zastosować formę łagodnego nacisku.

– Natknął się pan na coś większego? – spytał z nadzieją, a wyraz jego twarzy niejasno przypominał pysk starego labradora.

Campion spojrzał na niego i roześmiał się.

– Szczury w domu – wyjaśnił. – Coś jest na rzeczy. Wiele z tego sam nie rozumiem.

Ku jego zaskoczeniu, były policjant pojął go w lot.

– Ładnie to pan ujął – zauważył z uznaniem. – Szczury w domu. A niech to, człowiek ani się obejrzy, a już są, prawda? Kiedyś mieliśmy mieszkanie w Londynie. Człowiek zamykał drzwi na klucz, zasłaniał każdą szparę szybą, a mimo to na każdym kroku czuł na karku spojrzenie czegoś paskudnego, co nie darzy go sympatią. Szczury w domu! Wraca pan zatem na wieś?

– Chyba tak – odparł poważnie Campion, a Blest położył mu dłoń na ramieniu w niespodziewanie ojcowskim geście.

– Niech więc pan przyjmie radę starego wygi i nie angażuje się osobiście – powiedział. – Z nami zawsze jest ten problem. Spotykamy miłych ludzi, ludzi, z którymi dobrze się rozumiemy i z którymi możemy wypić drinka, a potem na jaw wychodzą różne brudy i jeśli nie będziemy uważać, zaczynamy się tym przejmować. Gdy zaczniemy starać się odróżniać dobro od zła i szukać usprawiedliwienia dla sytuacji, już po nas. Niech mi pan uwierzy na słowo.

Cofnął się lekko zakłopotany swoją przemową.

– Co to? – zdziwił się.

– Zamek przy drzwiach wejściowych. Przyszedł Lugg.

Campion spojrzał na drugą stronę pokoju.

– Hulał gdzieś na mieście, gdy mnie nie było. Myślał, że zjawię się najwcześniej rano.

Blest zachichotał.

– Któregoś dnia pana nie wpuści – stwierdził. – Dość długo służy już w rodzinie, prawda? Ile waży?

– Siedemnaście kamieni i osiem funtów i jest z tego dumny. Wszędzie bym poznał pańską fajkę, aspirancie Mądraliński – odezwał się z korytarza smutny, ochrypnięty głos. – Niech pan nie wychodzi, aż nie powieszę płaszcza. Chcę jeszcze raz zobaczyć pana twarz. Tylko zobaczyć.

Ostatnim słowom towarzyszyły pomniejsze hałasy, od których zatrzęsły się lekko ściany, a chwilę później pan Lugg wtoczył się swą wielką osobą do pokoju. Na jego twarzy malował się wyraz niebywałej serdeczności.

– Dobry – rzucił, patrząc na swojego chlebodawcę z czupurną nonszalancją. – Miał pan zostać co najmniej do wtorku. Słyszę, że wplątał się pan w samobójstwo. Ludzie narażają się na różne różności, gdy zapraszają pana na weekend, co? On jest jak „zły omen" – dodał, uśmiechając się do Blesta. – Zaproś go pan do kina, to ktoś się pochoruje.

Campion przyglądał mu się z niesmakiem.

– Lubi pajacować – wyjaśnił. – Jest duszą towarzystwa w lokalnym pubie. Mogę zatem na pana liczyć, Blest, tak?

– Może pan. I dziękuję. – Były aspirant uścisnął mu rękę.
– Tymczasem, Sterowcu – dodał, wymierzając kuksańca nowo
przybyłemu. – Nie pytaj. Popatrz w niebo.

Podszedł do drzwi, ale Lugg go uprzedził, trzymając sztywno swoje krótkie ręce wzdłuż czarnego płaszcza.

– Tędy, sir, pan pozwoli – powiedział z godnością. – Uwaga
na dywan, bo skręci pan sobie kark. Do widzenia, sir... a następ-
nym razem niech pan weźmie rękawiczki, żebym mógł je panu
podać, jak na chrześcijanina przystało. Do zobaczenia.

Zamknął drzwi wejściowe i upłynęło trochę czasu, zanim
wrócił – bez płaszcza, odpinając kołnierzyk.

– Tak lepiej – stwierdził, patrząc na wykrochmalony kawałek płótna. – Już niezdatny do użytku. Wkładam go za każdym
razem, gdy gdzieś idę. Pytałem znajomych o pralnie. Nasza nie
jest chyba gorsza od innych, jeśli to pana pocieszy.

Otworzył szufladę w komodzie i przejrzał z namysłem jej
zawartość.

– Trzeba kupić nowe kołnierzyki – orzekł. – Co by pan chciał
na kolację? Ja będę jadł śledzie z puszki. Może lepiej, żeby pan
poszedł do klubu.

Campion podniósł się z miejsca.

– Pakuj się – rzucił. – Wypożyczam cię.

Zwalista postać w przepaścistych czarnych spodniach i obcisłej białej koszuli zamarła pochylona nad otwartą szufladą.
Zapadła chwila wyrażającej kompletne niezrozumienie ciszy.

– Co? – odezwał się w końcu pan Lugg.

– Wypożyczam cię. Na dzień lub dwa zostaniesz kamerdynerem pani Sutane – niech Bóg ma ją w swojej opiece – póki nie
znajdzie sobie nowego.

Pan Lugg wyprostował się i wpatrywał w swojego chlebodawcę z niewzruszoną godnością. Spojrzenie jego małych czarnych oczek było zimne i niesympatyczne.

– Odbiło panu – powiedział. – Nie jestem kamerdynerem.
Jestem ordynansem.

– W takim razie przyuczysz się do nowego zawodu. – Campion wyciągnął portfel i przyjrzał się wyciągniętemu z niej zaproszeniu. – Teraz wychodzę, a ty w tym czasie spakuj mnie na tydzień. I siebie też. Ale nie do tej samej torby. Znieś bagaże na dół i czekaj na mnie. Wieczorem jedziemy na wieś.

– Na wieś? – powtórzył Lugg zbuntowanym głosem. – Kamerdyner na wsi? Węszy pan przy następnej zbrodni, tak? Wolałbym, żeby przestał się pan bawić w prywatnego detektywa. Jest już pan na to za stary. To przestało być rozsądne. To staroświeckie i zdaniem większości – raczej niegodne dżentelmena. Przykro mi to panu mówić, ale tak to widzę. Moi znajomi twierdzą, że musi pan być bardzo ordynarny, skoro miesza się pan w zbrodnie. Zbrodnia ma skończyć tam, gdzie jej miejsce – w rynsztoku – jak dla mnie git.

Milczał przez chwilę, po czym zdecydował się na inną taktykę.

– Miałem panu zaproponować, żebyśmy pojechali w podróż, pan i ja – oświadczył.

– W podróż? – Campion został chwilowo wybity ze swoich własnych pospiesznych przygotowań.

– Pryncypał pana Watsona wybiera się w rejs jachtem – mruknął Lugg przebiegle. – Mówi, że człowiek poznaje tam bardzo wytworne towarzystwo, a kołysanie łodzi nie przeszkadza już po pierwszym dniu.

Jego chlebodawca popatrzył na niego z odrazą.

– Skóra mi cierpnie, jak cię słucham – powiedział poważnie. – Gdy byłeś na zwolnieniu warunkowym...

– Jest pan... podlec! – odparł z urazą i wyrzutem Lugg. – Niech pan będzie dżentelmen! Jak człowiek ma trochę przyzwoitości, o niektórych rzeczach nie mówi. Pan wie, że zrobię wszystko, co pan każe, w granicach rozsądku, ale nie powinien mnie pan szantażować. Widzę, że jest panu wstyd i dobrze. Powinno.

– Chciałem ci powiedzieć, że w ostatnim czasie wydajesz mi się zdecydowanie bardziej atrakcyjny – rzekł Campion, zbierając resztki swojej godności.

– Tym bardziej powinno być panu wstyd. – Lugg nie miał zamiaru się uciszyć. – Poprawiłem się, mój panie, niech pan o tym nie zapomina. Co za nową durnotę pan wymyślił? Mam pewnikiem przyjąć posadę kamerdynera i mieć na wszystko oko, tak? To niezbyt szlachetne postępowanie. Zakradać się do cudzego domu i węszyć. To nędzny, wredny chwyt i do tego stary jak świat. Ale zrobię to dla pana. Będę posłuszny. Zostanę detektywem.

– Zostaniesz kamerdynerem – wtrącił zimno Campion. – Zwykłym kamerdynerem. Będziesz robił, co do ciebie należy, tak żeby wszyscy byli zadowoleni. I uwierz, na nic innego nie będziesz miał czasu. A teraz, na litość boską, zamknij się wreszcie i zabierz za pakowanie.

Campion ruszył w stronę drzwi. Pan Lugg usiadł ciężko.

– To obłęd – mruknął. – Nigdy pan nie widział prawdziwego kamerdynera, a ja tak. Zwariował! Gdzie jadę?

– Tam, gdzie ostatnio byłem, do White Walls. To duży dom, pełen ludzi. Należy do państwa Sutane'ów. Do Jimmy'ego Sutane'a, tego tancerza.

– Ach, do Sutane'ów... – powtórzył pan Lugg, a jego małe czarne oczka zalśniły chytrze. – Teatr ma w sobie coś szykownego – dodał nieoczekiwanie. – W takim razie może jednak pojadę? Mogę robić cokolwiek, byle nic pospolitego. Racja, pakowanie. Pewnie będę musiał cały dzień chodzić we fraku, tak?

– Tak. I będziesz musiał przestać tyle gadać – odparł ucinającym wszelką dyskusję tonem Campion.

Lugg westchnął.

– W porządku, ważniaku – powiedział. – Nie przyniosę panu wstydu. Gdzie pan wychodzi?

Campion zerknął na trzymany w dłoni bilecik.

– Do pewnej damy.

– Naprawdę? – spytał sarkastycznie Lugg. – Proszę jej przekazać moje uszanowanie.

– Nie mogę – odparł pan Campion. – Ona nie żyje.

Lugg zarechotał.

– Niech jej pan w takim razie kupi kwiaty, mądralo – rzucił. – I niech się pan nie spieszy. Zanim zacznę się pakować, muszę coś zjeść.

ROZDZIAŁ 13

Wzdłuż szerokiej drogi przetoczył się powiew ciepłego powietrza cuchnącego wyziewami z kanału, niosąc ze sobą chmurę gryzącego pyłu oraz szelest papierów i przedwcześnie opadłych na chodnik liści. Przez pękate kolumienki podtrzymujące balustradę przebijała poświata szarozłotej wody, a poniżej, po ścieżce flisackiej szedł z mozołem koń, zanurzając ciężkie kopyta w glinie. Wysokie kamienice, których poplamione fasady i obtłuczona sztukateria niknęły w świetle na wpół rozpalonych latarni, wznosiły się z typową dla siebie georgiańską symetrią i tylko rzęsiście oświetlona sceneria wielu odsłoniętych wnętrz zdradzała degradację na drabinie społecznej miasta, które nikomu nie jest wierne. Miejsce było ciche, niewyszukane i opustoszałe.

Campion odszukał numer domu i pchnął elegancką, choć niepomalowaną furtkę. Drzwi wejściowe znajdujące się pod kwadratowym gankiem z kolumienkami były otwarte na oścież, a w środku pojedyncza, zakurzona żarówka obrzucała niechętnym światłem wytarte, poczerniałe linoleum i obdrapane ściany płowego koloru. Dolne okna spowijał mrok, ale gdzieś wysoko popiskiwało radio, na tyle daleko jednak, że nie dało się zrozumieć, co nadaje.

Mężczyzna pociągnął za dzwonek na końcu korytarza, u wylotu niskich schodów. Na górze na chwilę zabłysnął jasny kwadrat światła i niemal natychmiast zgasł. Campion uzbroił się w cierpliwość, a po jakimś czasie drzwi otworzyły się ponownie i ktoś zaczął schodzić szybko po skrzypiących schodach. Campion spodziewał się kogoś takiego, w każdym razie kogoś tego typu. Kobieta, która zeszła na dół, była niska i energiczna, miała misterne, staroświeckie uczesanie, a jej jedwabną sukienkę ożywiały przy szyi i łokciach małe wstawki z białej koronki. Zebrał się na odwagę i postanowił nie bawić w dyskrecję:

– Ja w sprawie panny Pye – powiedział. – Mogę zamienić z panią słówko?

Miał szczęście. Zorientował się co do tego w tej samej chwili, w której się odezwał. Kobieta wysunęła się do światła, żeby mu się przyjrzeć, a wtedy poświata z latarni przed domem ujawniła jej twarz. Okazała się ona drobna i bystra, wyposażona w lśniące oczy i zadarty nosek, który w latach dziewięćdziesiątych musiał być obiektem wielu westchnień.

– Ależ oczywiście – odparła, zerkając za siebie w konspiracyjnym odruchu. – Zapraszam do kuchni. Tam nikt nam nie będzie przeszkadzał.

Złapała go za rękaw i pociągnęła za sobą, szeleszcząc przy tym w pośpiechu spódnicami.

– Zapraszam – dodała, gdy znaleźli się w małym, schludnym pomieszczeniu, wesołym mimo praktycznej funkcji. – Niech pan się rozgości. Nie jest tu specjalnie elegancko, ale przytulnie i czysto.

Miała przyjemną barwę śmiechu, w którym pobrzmiewała niekłamana wesołość, a takiej serdeczności nie powstydziłaby się żadna pani domu.

– Nie wiem, kim pan jest – przyznała z uśmiechem. – Ale wydaje się pan miłym młodzieńcem. Znał pan Chloe Pye? Biedaczka, co za koniec! A jej się zdawało, że żyje sobie jak u Pana Boga za piecem... Kropelkę porteru? Nic więcej nie mam... Ależ nonsens! Napije się pan. Naturalnie, że się pan napije.

Zaczęła się krzątać przy kredensie, a patrząc na nią w bezwzględnym świetle, Campion stwierdził, że musi mieć około sześćdziesiątki, tyle że jest bystra i bardzo z siebie zadowolona, a w głębi duszy niewiele starsza niż za młodu.

Płyta nad półką ponad kuchnią była obklejona fotosami z teatru, a gdy kobieta odwróciła się ze szklankami w dłoniach, wyłapała wzrok przyglądającego się im Campiona.

– Ja to ta po lewej – powiedziała. – Ta z tą zalotną kokardką. Niech pan nawet nie próbuje udawać, że mnie pamięta, bo to nieprawda. Był pan jeszcze pędrakiem, gdy ja szalałam na scenie. Renée Roper, to moje nazwisko. Bez obaw – nigdy nie dotarłam na West End. Wypruwałam sobie żyły na przedstawieniach objazdowych. A teraz niech mi pan powie, co z tą biedaczką, Chloe? Był pan jej adoratorem, jak mniemam?

Pan Campion zawahał się chwilę.

– Nie do końca. Właściwie to nie znałem jej zbyt dobrze. Ale interesowałem się nią i chciałem ją poznać bliżej.

– Była panu winna pieniądze?

Spojrzenie jej inteligentnych oczu nagle stwardniało, więc Campion szybko rozwiał jej obawy.

– Ależ nie – zaprzeczył. – Nic z tych rzeczy. Szczerze mówiąc, w ogóle nie powinienem do pani przychodzić. Ale prawda jest taka, że Chloe miała coś, co chciałem…

– Nic więcej nie musi pan mówić. – Kobieta nachyliła się nad stołem i poklepała go po dłoni. – Rozumiem. Wszystkie jej rzeczy trafią do tych okropnych krewnych. A pan ma żonę. Dziwnie by było, gdyby ktoś natknął się na liścik czy dwa pana autorstwa. Nie musi się pan tłumaczyć, chłopcze. Zapewniam pana, nie jest pan pierwszym przystojnym młodzieńcem, który przyszedł do mnie w podobnej sprawie. Zaraz pana zaprowadzę do jej pokoju i będzie się mógł pan osobiście rozejrzeć. Jeszcze przez chwilę nie możemy tam iść, więc może pan spokojnie dopić piwo. Ale nikomu nie może pan pisnąć ani słówka, bo jeśli ta kobieta, Pole, o czymś się dowie, nie będę miała chwili spokoju.

Pan Campion miał skonsternowaną minę. Sam nigdy by nie wymyślił takiej historii, ale w obecnych warunkach byłoby głupotą, gdyby ją zdementował.

Renée Roper opacznie pojęła jego milczenie.

– Jeśli nie zostały zniszczone, na pewno się znajdą – uspokajała, po czym podsypała swoją wesołość szczyptą pragmatyzmu: – Jak ją znam, na pewno tam będą. Złego słowa o niej nie powiem, skoro biedaczka nie żyje, ale nie można nas było uznać za najlepsze przyjaciółki. Gdy wyjeżdżała, wynajmowała mały składzik na strychu, a podczas pobytu w Londynie zwykle brała dwupokojowe mieszkanie na pierwszym piętrze. Bardzo ładne. Z łazienką.

– Od dawna ją pani znała, pani...?

– Panno – poprawiła go i usiadła z uśmiechem. Oczy jej błyszczały. – Nigdy nie wydali mnie za mąż, złotko – dodała, a jej śmiech zabrzmiał radośnie jak śmiech dziecka. – Dobry Boże, to były czasy. Zobaczmy, znam ją z przerwami od dziesięciu czy jedenastu lat, ale niezbyt dobrze. Nie mój typ. Oczywiście była w porządku, a pan pewnie znał ją od najlepszej strony.

Pan Campion miał zaciekawioną, ale mało inteligentną minę, a kobieta przyjrzała się mu z zagadkowym wyrazem twarzy.

– Mężczyźni szybko mieli jej dość – rzuciła, a w jej głosie zabrzmiało pytanie, na które nie zareagował, więc od razu zaczęła mówić dalej: – Z tego, co wiem, miała mnóstwo chłopców, ale po tygodniu czy dwóch każdy potrafił ją rozszyfrować. Ale ze mnie jędza! Naprawdę nie chciałam. Nie. Chciałam. Spójrz prawdzie w oczy, Renée. Była złośliwa, wredna i jak na mój gust trochę zbyt zaborcza. Muszę to powiedzieć, mimo że biedaczka nie żyje. Ale – dodała, dolewając sobie piwa, upewniwszy się uprzednio, że szklanka jej gościa jest jeszcze dobrze zaopatrzona – gdy byli w niej zakochani, nieba by jej przychylili. Póki było uczucie, była cudowna.

Pan Campion chciał zadać kilka niedyskretnych pytań na temat tożsamości swoich domniemanych rywali, ale został uprzedzony. Pani Roper dała się już ponieść fali plotek.

Wyglądało na to, że Chloe Pye faworyzowała zamożnych mężczyzn, zwłaszcza tych nieco bardziej posuniętych wiekiem. Ponieważ występowała głównie w wodewilach, nie miała bliskiej styczności z kolegami po fachu, a zatem, jak uważała panna Roper, znajdowała większość wielbicieli po niewłaściwej stronie kurtyny.

– W pomyślnych chwilach była dumna, a w niepomyślnych – szalona – oceniła panna Roper. – Jest mnóstwo tego typu kobiet, i to wcale nie tylko w teatrze. Gdy dostawała rolę na West Endzie, a czasem jej się to zdarzało, była oficjalna jak nigdy, gdy wpadała po coś do składziku, ale kiedy po raz pierwszy wróciła z zagranicy, bez grosza przy duszy, była zupełnie inna. Zanim dostała rolę w Argosy, była bardzo nerwowa.

W celu podkreślenia swoich słów panna Roper pokiwała głową, a na jej drobnej twarzy, wciąż zawadiackiej mimo wieku, odmalował się wyraz najwyższej poufałości.

– Takie są fakty – podsumowała.

Jej uwagę zwróciły ostrożne kroki na wyłożonych linoleum schodach i szybko poderwała się z miejsca.

– Wreszcie wychodzi – poinformowała. – Niech pan chwilę zaczeka.

Wybiegła na klatkę schodową, trzymając wysoko misternie ufryzowaną głowę i szeleszcząc suknią. W korytarzu rozległy się intensywne szepty, a chwilę później uśmiechnięta panna Roper zjawiła się znów w kuchni.

– W teatrze mają urwanie głowy – wyjaśniła. – Już od jakiegoś czasu jest nerwowo, ale wygląda na to, że tym razem mają prawdziwego pecha. Aktorzy to bardzo przesądni ludzie. To była kobieta z Argosy. Przywiozła sporo rzeczy Chloe z garderoby. Tak między nami, wydaje mi się, że dyrekcja miała raz czy dwa przyjemność poznać amantów Chloe i nie chciała, żeby węszyli za kulisami. Dziewczyna powiedziała, że zaniesie rzeczy na górę, więc dałam jej klucze. Dlatego musiał pan zaczekać.

Spojrzenie pana Campiona wyrażało konsternację.

– Z teatru? – spytał, powracając na krótką chwilę do cudownej bezmyślności wczesnej młodości. – Aktorka?

Panna Roper zachichotała.

– Nie, złotko – powiedziała. – Nie każda kobieta zatrudniona w teatrze jest aktorką, co to, to nie. Nie wiem, czym się zajmuje, ale uwierz mi na słowo, że to nie była aktorka. Wyglądała jak mały ugotowany koń pociągowy. Sekretarka lub ktoś w tym rodzaju, może ktoś z administracji. Przedstawiła się – Finlay albo Finborough, czy jakoś tak. To chce pan poszukać swoich liścików?

Campion podążył po schodach za jej szybkimi, lekkimi kroczkami do dużego, kwadratowego pokoju, który wraz z małą sypialnią na jego tyłach zajmował całe pierwsze piętro. Właśnie czegoś takiego się spodziewał: lśniący perkal i zakurzone kotary. Wokół paleniska rozstawiono trzyczęściowy komplet wypoczynkowy, a na kominku umieszczono nieudany szkic Chloe w przebraniu, starannie oprawiony i opatrzony wymyślnym autografem.

Poza tym w pokoju znajdowała się cała gama innych obrazków: od sentymentalnych sprośności po ilustrowane szkockie dowcipy, w których zamiast ludzi pojawiały się psy w szkockich furażerkach. Nie było tu żadnych książek, a jedyną oznaką jakiejkolwiek aktywności umysłowej był mały sekretarzyk z szufladkami.

Właścicielka domu pociągnęła nosem.

– Szybko czuć stęchlizną, prawda? – odezwała się pogodnie. – Byłby pan tak dobry i otworzył okno?

Zrobił, o co go poprosiła, a ona tymczasem podeszła do sekretarzyka.

– Proszę, proszę! – powiedziała. – Nie jest pan pierwszy, drogi chłopcze. Dziewczyna z teatru też troszkę pomyszkowała. Widzi pan? Szufladki nie są domknięte i ktoś je pospiesznie przeszukiwał.

Z rosnącym rozbawieniem zaprezentowała rozgrzebaną zawartość górnej szuflady.

– Gdy dziś po południu przynosiłam pranie, wszystko było ładnie poukładane – dodała. – A wiem, bo zajrzałam. Od razu mogę się przyznać, że szukałam pieniędzy. Zalegała mi tydzień z czynszem, więc pomyślałam, że sprawdzę, czy coś ma, zanim zamienię słowo z tą jej bratową. Tak jak się spodziewałam – nie było nawet pół pensa. Oczywiście nic bym nie wzięła. Przynajmniej tak mi się wydaje. A już na pewno nic ponad to, co była mi winna. Choć Bóg jeden wie, że swego czasu dużo ode mnie dostała. Ciekawe, czy była też w składziku? Bo dałam jej klucz. Proszę za mną.

Kobieta z teatru była w składziku. Po starannym przejrzeniu zawartości dwóch metalowych kuferków ze starymi listami, programami teatralnymi i kartami pocztowymi, pani Roper oznajmiła, że kobieta musiała „szybko je przeczesać".

– I co pan na to? – spytała. Jej oczy zrobiły się okrągłe jak spodki, a w kącikach ust czaił się złośliwy uśmieszek. – Niektórzy to mają tupet, co? Ciekawe, czego szukała, jędza... Założę się, że wyświadczała przysługę komuś z teatru!

Zachichotała głośno.

– Nie jest pan jedyny, złotko. Są was całe krocie! No ale co z pańskimi listami? Ta cała Pole będzie to wszystko przeglądać. Być może poszerzy sobie dzięki temu horyzonty.

Ta myśl wyraźnie ją ubawiła, a Campion, który uświadomił sobie, że panna Finbrough wykonała już za niego całą robotę, starał się wymyślić jakieś wiarygodne wyjście z sytuacji.

– Wydaje mi się, że nie mam się czym przejmować – powiedział. – Moje... eee... tego, czego szukałem, najwyraźniej tu nie ma.

Panna Roper obrzuciła go szybkim spojrzeniem i jeszcze raz wytłumaczyła sobie jego słowa na swój własny sposób.

– Rozumiem, był pan prawdziwym mistrzem pióra, tak? – spytała. – Wiem... ogromne sterty listów pisanych na bloku listowym. Całe stosy! Wiem. Takie rzeczy się niszczy, mój chłopcze. Żadna dziewczyna nie lubi wynajmować meblowozu. Niepotrzebnie się pan martwił. Przechowuje się małe niebezpieczne karteluszki. Komuż by się chciało przedzierać przez historię czyjegoś życia za każdym razem, gdy chce się trochę pośmiać? Skoro może już pan być spokojny, chodźmy na dół.

Schodząc na parter wielkiego, spowitego półmrokiem domu, który na zawsze utracił swoją elegancję, panna Roper zaczęła mówić o wypadku.

– Jeden z braci Brock z drugiego piętra mówił, że wywnioskował z gazet, że to było samobójstwo – powiedziała. – Przysięgli nie mieli wystarczających dowodów, czy jakoś tak. Ja jednak jestem pewna, że to nie samobójstwo. Chloe na pewno się nie zabiła. Była zbyt próżna, jeśli wie pan, co chcę przez to powiedzieć. Poza tym, niech pan pomyśli! Miała pewny angaż w przedstawieniu, które nie schodzi z afiszy, była gwiazdą i w ogóle. Nigdy wcześniej tak dobrze jej się nie wiodło – nigdy! Moim zdaniem doszło do jakiejś awantury z dyrekcją, bo była wybuchowa. Trzeba spojrzeć prawdzie w oczy, to nie była mała grzeczna dziewczynka, którą pan znał. Z tego co wiem, miała czterdzieści dwa lata. Pana zdaniem to nie wyglądało na samobójstwo, prawda?

– Nie – potwierdził z roztargnieniem. – Byłem tam, gdy do tego doszło.

– Naprawdę?! – Kobieta aż podskoczyła na to wyznanie. – Widział pan wypadek? Co za traf! Kogoś takiego właśnie potrzebowałam. Zastanawiam się, czy nie mógłby pan zamienić kilku słów z jednym z moich najemców? Spełni pan dobry uczynek, a i mnie pomoże. Ze strachu o niego odchodzę od zmysłów. Rozmowa z kimś, kto to widział na własne oczy, może mieć dla niego duże znaczenie.

Pan Campion wahał się chwilę, ale odmawiając jej, okazałby się grubianinem. Kobieta zaciągnęła go znów do kuchni.

– Proszę usiąść i napić się czegoś, a ja po niego pójdę – powiedziała, popychając go na krzesło. – To jeszcze dziecko, ledwo po uniwersytecie. Oxford lub Cambridge, zapomniałam. Oczywiście pisze sztukę i wynajmuje u mnie poddasze. Wydaje mi się, że ma trochę pieniędzy, ale mówi, że tu ma odpowiednią atmosferę, więc robię dla niego, co mogę. Sztuka jest pewnie okropna. Wiadomo, że musi być staromodna, skoro chłopak upiera się pisać ją na poddaszu. Powiedziałam mu to, ale wie pan, jacy są studenci – nie mam pojęcia, czego ich uczą na tych uniwersytetach, ale z tego, co widzę, są przez to zacofani o dobre trzydzieści lat. Chciałabym jednak, żeby pan z nim porozmawiał, bo Chloe go w sobie rozkochała. Nie powiem, co o niej w związku z tym myślę. Mogłaby być jego ciotką. On uważa ją za Bóg wie co, a cała sprawa kompletnie biedaka przybiła. Nie je i nie śpi. Chyba czerpie z tego jakąś przyjemność, ale nie wyjdzie mu to na zdrowie. Wbił sobie do głowy, że popełniła samobójstwo i że to jego wina.

Roześmiała się, ale jej twarz złagodniała.

– Czy to nie cudowny wiek? Gdyby mu powiedzieć, że jest odrobinę zbyt pewny siebie, albo by nie uwierzył, albo poderżnął panu gardło. Niech pan z nim tylko porozmawia i powie, że to był zwykły wypadek. Niech pan będzie taki dobry i zrobi to dla mnie.

Nawet gdyby chciał zaprotestować, wyszła, zanim miał szansę to zrobić, zaraz jednak wsunęła głowę z powrotem i napomniała go szeptem:

– Niech pan się z niego nie śmieje. Jest bardzo nieszczęśliwy. Tylko raz był wcześniej zakochany w sklepikarce, która przypominała mu *dame sans merci**. Z tego jednak, co mi mówił, miała więcej z Ofelii. W każdym razie była anemiczna.

Panna Roper znów zniknęła i nie było jej dłuższy czas. Campion stał przy kuchennym stole i myślał o pannie Finbrough oraz o tej jednej jedynej osobie, dla której zdecydował się na tak wątpliwą misję. Zastanawiał się, co takiego znalazła panna Finbrough podczas swoich krótkich poszukiwań.

Kroki panny Roper kazały mu wrócić do bieżących spraw. Drzwi otworzyły się i właścicielka kamienicy weszła zaaferowana do środka. Na jej zaróżowionej twarzy malowała się iście matczyna troska.

---

* Postać z wiersza miłosnego Johna Keatsa.

– Przyszedł pan Peter Brome – rzuciła energicznie. – Wiem, że chętnie utniecie sobie pogawędkę.

Campion spojrzał ponad jej głową na młodzieńca, który wszedł niechętnie do jasno oświetlonego pomieszczenia. Był bardzo młody i bardzo przystojny, w ten typowo chłopięcy, nieopierzony sposób. W tej chwili jego twarz była nienaturalnie poważna, a on sam sprawiał wrażenie, że traktuje siebie ze szczególną troską, jakby jego ból był jakiegoś rodzaju wielkim, wypełnionym po brzegi dzbanem, który niesie i z którego nie może uronić ani kropli. Nadawało mu to dziwnie niezdarny i rozchwiany wygląd, kłopotliwy zarówno dla niego, jak i dla ludzi wokół. Miał na sobie starą tweedową marynarkę o sportowym kroju, która wisiała luźno na szerokich, płaskich barkach, a wypolerowana na błysk fajka, którą ściskał tak, jakby była jednocześnie jego podporą i przepustką, nie była nabita.

Był dużo wyższy od panny Roper, która wyraźnie go uwielbiała, i zwrócił się do pana Campiona naturalnie głębokim głosem, a chcąc brzmieć dorosłej, nadawał mu iście grobowy ton.

– Witam pana – powiedział. – Nie znam pańskiego nazwiska. – Bezceremonialność tego oświadczenia przestraszyła go najwyraźniej, więc dodał: – Oczywiście to bez znaczenia. – Świadomy nieuprzejmości własnych słów zaczerwienił się gwałtownie.

Ze względu na delikatną naturę swojej misji pan Campion wymienił pierwsze lepsze imię i podał młodzieńcowi uroczyście dłoń. Na tym jednak skończyło się ich bratanie. Peter Brome odsunął się sztywno na drugi koniec kuchni, pod samą ścianę, przy której odwrócił się i przybrał pozę zbyt nonszalancką, by mogła być naturalna, a na dodatek wiążącą się z poważnym ryzykiem utraty równowagi.

Panna Roper spojrzała błagalnie na Campiona.

– Niech mu pan powie o wypadku – zażądała. – Musi wiedzieć.

– Nie, nie, błagam! – Peter Brome zaczął gestykulować nieporęcznie, acz z emfazą, a jego niski głos zdawał się martwy.

Młodzieniec wyglądał na skrępowanego do granic możliwości, a pan Campion poczuł się nagle bardzo staro.

– Chodźmy gdzieś na drinka – zaproponował.

Zażenowanie pana Brome'a wzrosło tak bardzo, że o zachowaniu godności nie mogło być mowy.

– Ale pan napije się ze mną – powiedział, a spojrzenie jego poważnych, smutnych oczu spotkało się ze spojrzeniem Campiona.

– Drogi panie, możemy wypić nawet kilka drinków – odparł z naciskiem pan Campion, z niechęcią stwierdzając, że zaczyna czuć się tak, jakby jedną nogą był już w grobie.

– Nie zwlekajcie zatem panowie, bo wszystko pozamykają – wtrąciła pogodnie panna Roper. – No już: jeśli nie zobaczymy się później, drogi chłopcze, do widzenia i powodzenia. Miło mi było pana poznać. Nie pisnę ani słówka wiadomej pani, może pan zaufać małej Renée. Do widzenia, moi drodzy. Nie wpadnijcie do kanału, jak będziecie wracać.

Wyprowadziła ich na ciepłe wieczorne powietrze i pomachała, gdy doszli do furtki.

Pan Campion i jego nienoszący kapelusza towarzysz ruszyli zaśmieconym papierkami chodnikiem, czując na plecach wiatr. Peter Brome odrzucił do tyłu swoje kręcone włosy, bardziej potargane niż wymagałby tego sam Byron, i spojrzał w niebo poprzecinane ciemnymi nieregularnościami dachów. Campion zaczął się złośliwie zastanawiać, czy młodzieniec jest świadomy, że na jego wspaniały profil pada światło latarni, ale przyznał uczciwie, że zapewne nie.

– Kochana starowinka – zauważył ni z tego, ni z owego młody człowiek. – Ale przeraźliwie żenująca. Sfrustrowana, bo nie spełniła się jako matka.

Kolejne słowa jego towarzysza uchroniły Campiona przed popełnieniem fatalnej gafy, bo przez chwilę sądził, że chłopak mówi o Chloe Pye.

– Nalegała, żebym się z panem spotkał. Mam wrażenie, że się panu strasznie narzucam, ale gdy – gdy dzieje się coś tak potwornego, coś tak zupełnie bez sensu, naturalna chorobliwa ciekawość każe człowiekowi dowiedzieć się, jak to się stało, nawet jeśli – nawet jeśli przyczyna jest zupełnie niepojęta, nie sądzi pan?

Długa wypowiedź zdenerwowała go i dzban zachwiał się niebezpiecznie. Pan Campion wyjaśnił pospiesznie:

– To naprawdę był wypadek.

– Chciałbym móc w to uwierzyć – wyraził uprzejmie Peter Brome swój brak przekonania. – Nie wiem, czemu z panem o tym rozmawiam. Nie chcę być oczywiście niegrzeczny. Ale gdyby znał ją pan tak jak ja. Dobry Boże, co za absurd! Przeraźliwa, nieznośna strata! To była niezwykła kobieta.

Głos mu zadrżał i Brome zamilkł, a twarz, którą młodzieniec zadarł w stronę londyńskich gwiazd, wyrażała gniew i wydawała się wręcz straszliwa w swym zdumiewającym pięknie.

Z ciężarem swych trzydziestu sześciu lat na barkach pan Campion stwierdził, że wielka tragedia jest czymś szlachetnym i człowiek może w pełni usprawiedliwiony nurzać się w niej, ale mała tragedia, podszyta straszliwym widmem drwin, jest w istocie zabójcza. Mężczyzna miał ochotę wymierzyć swojemu towarzyszowi kopniaka, ale powstrzymało go podejrzenie, że odruch ów wypływa z zazdrości.

Dotarli w milczeniu do Kolczastego Lwa, dość żałosnej małej karczmy z rodzaju wytwornych lokali usytuowanych wzdłuż bocznych uliczek. Podczas gdy Peter Brome zmagał się z ceremoniałem zakupu napitków dla zupełnie obcej osoby, przed którą nieuchronnie miał obnażyć swoją duszę, powróciła cała jego powaga, a on z uporem uchwycił się bigoteryjnego przekonania o konieczności nawiązania luźnej pogawędki, skutkiem czego wziął swojego nowego kompana w krzyżowy ogień gwałtownych i bezładnych pytań, uważając przy tym, by nie dać przypadkiem po sobie poznać, że zrozumiał choć słowo z udzielanych mu odpowiedzi.

Pozostali bywalcy baru znali się między sobą i raczej niechętnie przyjęli najście intruzów, Campion nie przedłużał zatem niepotrzebnie wizyty. Wypili skromnie po kufelku i zaspokoiwszy tym samym wymogi tak honoru, jak i gościnności, wyszli znów w noc.

Czując, że może teraz bez przeszkód wrócić do własnych kłopotów, pan Campion miał właśnie się pożegnać, gdy został pozbawiony takiej możliwości.

– Chciałbym z panem o niej porozmawiać – zaczął Peter Brome. – Widzi pan, nagle straciłem połowę życia. Nie mieliśmy wspólnych znajomych, więc nigdy jej już nie zobaczę i nigdy o niej nie usłyszę. Czuję się tak, jakby ktoś zatrzasnął przede mną drzwi.

Pan Campion w samą porę zorientował się, że odmalowując słowami wyraźny i żywy obraz Chloe Pye – takiej, jaką naprawdę była – nie pomógłby temu człowiekowi w jego obecnej samotności. Dlatego się pohamował.

– Chciałbym się przejść wzdłuż kanału, jeśli nie ma pan nic przeciwko. Jest tam pewien most. Możemy go zobaczyć.

Peter Brome wyraził swoje życzenie nieśmiało, ale z dziecinnym wręcz przekonaniem, że zostanie spełnione. Mężczyźni ruszyli suchymi, opustoszałymi chodnikami w stronę lśniącej, lekko cuchnącej wody.

– Przypuszczam, że gdybym powiedział panu, że chciałbym się rzucić do rzeki, uznałby mnie pan za głupca – stwierdził pan Brome nie do końca niespodziewanie, gdy oparli się o śliską, otynkowaną balustradę i spojrzeli w dół na pianę i liście zdobiące niemrawy nurt.

– Mój drogi, prędzej by pan umarł na dyfteryt, niż się utopił – zauważył mimowolnie pan Campion, a jego towarzysz wybuchnął nagle radosnym śmiechem.

– Jestem głupcem – wyznał z przygnębieniem, a jego rozbawienie zniknęło równie szybko, co się pojawiło. – Boże, ktoś powinien mnie zastrzelić! – Żeby błaznować i zgrywać klowna, gdy ona nie żyje! „Chloe to nimfa w ukwieconym zagajniku, nereida w strumieniach". To D'Urfey. Ale Cartwright napisał coś lepszego. Wie pan, była ode mnie starsza o rok czy dwa.

Chloe, dlaczego pragniesz swoje lata
Pchnąć wstecznym torem, aż spotkają moje,
By podobieństwo, które rzeczy splata
Z rzeczami, mogło zjednoczyć nas dwoje?
Wie, kto narodzin naszych dzień pamięta,
Żeśmy podobni bardziej niż bliźnięta*.

Bardzo się ucieszyłem, gdy na niego natrafiłem. Uznałem to za swego rodzaju znak. A teraz… Oparł się o sztukaterię i przeciągnął, jakby wysiłek fizyczny mógł mu w jakiś sposób ulżyć w nieznośnym cierpieniu.

– Czy-czy rany były straszne? – zapytał ochryple i chcąc przygotować się na najgorsze, uzbroił się w ponury stoicyzm, tym trudniejszy, że świadomy, czego nie mógł sobie wybaczyć.

Pan Campion stwierdził, że nie wie, co zrobić. Zdumiony zorientował się, że nie pamięta, co koi bardziej: koszmar czy rozczarowanie. Podobnie jak niejeden w podobnej sytuacji zdecydował się na kompromis, przedstawiając całą tragedię w sposób wierny, lecz pozbawiony nadmiaru szczegółów.

Peter Brome słuchał w milczeniu. W świetle latarni jego twarz wyglądała bardzo blado i młodo.

– Dziękuję – powiedział w końcu. – Dziękuję. Właściwie to mnie pan przekonał. Widzi pan, bardzo się bałem, że to było samobójstwo.

– Czemu? Chloe była w teatrze bardzo szczęśliwa.

– No tak, w teatrze. – Ton Petera Brome'a wyrażał pogardę dla spraw doczesnych, które ludziom znużonym własnym życiem emocjonalnym przynoszą w równej mierze niepokój, co pociechę. – To życie miała ciężkie. Byliśmy zakochani. – Spojrzał swojemu rozmówcy prosto w oczy, jakby chciał go sprowokować do okazania rozbawienia.

---

* Fragment wiersza Williama Cartwrighta *Do Chloe, która pragnęła być dostatecznie dla mnie młoda* w przekładzie Stanisława Barańczaka.

Pan Campion zachował jednak pełną powagę. Nie był jeszcze na tyle stary, żeby nie wiedzieć, że z miłości nie wolno żartować, bez względu na przybieraną przez nią formę.

– Chciałem, żeby za mnie wyszła – ciągnął z godnością Peter Brome – ale ona zawsze odmawiała, podając najróżniejsze absurdalne wymówki – tę niewielką różnicę wieku i tego typu sprawy.

– Ile ma pan lat? – Campion nie mógł powstrzymać się od pytania.

– Dwadzieścia dwa. Bóg raczy wiedzieć, czy to wystarczająco dużo, żeby umieć podjąć decyzję. Gdy wysuwała coraz to kolejne obiekcje, zaczęło do mnie docierać, że coś przede mną ukrywa, bo mnie kocha. Bo w przeciwnym razie nie... och, wiem po prostu, że mnie kochała. Zeszłej niedzieli mieliśmy się wybrać nad rzekę. Wszystko zaplanowaliśmy i oboje nie mogliśmy się już doczekać wycieczki. Kiedy więc oznajmiła, że musi wyjechać na weekend, trochę się wściekłem i doszło do naszej pierwszej poważnej kłótni.

Młodzieniec umilkł, a w jego oczach odmalował się ból, gdy na nowo uświadomił sobie ogrom swojej tragedii. Wziął się w garść i mówił dalej.

– Zasmuciło ją to równie bardzo, jak mnie. Pogodziliśmy się i wtedy wszystko wyszło na jaw. Widzi pan, Chloe była mężatką, rozstali się, ale mąż odnalazł ją po latach. Oczywiście zrozumiał swój błąd i chciał, żeby do niego wróciła. Chciała się z nim zobaczyć i spróbować przekonać go do rozwodu. Nie chciała mi podać jego nazwiska. Przysięgałem, że nikomu nie powiem, ale teraz to już bez znaczenia. Była zrozpaczona i ja też. Potem zaś dowiedziałem się, co się stało.

Campion milczał.

Stał z rękami wspartymi o balustradę, lekko przygarbiony.

W oczach człowieka doświadczonego historia Chloe różniła się znacząco od usłyszanej właśnie prostej historii miłości dwojga młodych, którym los stanął na drodze. Campion stał i wpatrywał się w wodę, a do głowy zaczęły mu napływać pewne wydarzenia i układać się cichutko w spójną całość.

Sutane, który mimo sprzeciwu znalazł dla Chloe miejsce w teatrze. Sutane, który siedział w półmroku na widowni i domagał się, żeby Chloe odrzuciła zaproszenie jego żony. Sutane, który starał się przekonać doktora, że nie zna Chloe. Chloe, która siedząc Sockowi na kolanach, wspomniała, że Sutane jest jej znajomym z dawnych lat. Mały zegarek z dedykacją. A na koniec, jako klucz do całej tajemnicy, panna Finbrough, która z zuchwałym pośpiechem przeszukiwała papiery zmarłej.

Schowane za okularami blade oczy Campiona nabrały twardego wyrazu, a do jego uszu ledwie docierał głęboki, młodzieńczy głos Petera Brome'a, dobiegający uroczyście z boku.

– Pewnie pan nie pochwala rozwodów. Pan wybaczy, ale zapomniał już pan, co znaczy kochać. Miłość jest cudowna. Nic innego się nie liczy. Człowiek staje się bezradny. Traci zdrowy rozsądek. I absolutnie nic nie można na to poradzić. Miłość całkowicie człowieka pochłania.

Pan Campion, który od kilku dni nabierał w szybkim tempie bardzo ludzkich cech, poczuł, że najchętniej uciekłby z krzykiem od tego straszliwego ducha minionego lata, który szeptał mu do ucha z taką bezwzględnością emocjonalną prawdę i intelektualny fałsz. Wymknął mu się jednak tylko pojedynczy okrzyk protestu.

– Wie pan, wy młodzi nie macie monopolu na cierpienie – powiedział, podświadomie robiąc to jednak lekkim i przyjaznym tonem. – Nie w wieku dwudziestu dwóch lat.

Peter Brome dał się zwieść łagodności jego tonu, który mylnie uznał za zrozumienie.

– Nie, ale dla nas to coś nowego – powiedział. – Gorzej być nie może. Gdyby było, ludzie codziennie by od tego umierali. To najgorsze, co może się przytrafić. To coś niewyobrażalnego. To coś tak przerażającego, że zatacza niemal pełne koło. Może to straszne, co powiem, ale to niemal – niemal dobrze, że tak potwornie boli.

Pan Campion pomyślał o Lindzie, o Sarah, o Chloe w świetle poranka, o Sutanie, a na końcu o sobie. Ujął dłoń pana Brome'a i uścisnął ją serdecznie.

– Do widzenia – rzucił nagle. – Zmarła bardzo szybko i zupełnie bezboleśnie. To rzeczywiście dobrze, jak się nad tym zastanowić. Do widzenia.

Odszedł spiesznie, a jego długi, chudy cień podskakiwał i łopotał na oświetlonej ulicznymi latarniami drodze.

Pan Brome pozostał na moście ze swoją rozpaczą, która była równie smutna, samotna i odległa jak gwiazdy ponad jego rozczochraną głową.

ROZDZIAŁ 14

Następnego ranka pan Campion siedział długo nad śniadaniem, praktycznie całym swoim szczupłym ciałem tonąc w pluszu pąsowej ławy. O tej porze klubową jadalnię spowijał szczególny rodzaj przestrzennej ciszy, skoncentrowanej na poważnych przygotowaniach do ponownej konfrontacji ze światem.

Ciężkie kotary, przewiązane sznurem i z wiktoriańską hojnością otulające wielkie okna, zdawały się nie darzyć sympatią jaskrawego dziennego światła, które wybarwiało im frędzle i usiłowało przeniknąć tajemne zakamarki ich splotów, wielka sala była więc przymglona na skutek wojny światła i cienia. Ciepło, wygoda i ogólna atmosfera przyjaznej intymności ukoiły Campiona i sprawiły, że wrócił mu rozsądek i znów poczuł się bezpiecznie z własnymi myślami. Z perspektywy obecnego schronienia wydarzenia i emocje minionego wieczoru zdawały się niemal snem, tyle że bez owego radosnego braku logiki, dzięki któremu większość snów okazuje się później tak przyjemna. Peter Brome wprowadził go do świata Pirandella, dziś natomiast pozostały suche fakty, które, jakkolwiek by na nie patrzeć, były równie istotne, co nieprzyjemne.

Po zastanowieniu Campion był zadowolony, że zadzwonił do Lindy i przeprosił, że go nie będzie, po czym kazał protestującemu Luggowi jechać do White Walls samemu. „Młody George", mechanik samochodowy, który czasem służył mu za kierowcę, nadzorował transport i zdał z niego sprawozdanie, donosząc, że pani osobiście pojawiła się w drzwiach, by przywitać tymczasowego kamerdynera, i że pan Lugg przez cały czas zachowywał się jak skończony dżentelmen. Młody George był zdania, że jeśli tylko Lugg będzie dalej się tak zachowywać, to sobie poradzi. Campion miał szczerą nadzieję, że tak właśnie będzie. Siedział i przyglądał się znad gazety drobinkom kurzu w promieniu światła padającym z najbliższego okna i jednocześnie analizował po raz kolejny każdy szczegół swojej rozmowy z Lindą. Pamiętał ją ze zdumiewającą wyrazistością. Jeszcze raz usłyszał, jak rozczarowana Linda wyraża szybko swój sprzeciw, a on przeprasza ją i spieszy z zapewnieniem, że w związku ze śledztwem ma w mieście kilka spraw do załatwienia. Przypominał sobie ciszę, która wtedy zapadła, a zaraz potem uprzejmą, choć wyrażoną bez przekonania zgodę i wyrazy szczerej wdzięczności za Lugga.

Odtworzył w pamięci całą rozmowę, od pierwszego dźwięku jej głosu do chwili, gdy on sam pożegnał się i rozłączył, po czym wbił przed siebie pusty, nieszczęśliwy wzrok. Nie miał wątpliwości, że jego słodko-gorzka fascynacja Lindą za jakiś czas zniknie, ale w tym momencie niedorzeczność i bezbrzeżna głupota tego zjawiska wciąż doprowadzały go do rozpaczy.

Po raz pierwszy uświadomił sobie, jakie to żałosne, i tylko go to zaskoczyło i rozzłościło. Jak większość niepoddających się zgorzknieniu śmiertelników był w cichości ducha przekonany, że gdzieś na świecie istnieje jego mentalny, emocjonalny i fizyczny odpowiednik w postaci kobiety, skoro więc wreszcie go odnalazł i przekonał się, że jest dla niego nieosiągalny, naturalnie przeżywał tragedię w jej najbardziej podstawowym wymiarze, mimo swej powszedniości wcale nie mniej bolesną. Poza tym przyszła mu też do głowy zatrważająca myśl, że istnieje niewielka szansa, iż tego rodzaju cud wydarzy się po raz drugi w życiu człowieka prowadzącego dość dziwaczny i samotniczy tryb życia.

Świadomość ta wstrząsnęła nim, a Campion zorientował się, że gorzko żałuje tego, co się stało. Ponieważ nie był w wieku, który pozwalałby mu czerpać przyjemność z przeżywania autentycznej tragedii, jej perspektywa go zniechęcała. Postanowił więc poszukać tymczasowego schronienia za uświęconą tradycją tarczą i zaprzeczyć własnym uczuciom.

Spojrzał na gazetę i przeczytał raport z dochodzenia w sprawie Chloe Pye, przytoczony w całości. Ponieważ nie można już było uznać, że zamieszanie wokół zmarłej działa na jej korzyść, sumienie dziennikarskie mogło sobie pofolgować i wiadomość ta, wraz z kilkoma innymi, utworzyły dwuszpaltowy artykuł na potrzeby tańszej prasy. W przypływie optymizmu Sutane zapomniał o ostrożności. Sąd wydał orzeczenie otwarte i wcale nie stwierdził, że doszło do „wypadku", jak przedstawił to aktor. Ława przysięgłych zawyrokowała, że śmierć nastąpiła „na skutek doznanego szoku i stanu *status lymphaticus*", ale odnotowała także, że zabrakło dowodów mogących wskazywać, czy upadek martwej kobiety z mostu był przypadkowy, czy zamierzony. Udział Sutane'a w wypadku samochodowym, do którego doszło zaraz po zgonie panny Pye, został szeroko opisany w gazetach, a kolumny plotkarskie komentowały pecha, który najwyraźniej nie opuszczał go w ostatnim czasie. Artykuł był kiepski i pozostawiał nieprzyjemne wrażenie. Wszystkie gazety wspominały, że w chwili śmierci Chloe miała na sobie kostium kąpielowy, ale pozostawiały ten fakt bez wyjaśnienia, a szybkie samochody, przyjęcia i wzmianki o samobójstwie sugerowały hulanki, utrzymywane w tajemnicy dzięki pieniądzom i wysokiej pozycji społecznej. Nie wyglądało to zbyt dobrze. Opinia publiczna, która uwielbiała Sutane'a, nie miała mu za złe, że się bawi, ale z pewnością szybko mogła okazać swoją niechęć, gdyby do niej dotarło, że Sutane wykorzystuje jej uwielbienie, by uciec przed odpowiedzialnością za coś, co dla każdego zwykłego obywatela skończyłoby się katastrofalnie.

Campion odłożył gazetę i zmusił się do chłodnej analizy problemu, z którym sam musiał się zmierzyć, a także nieszczęsnego odkrycia, które kazało mu wycofać się dyskretnie ze śledztwa i z towarzystwa Sutane'ów.

Bezstronna analiza sprowadzała problem do stosunkowo prostego pytania. Czy jeśli mężczyzna zapała gwałtownym i niedorzecznym uczuciem do mężatki, a tuż potem odkryje, że wedle dostępnej mu wiedzy mąż jego wybranki zabił, przypadkowo lub świadomie, swoją byłą żonę, być może po to, by nie dopuścić do rozpadu swojego obecnego małżeństwa, to czy mężczyzna ów powinien angażować się dalej w sprawę i ujawnić zbrodnię popełnioną przez męża, a potem odejść z jego żoną?

– Nie, oczywiście, że nie – powiedział na głos Campion i to z taką emfazą, że kelner, który podszedł do niego cichutko, cofnął się zdumiony.

Kelner przyniósł wezwanie od byłego aspiranta Blesta, który zaszedł do Campiona z nadzieją, że zdąży go złapać w domu przed jego ponownym wyjazdem na wieś, ale został skierowany przez dozorcę do Junitor Greys. Campion podszedł niechętnie do telefonu, ale Blest był tego dnia nieustępliwy i nie chciał słyszeć żadnych wymówek.

– W co się pan, u licha, ze mną bawi? – zapytał głosem wyrażającym niezadowolenie i podejrzliwość. – Skąd nagle ten wyniosły i niedostępny ton? Uraziłem pańską dumę? Jest mi pan potrzebny, Campion. Chcę, żeby pan na coś zerknął. Naprawdę chciałbym poznać pańską opinię. W pewnym sensie to był pański pomysł. Bo widzi pan... znalazłem go.

– Wspólnika? – Campion okazał mimowolne zainteresowanie.

– Tego jeszcze nie wiem. Wszystko po kolei – zirytował się Blest. – Odszukałem sekretarza klubu rowerowego. Nazywa się Howard i pracuje w hurtowni aptekarskiej na Hampstead Road. Spotkałem się z nim wczoraj wieczorem. Około dwunastej będzie w Trzech Orłach na Euston Road. Zagadam go, a pan wpadnie jakby nigdy nic około pół do pierwszej. Chcę, żeby pan na niego zerknął. W czym problem? Pracuje pan nad czymś innym?

Campionowi, który zrobił się przesadnie nerwowy, nie spodobała się ciekawość pobrzmiewająca w ostatnim pytaniu, więc skapitulował.

– A zatem dwunasta trzydzieści – powtórzył Blest. – Tylko niech pan nie ubiera się zbyt elegancko. To żaden pałac. Do zobaczenia. Liczę na pana.

Rozłączył się, a o dwunastej dwadzieścia pięć Campion wysiadł z autobusu na Tottenham Court Road i ruszył w stronę Euston.

Młodzieniec pogrążony w rozmowie z Blestem w Trzech Orłach rozczarowywał. Jako potencjalny wspólnik eleganckiego Konrada wydawał się tak mało prawdopodobny, że sam pomysł zakrawał na kpinę. Był postawnym, niedbale ubranym mężczyzną o bardzo czystej szyi i kołnierzyku oraz bardzo brudnych paznokciach. Jego ogorzała od wiatru twarz wyglądała trochę tak, jakby została odlana z jakiejś kiepskiej formy, której nikt nie poświęcił ani czasu, ani namysłu, zaś fakt, że boki głowy miał wygolone, a na samym czubku tkwiła niczym kopuła przyklepana warstwa tłustych, grubych włosów, nie dodawał mu uroku.

Mężczyzna mówił donośnym, agresywnym głosem, znamionującym silny charakter, a aktualnie ujeżdżał bezlitośnie swojego konika.

– Dla mnie znaczenie ma tylko sama jazda – mówił świadomy szlachetności swoich słów, co nie wpływało w żaden sposób na szczerość jego wypowiedzi. – Wie pan, dla mnie to kwestia honoru. Nie biorę z klubowych funduszy ani pensa i nie wziąłbym nawet wtedy, gdyby mnie o to poprosili. Lubię po prostu samą jazdę. Ogląda pan świat z perspektywy roweru. Poznaje kraj, w którym się urodził. Wchodzi w posiadanie swojego prawowitego dziedzictwa, jak to mówię. Poza tym nie trzeba ponosić żadnych kosztów! Stać na to kogoś takiego jak ja.

– Zgadzam się z panem – odezwał się szczerze Blest, a dostrzegłszy Campiona, przedstawił go jako pana Jenkyna. – Nie widziałem pana ostatnio – skłamał. – Pan Howard jest sekretarzem klubu Speedo – to cyklista. Mówi to coś panu?

Pan Howard urwał, by powiedzieć, że cieszy się ze spotkania, po czym szybko wrócił do zwierzeń.

– Nawet nazwa trąci amatorszczyzną – kontynuował, podejmując wywód w miejscu, w którym go przerwał. – Rozumie pan, o co mi chodzi? Speedo*... To potoczne określenie, prawda? Moim zdaniem to wiele mówi o całym przedsięwzięciu – nie do końca na temat. Gdybyśmy byli klubem pełną gębą, moglibyśmy połączyć się z jedną z większych organizacji, co miałoby swoje plusy. Rekordy, mistrzostwa i tego typu rzeczy, a do tego sensowne nagrody za włożony trud. A tak – jak mówiłem w zeszłą sobotę kilku kolegom – kim teraz jesteśmy? Kim? Cholerną agencją reklamową dla faceta, który nie jest nawet prawdziwym wielbicielem kolarstwa. Gdyby był zapalonym cyklistą, sprawa wyglądałaby inaczej. Gdyby lubił jeździć, każdy byłby zadowolony i dumny z tego, że może mu trochę pomóc. Ale skoro on przyjeżdża pociągiem i jest zmęczony po trzydziestu pięciu milach pedałowania, to człowiek zaczyna mieć wątpliwości, mam rację?

– Zdecydowanie – zgodził się były aspirant. – Pan chciałby to zmienić, jak rozumiem?

Pan Howard pociągnął porządnie z metalowego kufla i zmrużył swoje małe, zielone oczka.

– Mógłbym odejść i przyłączyć się do jednego z większych klubów – powiedział. – Ale wtedy nie byłbym sekretarzem – a przynajmniej nieprędko – a lubię zajmować się organizacją. Jeśli człowiek ma do tego dryg, daje mu to satysfakcję. Poza tym gdy człowiek wie, jak zorganizować naprawdę skomplikowane rzeczy, takie jak wyścig, klubową kolację czy wycieczkę krajoznawczą, a nie cieszy się wystarczająco dużym poważaniem, to wkurza się, jak widzi, że ktoś partaczy robotę.

Chłopak mówił ze swadą, a Blest pokiwał głową na znak, że w zupełności się z nim zgadza. Zachęcony drugim kufelkiem pan Howard znów podjął temat.

– Gdybyśmy mieli odpowiednią nazwę – Klub Rowerowy Merton Road czy coś w ten deseń – i zerwali związki z teatrem, moglibyśmy stać się jednym z najlepszych, najbardziej

---

* Speedo – prędkościomierz, skrót od słowa „speedometer".

eleganckich małych klubów w Londynie – oznajmił z przekonaniem. – A tak? Dokąd nas to zaprowadzi? Nasi najlepsi zawodnicy odchodzą do klubów o większych możliwościach, a garstka starszych członków, którzy lubią kręcić się za kulisami, robi kolesiowi reklamę. Dostają darmowe bilety – wszyscy dostajemy, przyznaję – ale ja jestem rowerzystą. Lubię czuć wiatr na twarzy i drogę pod kołami.

Urwał i wyjaśniając, że palenie szkodzi mu na wydolność, podziękował za papierosa, którym poczęstował go Campion.

– Podarowali mu w prezencie rower – powiedział w przypływie zaufania, choć wyraźnie uważał, że nie powinien tego robić, nie mógł się jednak powstrzymać. – Posrebrzany i w ogóle super. Zorganizowałem zbiórkę, bo mnie o to poproszono i dlatego, że jestem w tym dobry – mam do tego smykałkę. Lubię to. Ale to akurat nie podoba mi się. Uważam, że posrebrzany rower to absurd. Jak dowiedzą się o tym w innych klubach, będą się z nas śmiać – całkiem słusznie zresztą. Takie rzeczy potrafią człowieka wkurzyć. Jeśli jest się pierwszorzędnym cyklistą, spełniającym najwyższe standardy jazdy amatorskiej, człowiek nie chce mieć poczucia, że wszyscy inni użytkownicy drogi uważają w głębi ducha, iż jego klub to zwykła zbieranina lalusiów na kółkach. To upokarzające – naprawdę upokarzające. Postawię w końcu na swoim, ale zajmie mi to trochę czasu. Muszę zwalczyć cały ten snobizm. Wszystko, co ma związek z teatrem, ma w sobie posmak luksusu i niektórzy na to lecą. Jestem dla Konrada uprzejmy, choć osobiście go nie lubię. Koniec końców zniknie, a my zrobimy z klubu organizację prima sort.

W tym momencie pan Campion przyniósł następną kolejkę i rozmowa zeszła na bardziej ogólne sprawy. Ulubiony sport pana Howarda budził w nim jednak tak wielki entuzjazm, że niemal natychmiast nawiązał znów do tematu.

– Oczywiście na swój sposób się przydaje – przyznał. – Ma znajomości. Taki artykuł musiał na przykład powstać. Najwyższy czas, żeby ktoś to powiedział.

Wyciągnął z kieszeni marynarki zwiniętą popołudniówkę. Było to pierwsze, niepełne wydanie i zawierało krótki artykuł opatrzony nagłówkiem: „Morderstwo na drogach oczami rowerzysty. Benny Konrad, prezes Klubu Rowerowego Speedo".

Blest przebiegł tekst oczami, a Campion czytał mu w tym czasie przez ramię. Był to błyskotliwy felietonik napisany z tendencyjną nietolerancją, opublikowany w celu wywołania odzewu czytelników. Tekst wspominał pobieżnie o rowerzystach, ale główny nacisk położony był na zagrożenie ze strony kierowców jeżdżących z nadmierną prędkością.

– Ukazał się w dobrym momencie – stwierdził pan Howard, wkładając gazetę z powrotem do kieszeni. – Takich jak my są na drogach tysiące i sami musimy zadbać o własne bezpieczeństwo. Giniemy pod kołami samochodów. Kierowcy najczęściej w ogóle nas nie widzą. Artykuł mógł być znacznie mocniejszy, ale nie sądzę, żeby dostał wtedy akceptację redakcji. Redaktor musi myśleć o reklamodawcach. Mimo to ukazał się po tej aferze z Jimmym Sutane'em, którą opisywały wczorajsze gazety. Podobno rozjechał jakąś biedną dziewczynę na śmierć. Czytaliście o tym, panowie? Konrad gra w tym samym przedstawieniu co Sutane, więc każdy powiąże te dwa nazwiska. Podejrzewam, że dlatego właśnie to napisał, a gazeta, widząc powiązanie, opublikowała artykuł. Tak to się odbywa. Puszczają wszystko, co ma związek z aktualną sytuacją. Taką mają dewizę.

Mężczyźni dopili piwo i wyszli na zewnątrz, gdzie pożegnali się z panem Howardem. Blest obejrzał się za jego żwawą postacią i parsknął.

– No cóż, to raczej nie on – powiedział. – Prawda?

Pan Campion przyznał mu rację.

– Raczej nie – rzekł po namyśle. – Nie, nie jest wspólnikiem. Na swój sposób jest bez wątpienia męczący, ale nie jest gnidą. W naszym panu Howardzie nie ma nic podejrzanego. Wygląda na to, że Konrad nie jest i jego ulubieńcem, co?

Były aspirant odchrząknął.

– Jeśli chce pan znać moje zdanie, młodziutki pan Konrad dziś po południu przestanie być ulubieńcem i w innych kręgach – stwierdził. – Jest podwładnym pana Sutane'a, prawda? Co on sobie, u licha, wyobraża, wyskakując z czymś takim? Oczywiście nie mógł sam tego napisać. Musieli mieć wcześniej własny tekst, a on tylko zgodził się sygnować go swoim nazwiskiem. Pewnie przeczytali mu go przez telefon.

Campion zmarszczył brwi.

– Nie wydaje mi się, żeby to miało znaczenie – powiedział bardziej z nadzieją niż z przekonaniem. – W końcu nie ma specjalnie związku...

– Niech pan nie da się zwieść! – przerwał mu Blest. – Na tej zasadzie opiera się mnóstwo kampanii reklamowych. Pan wie i ja wiem, że Sutane nie zrobił nic nagannego i artykuł nie wymienia go z nazwiska. Ale kto dokładnie czyta gazety? Jedna osoba na sto. Przeciętny, na wpół zainteresowany tematem człowiek jednego dnia czyta, że Sutane był sprawcą wypadku, w którym zginęła kobieta, a drugiego „Morderstwo na drodze" Benny'ego Konrada. Nazwisko Konrad kojarzy mu się z nazwiskiem Sutane i z ostatnią rzeczą, jaką na jego temat słyszał. Obie sprawy łączą mu się w głowie w jedną całość. To dziecinnie proste. Ktoś mi to kiedyś wyjaśnił.

– Na pewno nie zrobił tego celowo – stwierdził powoli Campion.

– Może nie. – Blest był wyraźnie ożywiony. – Niezależnie jednak od tego, nie zachował się taktownie. Jeśli chce pan znać moje zdanie, mistrz Konrad prosi się o kłopoty i wcale się nie zdziwię, jeśli się w końcu doprosi.

Campion spojrzał na niego z przerażeniem, a w pamięci zaczął mu się przesuwać ciąg pewnych zdarzeń.

– O nie – zaprotestował gwałtownie. – Nie.

Blest spojrzał na niego z ukosa.

– Coś pan ukrywa – stwierdził. – Zorientowałem się już rano. Ale proszę się nie kłopotać i nic mi nie mówić. Prędzej czy później i tak się dowiem. To dopiero początek całej afery. Czuję to w kościach.

Pan Campion westchnął i nagle zmarniał na twarzy.

– Myli się pan – powiedział, ale po chwili dodał ciężko: – A przynajmniej mam taką nadzieję.

ROZDZIAŁ 15

Drogi Campionie! [przykurczona dłoń wujcia Williama przesuwała się w szaleńczym tempie po papierze].

Od czasu Twojej dość niezwykłej rejterady pozostałem na posterunku, gromadząc wszelkie skrawki informacji, jakie udało mi się zebrać. Nie wątpię, że wiesz, co robisz, i masz dobre wytłumaczenie swojego nagłego zniknięcia. Z przyjemnością go wysłucham podczas najbliższego spotkania. Pozwól sobie powiedzieć, że jak zawsze mam do Ciebie absolutne zaufanie i jestem całkowicie przekonany, że jesteś przygotowany, by rozwiązać pomyślnie wszystkie przejściowe trudności, z którymi w ostatnim czasie się borykamy.

Obawiam się, że White Walls nie jest teraz zbyt szczęśliwym miejscem. Rower Konrada jest wciąż w szatni, jak zauważyłem dziś rano, więc przypuszczam, że wciąż jeszcze wisi nad nami widmo jego wizyty. Domyślam się, że to przygnębia Lindę, bo śmieje się dużo rzadziej niż zwykle.

Eve to dziwna dziewczyna. Swego czasu miałem nosa do kobiet, ale przyznaję, że z nią zupełnie sobie nie radzę. Coś ukrywa, jestem tego pewien. Spędzanie tylu godzin na rozmyślaniach w samotności nie jest rzeczą naturalną dla dziewczyny w jej wieku. W 1920 (pamiętasz zapewne, że prosiłeś, żebym zwrócił szczególną uwagę na tę datę) miała roczek i mieszkała z ukochaną mamą w Poole, a Jimmy przebywał w tym czasie na kontynencie. Później została wysłana do szkoły przyklasztornej w West Country. Matka zmarła, jak Eve miała osiem lat. Od tego czasu opiekowały się nią poczciwe zakonnice. Dwa lata temu brat przystał na jej prośbę i pozwolił jej pójść do szkoły plastycznej w Londynie. Ukończyła ją, a teraz ma podobno kontynuować naukę w Paryżu. Z tego, co sobie przypominam, miasto średnio nadaje się na to, by posyłać tam bez żadnej opieki młodą dziewczynę, ale nie wątpię, że bardzo się zmieniło. Wojna przygnębia, ale i oczyszcza. Wielka strata w przypadku Paryża, ale co zrobić.

Wracając do dziewczyny. Jej ospałość mnie zastanawia. W wieku siedemnastu lat człowiek powinien być ciągle zajęty, powinno go wiecznie gdzieś ciągnąć, krew powinna się w nim burzyć, ale po niej nie widać chęci do dalszej nauki na akademii, mówi o tym bez specjalnego entuzjazmu. Rozgryzę ją, oczywiście z całą delikatnością, ale na tę chwilę pozostaje dla mnie zagadką.

Jimmy przyjeżdża codziennie i z każdą chwilą wygląda na coraz bardziej zrozpaczonego. Czasem mam wrażenie, że tylko praca i nieustraszona odwaga utrzymują go przy życiu. Młody Petrie na przemian pojawia się i znika, w nowym samochodzie, bo poprzedni służył mu już aż nadto długo i trafił ostatecznie na złom. Odwiedził nas też Richard Poyser, człowiek, któremu nie potrafię jakoś do końca zaufać. Przyjechał na lunch i zdawał się bardzo poruszony jakimś bzdurnym artykułem, który młody Konrad podpisał swoim nazwiskiem za namową jakiegoś przeklętego pismaka. Przeczytałem to i muszę przyznać, że nie rozumiem, o co tyle krzyku, ale zarówno Poyser, jak i Jimmy uznali to za bardzo niefortunne zdarzenie. Oczywiście człowiek łatwo zapomina, że Sztuka to wymagający preceptor, a gdy człowiek pokroju Jimmy'ego jest przemęczony, „łatwo niedźwiedzia w każdym ujrzy krzaku"*, jak mawiał mój wielki imiennik.

Squire Mercer z typową dla siebie bezdusznością i – jak mi się zdaje, mogę to określić – cholernym samolubstwem poleciał do Paryża na jakieś przyjęcie, ale ma podobno wrócić pod koniec tygodnia, choć na pogrzeb raczej nie zdąży. Jedynymi zadowolonymi osobami w tym domu są ta mała i Twój Lugg. Jak można się było spodziewać, wyrabia się i przywiązał się też do małej Sarah, którą z uporem nazywa „młodą panienką", co najwyraźniej sprawia obojgu wielką frajdę. Mam czasem wrażenie, że wyczuwam w tym nutkę sarkazmu, ale dziewczynka chyba bardzo go polubiła, co dobrze świadczy o jego sercu i jest zaletą, która w moim przekonaniu równoważy aż nadto wszelkie inne niedociągnięcia.

---

* Fragment *Snu nocy letniej* Williama Szekspira w przekładzie Leona Ulricha.

Mimo że zachowują się dość głośno, gdy ćwiczą wspólnie otwieranie drzwi gościom czy odpowiadanie na wezwanie, myślę, że Linda jest bardzo z niego zadowolona. Lugg bez wątpienia wnosi do tego smutnego, nieszczęśliwego domu odrobinę radości.

Mam nadzieję zobaczyć Cię na pogrzebie Chloe Pye.

(Ta kobieta musiała być za życia istnym utrapieniem, a jej śmierć niczego najwyraźniej w tej materii nie zmieniła. De mortuis!*).

Jadę do Londynu z Jimmym. Krewna, która wydaje się bardzo przeciętną osobą (zdaje się, że ją poznałeś), zażyczyła sobie, żeby wszyscy związani ze śmiercią bądź pracą zmarłej zjawili się na pogrzebie. Jimmy naturalnie nie chce jej w żaden sposób urazić i z tego, co zrozumiałem, on sam wraz ze wszystkimi odtwórcami głównych ról z mojego przedstawienia, a także całe towarzystwo zgromadzone w White Walls ma odprowadzić trumnę na miejsce wiecznego spoczynku. Bardzo mi zależy, żebyś zrobił, co do Ciebie należy, i też się zjawił. Plan jest taki, że pójdziemy za karawanem na cmentarz, a potem wrócimy na kilka minut do domu. Wyraziłem swój sprzeciw co do tego drugiego pomysłu, bo wydaje mi się zupełnie zbędny, jako że – dzięki Bogu – nie jesteśmy na szczęście w żaden sposób spokrewnieni, ale poczciwa pani Pole była pod tym względem stanowcza, a Jimmy zdecydował się jej we wszystkim ustępować, co w zasadzie jest bardzo mądrym posunięciem. Mam zatem nadzieję ujrzeć Cię na Portalington Road 101 jutro, czyli w piątek, za pięć druga. Liczę, że nie sprawisz nam zawodu. Śpiewałem Jimmy'emu takie peany na Twoją cześć, że czuję się osobiście odpowiedzialny.

Kreślę wyrazy szacunku, Drogi Chłopcze.

Uwierz, że zawsze Ci oddany

WILLIAM R. FARADAY

PS Wróciłem do listu po spacerze w ogrodzie. Podczas tej przechadzki dokonałem dość dziwnego odkrycia. Zapewne okaże się

---

* De mortuis aut bene aut nihil [łac.] – o umarłych (należy mówić) dobrze albo wcale.

ono jedynie przykładem uroczej idylli autorstwa jakiegoś prostacz-
ka, ale i tak Ci o nim opowiem, a Ty zrobisz, co zechcesz. Zba-
czając ze swojej zwykłej trasy wokół ogrodu kwiatowego i jeziorka,
wybrałem ścieżkę wiodącą przez plantację. Rosną tam przepiękne
drzewa, których widok przypomina mi, jak za dzieciaka chodzi-
łem na poszukiwania ptasich gniazd. Mimo że sezon lęgowy już się
skończył, postanowiłem spróbować swojego szczęścia i przekonać
się, czy pozostało coś jeszcze z mojej dawnej spostrzegawczości.
Uznasz zapewne, że to dość niemądre, ale w pewnym sensie do-
brze, że taki pomysł przyszedł mi do głowy, bo szybko znalazłem
tegoroczne gniazdo drozda, które znajdowało się w zasięgu ręki
na rozwidleniu gałęzi młodego wiązu. Wsadziłem rękę do środka
i nie uwierzysz, co wyciągnąłem – kawałek papieru! Była to zwykła
biała kartka z notatnika, a ktoś nagryzmolił coś na niej ołówkiem
w takim pośpiechu, że nie byłbym w stanie od razu rozpoznać
pisma, nawet gdybym je znał, a raczej nie znałem. Przepisałem
tekst do swojego notatnika, z którego kartkę dołączam do listu,
wykorzystasz to wedle uznania. Liścik odłożyłem na miejsce, bo
uznałem, że lepiej go nie zabierać. Ale zapamiętałem dość dobrze
pismo, więc możesz być pewny, że będę się rozglądać za ręką, któ-
ra je napisała.

W.F.

Na załącznik składała się kartka wyrwana z kieszonkowego terminarza. Tekst zapisany nierównym pismem wujcia Williama był krótki, ale zdumiewająco konkretny. Drugą stronę kartki wujcio opatrzył krótkim wyjaśnieniem: „Znalezione w czwartek po południu, w ptasim gnieździe na rozgałęzieniu drzewa, ćwierć mili (szacunkowo) od granicy posiadłości White Walls”.

Na tekst składała się pojedyncza linijka, przejmująca nawet po zapisaniu drżącą ręką wujcia.

„Kocham Cię. Kocham Cię. Ależ Cię kocham.

ROZDZIAŁ 16

Powietrze w małym pokoju z wykuszem i czystymi, twardymi tapicerowanymi meblami było ciężkie od zapachu kwiatów. Słodka woń unosiła się w całym domu, maskując częściowo pozostałe zapachy – jedzenia przygotowywanego w kuchni, kamfory, bejcy do podłóg i przykrego, nieprzyjemnego zapaszku wilgotnych chusteczek. Płatki leżały rozsypane na sztucznym parkiecie w jadalni, na sztucznym chińskim dywanie w salonie i na sztucznym perskim chodniczku w korytarzu. Leżały też na wąskiej klatce schodowej, po której eleganckich czerwonych stopniach sprowadzono niecałą godzinę temu wyszukaną trumnę z posrebrzanymi uchwytami, kolebiącą się niebezpiecznie na boki.

Było już po wszystkim. Chloe Pye nie żyła. Pochłonęła ją ohydna, żółta ziemia cmentarna. Tłum, który zjawił się ze względu na jej nazwisko, profesję, przyczynę śmierci czy sławę żałobników, rozszedł się z szuraniem, potykając o bezimienne groby lub przystając leniwie, aby przeczytać napisy na co bardziej wystawnych nagrobkach.

Campion stał przy kominku w salonie, przekrzywiając lekko głowę, żeby nie łaskotały go frędzle wiszącego świecznika. Pomieszczenie było zatłoczone do granic możliwości, podobnie jak dwa pozostałe pokoje na parterze, ale nie było słychać pomruku rozmów, który łagodziłby fizyczny dyskomfort. Ponury, przyobleczony w czerń tłum stał żałośnie w potwornym ścisku, ocierając się o siebie ramionami, piersiami, brzuchami i plecami oraz odzywając przyciszonym, chropawym i zawstydzonym głosem.

Na zalanej słońcem podmiejskiej uliczce czekało wciąż kilka osób. Były wyraźnie zaciekawione, ale przez wzgląd na charakter uroczystości zachowywały milczenie i dobre maniery. Do przeszłości należała już ta podniosła chwila, gdy żółwim tempem ruszyła procesja z czarnymi końmi, srebrnymi zdobieniami i przeszklonym karawanem obsypanym kwiatami, ze staroświeckimi czarnymi pióropuszami przypominającymi szczotki kominiarskie. Pierwsza próba wielkiej gali pani Pole dobiegła końca, ale można było jeszcze rzucić okiem na kilku znanych żałobników, którzy przebywali w jej domu. Na znak szacunku w domach wzdłuż ulicy we wszystkich dolnych pokojach zaciągnięto zasłony, ale zza siatkowych zazdrostek w oknach sypialni wyglądały błyszczące, wścibskie oczy, a w domu po lewej dało się dostrzec nagły błysk, gdy popołudniowe słońce zalśniło na szkłach teatralnej lornetki.

Wychudła pokojówka z czarną naramienną bransoletką na czarnej sukience, w towarzystwie spoconego kelnera wynajętego z pobliskiej restauracji przeciskała się przez tłum z tacami zastawionymi kielichami ze szkarłatnym porterem i bladożółtą sherry. Podchodząc do gości, szeptali nie do końca zrozumiałą formułkę, z której wynikało, że na kredensie w jadalni czeka whisky i woda, „jeśli któryś z dżentelmenów miałby ochotę".

Sutane stał na dywaniku przed kominkiem, na pozór spokojny. Pod skórą głowy rysowały się mu wyraźnie kości czaszki, ale pozbawione wyrazu, ciemne oczy przyglądały się kłębiącym tłumom nieruchomo i ponuro. Ciężko było stwierdzić, czy o czymkolwiek myśli. Wujcio William utknął w ścisku po drugiej stronie pokoju. Między dwoma czarnymi kapeluszami Campionowi mignęła jego nieprzystająca do sytuacji różowa twarz i wesołe niebieskie oczka. Nie próbował się ruszyć, bo w tym celu musiałby przejść pomiędzy małą grupką osób otaczającą panią Pole, jej syna i masywną córkę, grubą i onieśmieloną, w ohydnym czarnym kostiumie, z galanterią i stoickim heroizmem młodości na krok nieodstępującą matki.

Pani Pole triumfowała, wyraźnie zadowolona, niemniej jednak grała swoją rolę i nie dawała po sobie poznać przepełniającej ją cudownej satysfakcji, bo mogłoby to zepsuć jej piękny popis żałoby – znoszonej z godnością i wytrwałością.

W chwili, gdy fizyczny dyskomfort i psychiczny niepokój osiągnęły najwyraźniej swój szczyt, w stronę Sutane'a zaczęła się przeciskać przez ciżbę kobieta z kieliszkiem w dłoni. Stanęła tuż przed nim i spojrzała na niego, podnosząc przy tym głowę delikatnym, przebiegłym, potajemnym ruchem, przez co jej twarz znalazła się tuż poniżej jego twarzy. Był to przedziwny ruch, zalotny i wstydliwy zarazem, a do tego ani trochę przyjemny.

Campion spojrzał na nią i doznał lekkiego szoku, wypływającego częściowo z odrazy, a częściowo ze złości na samego siebie za to, że ją odczuwa.

Kobieta miała bladą, nalaną twarz, a ciało wychudzone i przygarbione. Luźny czarny żakiet nie był zbyt czysty, ale małą woalkę przy kapeluszu ułożyły niewątpliwie zręczne palce. Jej oczy były załzawione i nieruchome, a jeden kącik ust drgał złowieszczo.

– Proszę, proszę, Jimmy – powiedziała. – Nie poznajesz mnie?

Sutane wpatrywał się w nią, a Campion dostrzegł z miejsca, w którym stał, przerażenie i zdumienie malujące się na jego twarzy.

– Eva – odezwał się.

Kobieta roześmiała się i uniosła w jego stronę kieliszek. Była już prawie pijana.

– Mała Eva we własnej osobie – potwierdziła. – Przez wzgląd na dawne czasy przyszłam zobaczyć ostatnie chwile tej biedaczki. Wszystko się zmieniło, nieprawdaż, i dla niej, i dla mnie – i dla ciebie też, staruszku. Doskonale ci się wiedzie, prawda? Dyrektor West Endu, no no...

Nie podniosła głosu, ale ponieważ była jedynym gościem, który miał komuś do powiedzenia coś konkretnego, wszyscy automatycznie zaczęli się przysłuchiwać. Zorientowała się, że zapadła cisza, i odwróciła się do zebranych tylko odrobinę zbyt gwałtownym ruchem. Osoby stojące tuż za nią wyraźnie się zakłopotały i zaczęły szybko o czymś ze sobą rozmawiać. Kobieta odwróciła się znów do Sutane'a.

Trochę później miała się stać groteskową i odrażającą postacią o zamaszystych ruchach i bełkotliwej, niewyraźnej mowie, teraz jednak stanowiła tylko jej zapowiedź. Podeszła trochę bliżej.

– Przypuszczam, że nie znajdziesz miejsca dla małej, bystrej subretki, która zna się na rzeczy? – mruknęła i uśmiechnęła się nagle gorzko, dostrzegając odruchową reakcję na jego twarzy. – W porządku, Jimmy, tylko żartowałam. Nie byłabym już w stanie wyjść na scenę. Zeszłam na psy. Widać, prawda?

Znów się roześmiała i najwyraźniej chciała mówić dalej. Sutane uprzedził ją. Campion chyba nigdy nie widział go tak zdenerwowanego.

– Gdzie teraz mieszkasz?

– Z moją starą mamuśką – ze starą Emmą, pamiętasz ją? – Bez trudu pozwoliła na zmianę tematu i ciągnęła tym samym konfidencjonalnym tonem, jakby wyjawiała jakieś sekrety. – Żyjemy w dzielnicy biedoty w Kensington. Zapomniałeś już, jak to jest. Pamiętasz może, jak wybraliśmy się na łódkę z Chloe i Charlesem? To były dobre czasy – wieki temu.

Urwała, a Campion z nagłym zainteresowaniem wbił wzrok w przeciwległą ścianę, bo wiedział, że Sutane na niego patrzy. Kobieta mówiła dalej.

– Biedna Chloe! Nigdy nie sądziłam, że będzie pierwsza. To ja powinnam leżeć w grobie. Nie jestem już w stanie sama wychodzić. Nie byłoby mnie tu, gdyby nie pewna osoba. Miły chłopak, że odnalazł starą znajomą Chloe i przywiózł ją, by mogła się pożegnać z przyjaciółką. Ma mnie też odwieźć z powrotem. Musi, bo sama nie wrócę. Tam jest. O tam. Mały Benny Konrad. Nigdy wcześniej go nie widziałam. Ale to miło z jego strony, prawda?

Jej słaby, niewyraźny głos ucichł, a ona objęła Sutane'a w pasie wiotką dłonią w obcisłej, wypłowiałej dziecięcej rękawiczce.

– Do zobaczenia, staruszku – pożegnała się i ponownie obdarzyła go swoim osobliwym, zapuchniętym uśmiechem, zabarwionym przyprawiającą o mdłości kokieterią. – Może wypijemy kiedyś za stare czasy?

Słowa te miały niewiele wspólnego z pytaniem, ale w goryczy i rezygnacji w jej głosie tlił się wątły płomyk nadziei, który zaraz potem zgasł, a Eva uśmiechnęła się sama do siebie. Ruszyła niepewnie w kierunku Konrada, a tłum rozstępował się przed nią.

Sutane brzęknął monetami w kieszeni, spojrzał ostro na Campiona, który nie patrzył w jego stronę, i zaczął zbierać się do wyjścia.

– Campion, lepiej już chodźmy – powiedział cicho. – Chodźmy.

Pan Campion podążył za nim z osobliwą niechęcią. Podeszli do pani Pole w chwili, gdy zrobiło się akurat małe zamieszanie. W drzwiach pojawiła się znów pokojówka, unosząc ponad głowami gości pakunek z kwiaciarni. Postąpiła rozsądnie, bo panował duży ścisk, ale nadało to jej wejściu wrażenie triumfu, które było zupełnie nie na miejscu. Służąca przecisnęła się do swojej pani w tej samej chwili co Sutane i Campion, którzy mimowolnie usłyszeli przekazaną szeptem wiadomość.

– Goniec właśnie to przyniósł, madame. Powiedział, że zamówienie trochę się opóźniło. Czy zechciałaby pani otworzyć?

Pani Pole wzięła od niej delikatny pakunek i otworzyła go z namaszczeniem i nieodwołalnością, które uznała ewidentnie za idealnie dopasowane do swojej tragicznej roli. Na podłogę wypadł duży bukiet fioletowych fiołków, a jej córka przykucnęła, żeby je podnieść, oblewając się przy tym bolesnym rumieńcem. W rozdartym opakowaniu pani Pole znalazła bilecik, który odczytała na głos.

– „Dla Chloe od Petera – «Żeśmy podobni bardziej niż bliźnięta»”.

Cytat zaintrygował ją i powtórzyła go, obracając bilecik w dłoniach, jakby spodziewała się znaleźć z drugiej strony jakieś wyjaśnienie. Poirytowana wzruszyła pulchnymi, czarnymi ramionami i wytłumaczyła sobie tajemnicę po swojemu.

– Bez wątpienia od kogoś, kto ją znał – skomentowała. – Miała wielu przyjaciół. Wielka szkoda, że przyszły tak późno, bo pojechałyby z pozostałymi. Włóż je do wody, Joannie. Jeśli znajdę czas, zaniosę je jutro na grób. Jakie mnóstwo kwiatów!

Gdziekolwiek jest, myślę, że się cieszy. Pan już idzie, panie Sutane? Bardzo to miłe z pana strony, że pan przyszedł. Wiem, że cieszyłaby się, widząc was tu wszystkich. Biedactwo!

Aktor uścisnął dłoń gospodyni i mruknął kilka stosownych frazesów. Campion, któremu także nie brakowało ogłady, podziwiał jego elegancję i łatwość w obejściu. Gdy przeciskali się do drzwi, córka pani domu podążyła zadyszana za nimi, trzymając w ręce bukiecik od Petera Brome'a.

Minęli tłumek gapiów przed żelazną furtką, zauważając przy tym, że poszturchują się nawzajem i wpatrują w Sutane'a z udawaną obojętnością. Byli już w połowie rozgrzanej szerokiej ulicy w drodze do rzędu taksówek, gdy zrównał się z nimi wujcio William. Dyszał lekko i wciąż jeszcze wymachiwał świeżo wyprasowaną białą chusteczką.

– Nie gniewam się, że o mnie zapomnieliście – wysapał. – Przygnębiające przeżycie. Cieszę się, że się wyrwałem. Gdyby żałoba była autentyczna, sytuacja byłaby straszna, choć i tak znośniejsza od tej. Nie tak żenująca. Nie czułem się równie zakłamany od czasów, gdy jako dziecko uczestniczyłem w podobnej uroczystości – bardziej kulturalnej, rzecz jasna.

Ostatnia uwaga została wypowiedziana jakby na stronie, bez wątpienia w ramach pojednawczej ofiary składanej zmarłemu krewnemu.

Sutane nie odezwał się od razu. Szedł szybkim krokiem z głową pochyloną do przodu i z rękami w kieszeniach. Twarz miał posępną, a Campion bez trudu się domyślał, o czym myśli.

– Potworne – odezwał się nagle. – Potworne. Człowiekowi odechciewa się umierać. Weźmiemy tamtą taksówkę. Campion, jest pan mi potrzebny. Niech pan nie ucieka.

W jego głosie pobrzmiewała dawna nerwowa autorytatywność, której można się było jedynie przeciwstawić, ale na pewno nie dało się jej zignorować. Pan Campion wpakował się do taksówki za wujciem Williamem, czując, że popełnia ogromny błąd.

Gdy już zajęli miejsca, Faraday wyciągnął staroświecką cygarnicę i z powagą poczęstował każdego half coroną.

– Dobra pora na historię z dreszczykiem – rzucił niespodziewanie. – Trzeba wrócić do normalności. Szkoda, że takie rzeczy zawsze wylatują mi z głowy. Tak czy inaczej, w tej sprawie możemy już umyć ręce. Koniec. Odegraliśmy naszą rolę. I to jak należy. Zabieram was obu do mojego klubu. Nie przyjmuję odmowy. Nieczęsto z niego korzystam, ale klub wciąż istnieje. To jedyne miejsce, w którym o tej godzinie można się napić.

Droga powrotna do miasta była ciężka. Campion chciał uciec, a jednocześnie dziwnie nie miał ochoty na żaden zdecydowany krok w tym kierunku. Sutane siedział milczący i naburmuszony. I tylko wujcio William miał przed sobą konkretny cel.

W końcu rzeczywiście udali się do klubu na Northumberland Avenue – przedziwnego przybytku, który w pierwszej chwili robił wrażenie skrzyżowania katedry ze starą Café Royal. Siedli w ciemnym kącie baru, popijając whisky z wodą i mówiąc coś tylko od czasu do czasu, ale nawet wtedy robiąc to szeptem.

Sutane wstał, żeby zadzwonić do teatru, gdzie trwały właśnie próby *W rytmie swinga*, ale przed wyjściem spojrzał znacząco na gospodarza.

– Wbił sobie do głowy, że chcesz się zmyć – mruknął wujcio William. – Biedak jest kłębkiem nerwów. Cieszę się, że przyjechałeś na pogrzeb. Po moim liście nie miałem wątpliwości, że to zrobisz. Żałosne wydarzenie. Trzeba jednak stawić temu czoło. Ta głupia kobieta sprawiła nam mnóstwo kłopotów. Od początku podejrzewałem, że tak będzie. Co sądzisz o moim odkryciu?

– Tym z ptasiego gniazda?

Wujcio William pokiwał głową, nadając swojej różowej twarzy poważny wyraz.

– Tak. Podejrzana sprawa. Nie wstydzę się przyznać, że byłem zaskoczony. Może to nic takiego, ale zdziwiło mnie. Tak jakby ktoś szepnął człowiekowi coś do ucha. Byłem sam w lesie…

wszędzie tylko zieleń i słońce. Musisz wiedzieć, że w głębi duszy jestem romantykiem. Zawsze tak było.

Campion w żaden sposób nie skomentował tego ostatniego wyznania. Nie wiedział, co właściwie mógłby rzec. Starszy pan odstawił szklankę.

– Zastanawiałem się nad tym – powiedział. – Myślałem, że może się okaże, że to któraś ze służących ma romans. Postanowiłem to rozpracować na wypadek, gdyby jednak było inaczej. Kartka jeszcze tam jest. Zerknąłem na nią znów dziś rano, ale z samego pisma nic się nie da wywnioskować. Pisane niestarannie i byle jak ołówkiem, równie dobrze może należeć do kobiety, co do mężczyzny. Ale na pewno nie do Lindy.

Pan Campion wyprostował się gwałtownie.

– Oczywiście, że nie.

Wujcio otworzył szeroko swoje jasnoniebieskie oczy i spojrzał nadspodziewanie przenikliwie na młodszego mężczyznę.

– Wszystko jest możliwe – stwierdził. – Na tym świecie trzeba być przygotowanym na wszystko, tego się w życiu nauczyłem. Przyjrzałem się dokładnie jej pismu i jest naprawdę osobliwe. Od razu je można rozpoznać. Dziwnie kanciaste. Skoro nie mogłem zabrać kartki, bo mogłoby to wzbudzić podejrzenia, postanowiłem ruszyć głową, Campion. I oto do jakich wniosków doszedłem. Przede wszystkim po treści. Pamiętasz, co tam było napisane? To dobrze. A więc po treści widać, że to albo bardzo młody mężczyzna, albo kobieta. Zakochana kobieta jest w stanie napisać prawie wszystko. Przekonałem się o tym na własnej skórze. Znakomity argument za tym, żeby w ogóle nie uczyć kobiet trzymać pióra w dłoni. Mężczyźni są ostrożniejsi. To u nich wrodzone. Chłopcy z kolei są inni. Gdy miłość złapie chłopaka w swoje sidła, zamienia go w młodego osła. Nadążasz, Campion?

– Bez trudu. Mówisz, że drzewo znajdowało się na terenie posiadłości, tak?

Faraday westchnął.

– Widzę, że za bardzo się rozwlekam jak na twój gust – zauważył z żalem. – Wszystko rozpracowałem. Krótko mówiąc, myślę, że to Eve. Jest w odpowiednim wieku.

– Eve? W kim?

– W tym problem. – Wujcio pokręcił głową. – Będę obserwować to drzewo.

Umilkł, a w jego jasnych oczach odmalował się namysł i życzliwość.

– Biedna mała – dodał. – Może nie ma to nic wspólnego z badaną przez nas sprawą, ale wyjaśniałoby nocne hałasy w ogrodzie i ślady stóp rano. Ale uszanujemy jej sekret.

Pan Campion pomyślał o Eve Sutane.

– W Socku – powiedział głośno. – A nawet w Konradzie.

– Dziewczyna musiałaby mieć nierówno pod sufitem, żeby pisać listy miłosne do Konrada. Straciłaby całą moją sympatię – szepnął bezceremonialnie wujcio. – To może być ktokolwiek. Potajemny romans ma w tym wieku ogromny powab. Może to ktoś z sąsiadów. Nikogo nie należy wykluczać – stajennych, ogrodników, nikogo... Pamiętasz moją siostrę, Julię, tę przy kości – poznałeś ją przy okazji tej paskudnej sprawy z Andrew – właśnie, więc ona, no wiesz... o Boże, tak! Swego czasu była o to wielka awantura. Biedaczka wypłakała sobie oczy. Musiałem wracać do szkoły. Nigdy nie poznałem wszystkich szczegółów. W tamtych czasach matki były matkami – zaburczał, po czym zamilkł.

– Zostaw to mnie – szepnął, gdy siedzący w pobliżu mężczyzna spiorunował go wzrokiem. – Jeśli to coś poważnego, dowiem się. Jeśli nie, mam nadzieję, że będę mógł utrzymać język za zębami. Delikatna sprawa, ale w dobrych rękach.

Spojrzał na swoje pulchne niedźwiedzie łapska i splótł je razem. Campion uśmiechnął się.

– Możecie się tym zająć razem z Blestem – powiedział. – Muszę już iść. Przykro mi, że nie byłem w stanie bardziej pomóc.

Wujcio William złapał go za rękaw.

– Nie, chłopcze – zaprotestował z powagą. – Wydaje mi się, że mniej więcej wiem, w czym leży problem, ale żołnierz nie może opuszczać posterunku, prawnik nie może porzucać klienta, a dżentelmen musi wywiązać się ze swoich zobowiązań. Rozmawiam teraz z tobą jak mężczyzna z mężczyzną. To zasada stara jak świat. W dzisiejszych czasach często się z niej kpi, ale ona i tak nieźle się trzyma. Jimmy, porządny facet, ma kłopoty. Nie wiem, w czym rzecz, ale czuję to. Większe, niż sądziłem. Pomyśl o nim. Porządny facet. Zmartwiony. Przestraszony. Być może zmuszony robić rzeczy, o których w normalnych okolicznościach nawet by nie pomyślał. Zobowiązałeś się mu pomóc. A jeśli mogę sobie pozwolić na osobistą uwagę, trzeba też pamiętać o moim przedstawieniu. Jeśli Jimmy'emu coś się stanie, będę musiał wrócić do Cambridge i przejść na emeryturę… cholerna nuda dla człowieka, który w wieku sześćdziesięciu lat wreszcie zakosztował prawdziwego życia. Ale już nie przynudzam. Mam na uwadze wszystkich, a przede wszystkim ciebie. Kochany, dobry chłopak. Przypominasz mi niesamowicie mnie samego z czasów młodości. Nie smuć się, chłopcze! O! Wraca Sutane…

ROZDZIAŁ 17

O dziewiątej wieczorem Campion i Sutane wciąż siedzieli razem i wciąż czuli się w najwyższym stopniu zakłopotani swoją obecnością. To był bardzo krępujący wieczór. Wujcio William pilnował Campiona i tego, z czego jego zdaniem powinien się on wywiązać, robiąc to z oddaniem i uporem owczarka staroangielskiego. Zgodził się ich opuścić, dopiero gdy nieuchronnie zaczęła nadciągać godzina odjazdu ostatniego pociągu do Birley.

Zostawił ich w Savoyu i wyszedł, zatrzymując się jeszcze w drzwiach, żeby ostatni raz napomnieć wzrokiem starego przyjaciela. Sutane zmrużył swoje ciemne, ale pozbawione ciepła oczy, a na jego skrzywionych ustach pojawił się blady uśmiech.

– Kochany staruszek – zauważył. – Osioł *par excellence*.

Campion pokiwał nieuważnie głową. Chwila, do której powoli, acz nieubłaganie zmierzał cały dzień, wreszcie nadeszła. Żałował, że okazał się tak żałośnie słaby i nie uciekł zaraz po pogrzebie. Nie miał ochoty zamieniać się w powiernika Sutane'a. Nie miał ochoty zobowiązywać się do zachowania tajemnicy, skoro już wcześniej powziął taką decyzję. Z jego strony było po wszystkim. Chloe Pye leżała bezpiecznie w grobie, a Campion nie chciał się dowiadywać, jak naprawdę zginęła.

Sutane zerknął na zegarek.

– Chciałbym zajść do teatru, jeśli nie ma pan nic przeciwko – powiedział. – Nie grałem dzisiaj z powodu pogrzebu. Mam wrażenie, że oczekiwano ode mnie takiego gestu. Dzięki temu mogę się przekonać, jak wygląda przedstawienie w wykonaniu Konrada. Nie będzie rzecz jasna puszczał w ruch ruletki. Nie chcemy, żeby zrobił z siebie idiotę albo złamał sobie kostkę.

Ostatnia uwaga, niezwykle ludzki przejaw słabości, która wymknęła mu się mimo woli, zawstydziła go w tej samej chwili, w której ją wypowiedział. Roześmiał się i rzucił przepraszające spojrzenie swoich smutnych, inteligentnych oczu. Campion poczuł do niego nagłą sympatię, co wcale mu się nie spodobało, bo miał wrażenie, że to diabelnie niesprawiedliwe.

Poszli do teatru, odsuwając nieprzyjemną chwilę o kolejne dwadzieścia minut. Gdy stanęli z tyłu w loży, Konrad znajdował się akurat na scenie. Wykonywał ze Slippers *Zostaw to mnie* z pierwszego aktu. Widownia była przyjacielska i zadowolona, ale zawiedziona nieobecnością Sutane'a, a skomasowane rozczarowanie sprawiało, że w głównej części sali panowała chłodna, ciężka atmosfera.

Campion z zainteresowaniem patrzył na Konrada. Był sprawny technicznie i zdolny, a jego występ sprawiał dużą przyjemność, tyle że brakowało mu ikry. Na scenie odczuwało się nieobecność osobowości, która przykułaby uwagę milczącej widowni i zaskarbiła sobie jej sympatię. Przydałoby się trochę uniesienia. Brakowało nieodpartego i nieodwołalnego uroku. Cała magia zniknęła. W latarni zgasło światło. Slippers była płomienna jak zwykle, ale partner nie podsycał i nie wzmagał jej wątłego płomyka. Raczej go przygaszał, odsłaniając niepewną naturę jej skromnego talentu.

Towarzyszący Campionowi tancerz westchnął. Zrobił to bardzo wymownie, głównie z żalem, ale też z wyraźnie wyczuwalną nutką satysfakcji.

– To nie to – stwierdził cicho. – Wiedziałem. I biedak też wie.

Wrzawa po opadnięciu kurtyny zagłuszyła jego głos. Nie dochodziła z głównej części widowni ani z balkonów, gdzie publiczność wyraziła swoje uznanie uprzejmymi, choć raczej chłodnymi oklaskami, ale z parteru i z galerii, które – przynajmniej częściowo – zapełniał oszalały z zachwytu tłum. Oklaski były burzliwe i trochę za bardzo się przeciągały. Slippers i Konrad zostali dwukrotnie wywołani na scenę. Przed kurtyną Konrad był zawstydzony jak mały chłopiec. Jego pełen wdzięczności i zaskoczenia uśmiech był skromny i szczery. Parter wynagrodził go za to dodatkowymi oklaskami.

Gdy Sutane spojrzał w górę na ciemną galerię, oświetliła go padająca ze sceny poświata. Jego twarz wyrażała niepokój, ale nie gniew.

– Znów ci cholerni klakierzy – powiedział. – To bardzo niemądre z jego strony. Nie może sobie na to pozwolić.

Zostali jeszcze, żeby zobaczyć, jak kurtyna znów idzie w górę i odsłania Pałac Aleksandry, chór w wysokich kozakach i wrotki, które pomagały Rosamundzie Bream i Dennisowi Fullerowi odegrać sparodiowaną wersję słynnej już *Eskapady baraniej nogi* ze wspomnień wujcia Williama. W trakcie numeru z podwiązkami, żartu, który śmieszył widzów tylko z tego powodu, że ich ojcowie mogli uznać coś takiego za zabawne, Sutane dotknął rękawa Campiona i dał znak, żeby udali się za kulisy.

Na korytarzu kilka osób rozpoznało aktora i skinęło mu z zaskoczeniem głową, ale nikt nie zatrzymał wielkiego tancerza. Gdy zamknęły się już za nimi drzwi garderoby, jego nastrój wcale nie uległ poprawie.

– Niech pan posłucha – powiedział, wskazując gościowi fotel i rozglądając się za cygarnicą, żeby go poczęstować. – Jestem panu winny wyjaśnienia.

– Nie – rzucił Campion ze stanowczością, która zaskoczyła jego samego. – Nie wydaje mi się. Obawiałem się właśnie, że będzie chciał mi pan coś tłumaczyć, ale szczerze mówiąc, nie wydaje mi się to konieczne.

Urwał raptownie.

Aktor wpatrywał się w niego nieruchomo. Odkąd Campion miał okazję poznać go prywatnie, jego szerzej znana osobowość sceniczna prawie wyleciała mu z pamięci, ale teraz przypomniał sobie o niej z wielką siłą. W teatrze Sutane odzyskiwał swoje niezwykłe, hipnotyzujące ja. Znów wydawał się odrobinę nierzeczywisty: jego osobliwe cechy fizyczne uwypuklały się, a niespokojny, silny charakter był niebezpiecznie zbliżony do pudełka dynamitu.

– Drogi panie – nalegał. – Musi mnie pan wysłuchać.

Odgarnął jakieś drobiazgi z toaletki i przysiadł na uprzątniętym blacie. Jedną stopę wsparł na siedzeniu krzesła, a smukłe, ekspresyjne dłonie pozostawił wolne, by mogły akcentować jego słowa.

– Kłamałem, mówiąc, że poznałem Chloe Pye dopiero, gdy zaczęła grać w *Ramolu* – wyznał.

Campion zauważył mimochodem, że aktorskie zdolności Sutane'a nie umniejszały wcale dramatyzmu jego słów.

– Okłamałem doktora. Kłamałem podczas składania zeznań w sądzie. Znałem ją bardzo dobrze jakieś szesnaście czy siedemnaście lat temu.

– Zgadza się. – Campion nie miał ochoty udawać zdziwienia.

Jego apatyczna reakcja zirytowała Sutane'a, ale tylko w pewnym przedziwnym zawodowym wymiarze, więc pospiesznie podjął temat, gubiąc słowa i nadając im ostre, beznamiętne brzmienie.

– Naturalnie domyślił się pan tego. Słyszał pan dziś po południu moją rozmowę z tą nieszczęsną kobietą. Konrad odszukał ją, żeby dać upust własnym kompleksom. Była straszna, wiem – okropna! Przyprawiała mnie o dreszcze. Nie widziałem jej od piętnastu lat. Za czasów, gdy ją znałem, była wesołą osóbką, pełną życia, błyskotliwą i samodzielną. A dziś – widział ją pan? Przypominała gnijące zwłoki. Poznałem Chloe w Paryżu w 1920 albo 21 roku, nie pamiętam dokładnie.

Campion poruszył się i z ogromnym wysiłkiem wyrwał się spod przytłaczającego uroku silniejszej osobowości.

– To bez znaczenia – wtrącił i spojrzał Sutane'owi w twarz. – Nie chcę wiedzieć. Nie interesuje mnie to.

Tancerz siedział w zupełnym bezruchu, urażony i zraniony. Jego bolesne rozczarowanie miało w sobie coś z rozczarowania dziecka i przydawało mu uroku.

– Żyłem z tą kobietą – zawołał nagle. – Mieszkałem z nią przez dwa lata. Graliśmy razem w wodewilu. Występowaliśmy w Kanadzie i Stanach.

Campion odetchnął. Jego blade oczy ukryte za dużymi okularami nabrały nowego, przezornego wyrazu. Rozmowa nie toczyła się spodziewanym torem. Stał się cud. Sutane się nie zwierzał. Sutane mu nie ufał. Odkrycie to zalało go błogosławioną falą ulgi. Aktor na szczęście w dalszym ciągu nie był jego przyjacielem.

– Tak? – spytał łagodnie.

Sutane usiadł z powrotem.

– Wiedziałem, że mnie pan wysłucha. Chciałem to panu powiedzieć. Cóż, w końcu się rozstaliśmy – wie pan, jak to jest. Chloe przestała być olśniewającą gwiazdą, do której się przykleiłem. Miałem dość roli „i przyjaciele" na afiszach. Nasze drogi się rozeszły. Ona pojechała na wschód Stanów Zjednoczonych, a ja wróciłem i zacząłem pracować nad własną karierą. Nie spotkaliśmy się po jej powrocie do Anglii. Widziałem jej nazwisko, a ona bez wątpienia widziała moje. Ale wodewil ma niewiele wspólnego z rewią, więc nigdy na siebie nie wpadliśmy. Nie potrzebowała mojej pomocy, nawet jeśli byłbym w stanie jej takowej udzielić. Miała własne sposoby na przetrwanie. Z tego, co słyszałem, wdała się w kilka romansów. Za moich czasów też miała kilka.

Pozyskawszy zainteresowanie słuchacza i mając już pierwsze akty za sobą, Sutane kontynuował z pewną przyjemnością. Spojrzał zagadkowo na swojego gościa. Przycupnięty na stole wyglądał jak ładna chuda małpa – oczy miał smutne, mądre i pozbawione złudzeń, jak któraś z człekokształtnych.

– Miesiąc temu zjawiła się z pytaniem o angaż – podjął powoli. – Sam pan miał okazję się przekonać, co to była za kobieta. Była próżna i żeby połechtać tę swoją próżność, była zdolna do wszystkiego. Całe życie radziła sobie dzięki temu, że była kobietą, a teraz zaczęła zauważać, że straciła dawną moc. W tym cały szkopuł, Campion! Uroda szybko przemija. Jednego dnia jest, następnego już jej nie ma. Nieszczęsne kobiety najwyraźniej w ogóle nie potrafią tego zrozumieć. Gdy do mnie przyszła, szukała tak naprawdę pocieszenia. Za wszystko winiła inne czasy, nowe obyczaje, nowy typ mężczyzn – wszystko, tylko nie prawdę, która sama rzucała się w oczy. Zdecydowała się przyjść do mnie, bo ją kiedyś kochałem i mogłem dać jej pracę.

– Czemu pan ją przyjął?

Sutane wbił wzrok w stopy.

– Bóg raczy wiedzieć – odparł i zabrzmiało to szczerze.

Nastała chwila ciszy, ale po jakimś czasie aktor znów podjął opowieść. Mówił mocnym, młodzieńczym głosem, chcąc mieć jak najszybciej całą historię za sobą.

– Powiedziałem jej, że jestem szczęśliwie żonaty i sądziłem, że to do niej dotarło i że żadne niedorzeczne zakusy z jej strony nie wchodzą w grę. Wydawała się bardzo rozsądna. Nie zdawałem sobie wówczas w pełni sprawy z jej problemów i myślałem, że jest tylko w trudnej sytuacji materialnej. Tak czy inaczej, zaangażowałem ją. Było to nawet w pewnym stopniu uzasadnione. Potrzebowaliśmy dodatkowych atrakcji z okazji trzechsetnego przedstawienia, a wpływy do kasy mogły bez trudu pokryć związane z tym koszty. Chloe oczywiście skwapliwie skorzystała z okazji, a ja niemal natychmiast pożałowałem swojej decyzji. Przypomniało mi się wszystko, o czym zdążyłem już zapomnieć – jej nadpobudliwość, jej nieustanna paplanina, jej niebywała wręcz próżność.

Urwał i spojrzał nieśmiało na Campiona.

– Gdy człowiek sam już jest nerwowy, tego rodzaju natarczywość potrafi mu zaleźć za skórę, zgodzi się pan? Poza tym Chloe była taka zawsze i wszędzie, jeśli rozumie pan, co chcę przez to powiedzieć. Zrobiła się niemożliwa. Nie chciałem na przykład, żeby przyjeżdżała do White Walls i nie omieszkałem jej o tym powiedzieć. Ale ona i tak przyjechała. Człowiek nagle się orientuje, że jest zdany na łaskę tego typu kobiety. I nic nie może na to poradzić, o ile nie chce uciekać się do przemocy. Po jej śmierci pomyślałem, że zaryzykuję i postaram się utrzymać w tajemnicy naszą dawną znajomość. W Anglii nigdy nie bywaliśmy razem i z tego, co wiem, nikt o nas nie wiedział, może poza kilkoma znajomymi z dawnych lat – takimi jak Eva – z którymi straciliśmy kontakt. Gdyby w związku z jej domniemanym samobójstwem odbyło się jakieś poważne śledztwo, na pewno bym coś powiedział. Ale w takiej sytuacji nie widziałem sensu tego robić. Na początku swojej kariery używałem przybranego nazwiska – La Verne, czy czegoś równie niedorzecznego – i nigdy nie wspominałem o tamtym tournée w wywiadach, bo nie byłem z niego specjalnie dumny. Chloe nie była wielką gwiazdą, a poza tym cała historia miała prywatny wydźwięk.

Sutane rozłożył szeroko ręce w geście pokazującym, że jego opowieść dobiega końca, i spojrzał na Campiona z pytaniem w oczach.

– Czemu tak bardzo pan nie chciał, żeby przyjeżdżała do White Walls?

Campion zadał to pytanie z ociąganiem, niezadowolony, że stara się zamaskować swoją ciekawość wahaniem. Sutane zawstydził się nieoczekiwanie. Znów wbił wzrok w swoje stopy, wierząc niespokojnie palcami w butach.

– Linda uważa mnie za najbardziej niezwykłego i wspaniałego człowieka na świecie – odparł po prostu. – Bałem się, że Chloe może z czymś przy niej wyskoczyć. Była do tego zdolna. Była do tego stopnia nieobliczalna. Linda na szczęście ją onieśmielała.

Ponieważ Campion nic na to nie powiedział, tylko siedział z miną, z której nic nie dało się odczytać, aktor ciągnął pospiesznie dalej:

– Linda nie jest niemądrym głuptasem, który niczego nie rozumie. Niech pan tak nie sądzi. Myślałem bardziej o sobie niż o niej. Mój Boże! Czy chciałby pan przedstawiać swoją dawną miłość nowej?

Campion wziął się w garść. Wstał i odezwał się beztrosko:

– Niech pan posłucha, Sutane – oświadczył. – Wszystko rozumiem. To dla mnie dość jasne, ale już po wszystkim.

Naturalnie może pan liczyć na moją dyskrecję. Moim zdaniem podjął pan ogromne ryzyko, wypierając się wcześniejszej znajomości z Chloe, ale jak sam pan mówi, okazało się to bez znaczenia. Z mojej strony to już wszystko. Blest pracuje nad pozostałymi sprawami i za dzień, dwa, powinno być po wszystkim. Czystym przypadkiem udało mi się chyba naprowadzić go na właściwy trop, ale podziękowania naprawdę nie należą się mnie. Zdobędzie potrzebne dowody i będziecie w stanie, panowie, rozwiązać tę kwestię raz na zawsze. To zadanie dla zawodowca i Blest doskonale sobie z tym radzi.

Uśmiechnął się.

– Chyba będę już znikał – próbował się pożegnać.

Sutane nie odezwał się ani słowem. Teraz gdy, mówiąc obrazowo, skończył występ i zszedł ze sceny, dopadł go znów wcześniejszy ponury nastrój. Usiadł bezwładnie, a ponieważ przestał usztywniać stawy, wyglądał jak odłożona na bok marionetka.

Campion wziął kapelusz, a tancerz podniósł na niego wzrok. Nie uśmiechał się.

– Nic pan nie rozumie – powiedział. – Jestem kimś ważnym – cholernie ważnym. Przeraża mnie to, gdy tylko o tym pomyślę. W tym pięknym teatrze zależy ode mnie trzysta osób. Z Konradem w roli głównej przedstawienie nie utrzyma się nawet tydzień. W całym Londynie nie ma tancerza, który byłby w stanie mnie zastąpić. Wszystko opiera się na mnie. Poza tym jest jeszcze White Walls. Ogrodnicy, Campion. Pokojówki, Linda, Sarah, Eve, Sock, Poyser, stara Finny, niania – wszyscy ode mnie zależą. Od moich stóp. Za każdym razem, gdy na nie patrzę, zbiera mi się na mdłości z przerażenia. Za każdym razem, gdy patrzę na ten cholerny teatr, paraliżuje mnie strach. W White Walls ze strachu ściska mnie w żołądku. Wszyscy mniej lub bardziej bezpośrednio utrzymują się dzięki mnie, a ja jestem tylko zwykłym facetem, który nie ma nic – Boże dopomóż – oprócz swoich stóp i nazwiska. Nic mi się nie może stać, Campion. Nie mam gdzie szukać wsparcia. Biznesmen ma swoją organizację, swoją firmę, a ja nie mam nic. Jestem zupełnie sam. Teraz pan rozumie?

W jego wyznaniu nie było nic teatralnego. To były gołe fakty, boleśnie prawdziwe.

– Nie mam pieniędzy. Wszystko, co zarabiam, a zarabiam sporo, trafia do całej tej absurdalnej organizacji. Idę, powiewając połami fraka, jak Eliza po lodzie*. Gdyby przejechał mnie autobus, w ogóle bym się nie przejął – byłoby po wszystkim. Nie widziałbym zderzenia. Ale jeśli zostanę doprowadzony do załamania nerwowego, jeśli kiedyś stracę nad sobą panowanie… Mówię panu, to mnie przeraża. Przeraża!

Wstał z toaletki i wykonał z powagą krótki skomplikowany step. Jego szczupłe ciało w czarnym, żałobnym stroju, którego nie zmienił od pogrzebu, drżało. Towarzyszył mu ów ekstatyczny, wprost nieopisany, wspaniały ruch. Patrząc na Sutane'a, człowiek czuł się szczęśliwy, podekscytowany i estetycznie usatysfakcjonowany.

– To wszystko – zakończył, marszcząc swą pociągłą twarz. – To wszystko, co mam, a zależy to całkowicie od mojego stanu psychicznego, który w ostatnim czasie jest wystawiony na ciągłe ataki. Nic więcej nie ma. Wielka góra opiera się na czymś tak małym. Katedra chwieje się w posadach z powodu czyichś wygłupów. Jeśli może pan jeszcze zrobić cokolwiek, żeby mi pomóc, musi pan to zrobić. Nie rozumie pan? Pan musi być po mojej stronie.

Był to przedziwny apel, na który nie dało się odpowiedzieć. Campion stał z kapeluszem w dłoni, ale się nie ruszył.

Po chwili wyszli razem na korytarz i poszli do garderoby Konrada, w której anemiczny młodzieniec pomagał dublerowi założyć biały frak. Konrad był sobą zachwycony. Ze scenicznym makijażem jego twarz była nieprzyzwoicie wprost przystojna.

– Cześć, Jimmy – rzucił. – Jak mi idzie? Dobrze?

---

* Chodzi o postać niewolnicy z powieści Harriet Beecher-Stowe *Chata wuja Toma*, która ucieka z dzieckiem po krach na rzece.

– Na to wygląda, sądząc po oklaskach. Nie widziałem cię jeszcze.

Niepotrzebne kłamstwo wypadło tak naturalnie, że nawet Campion na chwilę w nie uwierzył. Sutane mówił dalej.

– Bardzo miłe z twojej strony, że przyprowadziłeś dziś Evę. Konrad nachylił się bliżej lustra, przed którym siedział.

– Och, znałeś ją? – spytał jakby nigdy nic. – W takiej sytuacji człowiek stara się robić, co może. Garderobiana Chloe powiedziała mi, że były kiedyś bliskimi przyjaciółkami, więc zaszedłem do niej. Przerażający przypadek. Poważnie zniechęca do picia ginu, drodzy panowie. A tak przy okazji, chciałem z tobą pogadać, Jimmy. W niedzielę rano wpadnę do White Walls po mój bezcenny rower. Klub spotyka się na lunchu w Boatbridge, kilka stacji za twoim domem. Nie dam rady przejechać trzydziestu pięciu mil przed jedzeniem, to przecież nieludzkie. Pomyślałem więc, że pojadę rano do Birley, złapię taksówkę do was, przebiorę się, wezmę rower, pojadę na stację i przejadę pozostałe piętnaście mil lokalnym pociągiem. Chłopaki pomyślą, że przyjechałem z Londynu i będą czekać na mnie na stacji. Sock może zabrać moje rzeczy z powrotem do miasta, prawda? A więc jesteśmy umówieni.

– Na to wygląda. – Sutane był poirytowany, a Campion pomyślał, że to dziwne, iż drobiazgi bardziej wyprowadzają nas z równowagi niż skomplikowane intrygi, które zagrażają, choćby i w niewielkim stopniu, bezpieczeństwu życia rodzinnego. Konrad zarumienił się.

– Przecież wszystko zostało ustalone w zeszły weekend, gdy u was byłem – powiedział.

– Czyżby? A z kim?

– Wydaje mi się, że z tobą. Komuś mówiłem. To musiałeś być ty. – Konrad odwrócił się twarzą do nich, purpurowy nawet pod szminką aktorską. – Jeśli chcesz się zachować jak dziecko, wystaw rower za bramę, a ja przebiorę się w krzakach – zaproponował i zachichotał.

Sutane poczerwieniał.

– Niczego ze mną nie ustaliłeś – upierał się. – Ale nie ma to żadnego znaczenia. W niedzielę rano dostaniesz pokój do swojej dyspozycji.

Konrad wstał z miejsca. Nie silił się nawet na podziękowania.

– W mieście nie mam gdzie trzymać roweru – rzucił z rozdrażnieniem. – Dobrze wiesz, że żyję w wynajętym mieszkaniu, a te głupki nie chcą mi pozwolić trzymać go w teatrze. Jeśli zostawię go w garażu, może zaśniedzieć. Jest posrebrzany.

Inspicjent zagłuszył nieuprzejmą odpowiedź Sutane'a, a Konrada znów ogarnęło podniecenie i poczucie triumfu.

– Muszę lecieć – powiedział zupełnie niepotrzebnie. – Miło z waszej strony, że wpadliście życzyć mi szczęścia.

Drzwi zamknęły się za nim, a Sutane rozejrzał się po garderobie z niesmakiem.

– Niech szlag trafi ten rower – stwierdził tylko. – Baran. Słyszał pan, jak się mnie czepił? Wie pan, w teatrze obowiązuje niepisana zasada, że nie należy oglądać występu swojego dublera. Ale on zapomina, że jestem też reżyserem.

Sutane nie zebrał się do wyjścia, tylko zaczął krążyć po niewielkim pomieszczeniu, wyrażając całym sobą niechęć i dezaprobatę dla wszystkiego, co się w nim znajdowało. Garderobiany wcisnął się w najdalszy kąt ciasnego pokoju i zerkał na niego z ukosa z wyraźnym szacunkiem.

Osobowość Konrada oddana w wystroju garderoby przypominała osobowość sentymentalnej starej panny. Wśród licznych maskotek znajdowała się mała figurka dyskobola i dziecinny biały pluszowy piesek z niebieską kokardą wokół szyi. Na ścianach rozmieszczono sporo fotografii, w tym wiele prezentujących samego Konrada, a także plakat niefortunnego przedstawienia, w którym wystąpił. Na małej wiszącej półce na książki, poniżej kraty okiennej, znajdowało się kadzidełko i jakieś pół tuzina książek, a także pudełko bardzo drogich cypryjskich papierosów.

Sutane zdjął jedną z zakurzonych książek i otworzył ją. Ze swojego miejsca Campion widział, że to poezja. Tancerz zerknął na wyklejkę i zmienił się na twarzy. Opanowała go zimna, cicha furia, przez co pod skórą zarysowała się biało kość policzkowa. Sutane podał tomik Campionowi, który przeczytał dedykację:

Z wyrazami przyjaźni. B. 1934.

Słowa zostały napisane zielonym atramentem, a pismo było niepokojąco znajome.

– Gdzie to zaproszenie? – zabrzmiał ze złowieszczym spokojem głos Sutane'a.

– U Blesta – odparł Campion.

Dyrektor teatru wsadził sobie książkę pod pachę. Już na korytarzu spojrzał na towarzyszącego mu mężczyznę.

– Jutro się z nim zobaczę. Idziemy?

W żaden sposób nie skomentował swojego odkrycia, co było ciekawe, bo sprawa aż prosiła się o dalsze dywagacje. Campion dziwił się, póki w świetle padającym z kinkietów nie zobaczył głębokich, zmęczonych oczu Sutane'a. Przekonał się wtedy, że aktor aż gotuje się z wściekłości i panuje nad sobą tylko największym wysiłkiem woli.

Pożegnali się przy wyjściu na scenę. Sutane uśmiechnął się i podał Campionowi rękę.

– Jeśli Blest pokpi sprawę, w dalszym ciągu zostanie mi pan, mój drogi – powiedział.

Idąc ciemną alejką w stronę głównej ulicy skrzącej się od świateł, zadaszonej rozgwieżdżonym letnim niebem, pan Campion z przerażeniem stwierdził, że nie obchodzi go, czy podejrzenia Sutane'a dotyczące dedykacji i zaproszenia są zasadne. Dotychczas był tylko obserwatorem dramatów, które starał się rozpracować, a taka pozycja dawała mu nieuzasadnione poczucie wyższości. Dziś wieczorem poczuł, że jest mu zimno i że stracił złudzenia. Nie był już wstrząśnięty, tylko szczerze zrozpaczony faktem, że okazał się zwykłym człowiekiem, a do tego potwornie nieszczęśliwym.

ROZDZIAŁ 18

Pogłoska dotarła do Londynu mniej więcej w porze podwieczorku, w niedzielę, która miała się okazać najbardziej parną tego roku. Przebiegła pomiędzy rozleniwionymi tłumami w parku, popędziła szerokimi, zakurzonymi ulicami, dała nura pod ziemię do wagonów metra, przeniosła się na przedmieścia na pokładach tysięcy pękatych czerwonych autobusów, w czasie podróży rozrastając się i zmieniając, wcisnęła się do klubów, domów i herbaciarni, wdrapała milionami schodów do mieszkań i na poddasza i chlapała swoim barwnym jęzorem w każde chętne ucho.

Nigdy nie była spójna. Składała się na nią raczej cała gama bezpodstawnych twierdzeń: od autentycznie wstrząsających po zwyczajnie smutne. W konsekwencji budziła lekki niepokój, niejasne podniecenie narastające w zbiorowym umyśle opinii publicznej, tylko z lekka zabarwione trwogą, jakby chodziło o tajemnicze nocne hałasy albo niezrozumiałe krzyki gazeciarzy gdzieś daleko na ulicy.

Pogłoska dotarła z pewnej dużej stacji kolejowej, na której ogłoszono opóźnienia mogące sięgać od godziny do dwudziestu – nikt nie wiedział dokładnie ile. Ponieważ była niedziela, zwykłe kanały informacyjne nie działały, ale kierowcy autobusów, co do których można zasadniczo mieć pewność, że wiedzą prawie wszystko, opowiadali niestworzone historie na temat niezidentyfikowanego wrogiego samolotu, który zamienił miasto garnizonowe Colchester w dymiące zgliszcza.

W Corner House na Coventry Street pewna kelnerka twierdziła, że nie chodziło wcale o samolot, ale o dwa bombowce sił powietrznych, które spadły na zabudowania podczas tajnych ćwiczeń na południowym wybrzeżu, a obrotny gazeciarz z Oxford Circuis napisał kredą na czystej tablicy: „Wybuch w kopalni:

219

wielu zabitych", dzięki czemu, zanim oszustwo wyszło na jaw, udało mu się sprzedać sporą liczbę gazet, które zostały mu z rana.

Wraz z upływem czasu sprzeczne teorie zaczęły się nieco ujednolicać i wieczorem ustalono, że do katastrofy, na czymkolwiek ona polegała, doszło na stacji kolejowej linii wschodniej. Słowo „nalot" powtarzano jednak z uporem nawet wówczas, gdy coraz częściej padało bardziej ogólne określenie „wybuch" i dopiero gdy ponad dachami na Trafalgar Square i Oxford Street pojawiły się wiadomości z ostatniej chwili przedstawiające zarys całej historii, miasto uspokoiło się, gotowe wysłuchać pikantnej i przerażająco groteskowej prawdy.

Pan Campion pojechał w sobotę do zapomnianej przez świat wioski Kepesake w hrabstwie Suffolk, gdzie spędził kojący weekend i gdzie wiadomości z Londynu i Europy docierały dopiero wówczas, gdy zdążyły się już zdezaktualizować, a omawiane były tak długo, póki nie zdążyły przejść do historii. Nie znał więc sensacyjnych wieści, póki w poniedziałkowy ranek nie usiadł w kącie przedziału w pociągu do Londynu na stacji w Ipswich i nie otworzył gazety, którą złapał w biegu z kiosku. Wówczas dowiedział się o strasznej historii ze wszystkimi szczegółami, które udało się zebrać w tak tajemniczych okolicznościach.

Ćwierć strony zajmowało zdjęcie, na pierwszy rzut oka ukazujące jakieś ośnieżone pogorzelisko, a nad fotografią i obok niej widniały zwięzłe, lecz wiele mówiące nagłówki.

ZAMACH NA STACJI W OKOLICACH LONDYNU
PIĘTNASTU ZABITYCH I POSZKODOWANYCH
TAJEMNICZY WYBUCH
ZNANY TANCERZ WŚRÓD OFIAR ŚMIERTELNYCH

Pan Campion przebiegł pospiesznie wzrokiem artykuł, w którym – jak zwykle – pompatyczny młody głos „Morning Telegram" stanął na wysokości zadania i zrobił, co mógł, by za pomocą solidnej dawki dramatyzmu zamaskować swą wrodzoną głupotę.

Trzy osoby zginęły wczoraj rano w wypadku, który z dużym prawdopodobieństwem będzie można uznać za jeden z najbardziej tajemniczych i tragicznych wypadków ostatnich lat. Dwanaście kolejnych, w tym część z poważnymi obrażeniami, zostało przewiezionych do wiejskiej izby chorych w Boardbridge. Na ten moment przyczyny wypadku nie są znane, ale przedstawiciele Scotland Yardu (z którymi kontaktował się podpułkownik Percy Beller, naczelny posterunkowy tej okolicy) są przekonani, że w grę może wchodzić użycie materiałów wybuchowych.

Wśród ofiar śmiertelnych jest trzydziestodwuletni Benny Konrad, gwiazda londyńskiej rewii, przybyły do Boardbridge na spotkanie z członkami klubu rowerowego, w którym pełnił funkcję prezesa. Kolejną ofiarą jest Richard Duke, członek wycieczki rowerowej. Jako trzeci śmierć poniósł bagażowy.

Po skrótowym zaprezentowaniu historii „Telegram" zgodnie ze swoim zwyczajem zaczynał jeszcze raz, tym razem bardziej szczegółowo.

Wczoraj późnym rankiem, tuż po odjeździe pociągu dwunasta trzy z Birley, gdy na stację wjechał opóźniony skład z Yarmouth, pełen letników, małą cichą stacyjką w Boardbridge wstrząsnęła eksplozja tak gwałtowna i straszliwa, że pan Harold Phipps, zawiadowca stacji, stwierdził, iż czegoś podobnego nie widział od czasów Wielkiej Wojny.

Na nieszczęście o tej porze na stacji znajdowały się tłumy podróżnych. Na peronie zebrało się około czterdziestu członków klubu rowerowego, by powitać swojego prezesa, pana Benny'ego Konrada, gwiazdę rewiową, który przybył z Londynu na doroczną imprezę plenerową.

Pan Konrad, który był ubrany w strój cyklisty i prowadził swój rower, podarunek od klubu, śmiał się i gawędził z przyjaciółmi, gdy nagle doszło do ogłuszającego wybuchu, a cicha stacyjka zamieniła się w zgliszcza pełne jęczących mężczyzn i kobiet.

Przeszklony dach, którym zwykle osłania się perony, roztrzaskał się w drobny mak, podobnie jak wiele okien oczekującego na odjazd pociągu, a pryskające odłamki szkła doprowadziły do mnóstwa obrażeń. W chwili eksplozji bagażowy ciągnął dwa wózki z bańkami z mlekiem, które na skutek paniki, do jakiej doszło w wyniku wybuchu, rozlało się na tory, powiększając znacząco panujący już chaos. Na miejscu wypadku szybko zjawili się lekarze, a dwie małe poczekalnie zamieniono w tymczasowe sale zabiegowe. Ruch pociągów na tej linii został wstrzymany na niemal godzinę.

Dziś przyczyna katastrofy jest w dalszym ciągu nieznana. Hipoteza, zgodnie z którą przelatujący samolot zrzucił na stację piekielny ładunek, została zasadniczo zdementowana, choć zawiadowca stacji w dalszym ciągu twierdzi z uporem, że tak właśnie było. W pobliżu ruchliwego Boardbridge, miasta targowego, nikt jednak nie zauważył tego ranka żadnego samolotu.

Przedstawiciele kolei milczą. Przepisy dotyczące przewozu substancji niebezpiecznych są bardzo restrykcyjne, jednak możliwe, że pakunek zawierający materiały wybuchowe umknął czujności władz.

Tajemniczości całej sprawie dodaje fakt, że pan Phipps twierdzi z przekonaniem, iż w momencie wybuchu na żadnym z dwóch peronów nie było pakunków, a starszy bagażowy, pan Edward Smith, wciąż cierpiący z powodu doznanego szoku i powierzchownych oparzeń, zapewnił mnie, gdy odwiedziłem go w jego domku na Station Lane, że poza rowerem pana Konrada, który jego właściciel odebrał zaraz po przyjeździe pociągu, nie wyciągał żadnych pakunków z wagonu bagażowego.

W tej sytuacji miejscowa komenda podjęła natychmiastową decyzję, by zwrócić się z oficjalną prośbą o pomoc w śledztwie do Scotland Yardu, a wczorajszego wieczora nadkomisarz Yeo z centrali wydziału kryminalnego udał się do Boardbridge w towarzystwie majora Owena Blooma i pana T.P. Culverta, obu z wydziału śledczego ministerstwa wojny.

Wczoraj wieczorem ustalono, że katastrofa nie ma podłoża politycznego, choć ewentualność taka nie została jeszcze w pełni wykluczona.

Ofiary śmiertelne: Benjamin Evelyn Konrad, lat trzydzieści dwa, tancerz i gwiazda rewiowa, zamieszkały Burnup House mieszkania 17, W. 1; Richard Edwin Duke, lat dziewiętnaście, zamieszkały Bellows Court Road 2, S.E. 21; Frederick Stiff, lat czterdzieści trzy (bagażowy), zamieszkały Queen's Cottages, Layer Road, Boardbridge.

Zamieszczona pod spodem lista rannych stanowiła przerażającą lekturę. Pięć kobiet, troje dzieci i siedmiu mężczyzn doznało obrażeń o różnym stopniu nasilenia, z których większość należy złożyć na karb odłamków szkła pryskających z dachu i okien pociągu.

Pan Campion odłożył gazetę i wbił pusty wzrok w szarą tapicerkę znajdującego się naprzeciwko siedzenia. Cała historia zdawała się tak nieprawdopodobna, że musiał ją jeszcze raz uważnie przeczytać, zanim choćby spróbował ogarnąć ją umysłem. Zerknął na gazetę, którą odgrodził się od świata tęgi mężczyzna w rogu przedziału, ale zobaczył fragmenty tej samej historii, musiał więc zarzucić pierwszą szaloną myśl, że w „Telegramie" ktoś najadł się szaleju i wszystko zmyślił w przypływie niczym nieusprawiedliwionej głupoty.

Campion powoli oswajał się z faktami. Konrad był martwy, przerażająco martwy, rozerwany na strzępy razem ze swoim niedorzecznym rowerem i dwoma innymi nieszczęśnikami. Konrad, który do tej chwili figurował w umyśle Campiona jako obrotny mały samolub, puszczający niefrasobliwie w świat wichrzycielskie informacje, żeby osiągnąć w ten sposób własne podejrzane cele, został przez przypadek zmieciony z powierzchni ziemi. Spośród czterdziestu milionów mieszkańców, którzy mogli paść ofiarą tej katastrofy, zginęły zaledwie trzy osoby, a jedną z nich był Konrad. Sytuacja nie mogła być bardziej ironiczna, uznał Campion. Przez całą drogę do Londynu nie mógł oderwać wzroku od gazety.

Krótki paragraf wciśnięty gdzieś na dole artykułu wspominał, że Konrad już jako drugi członek obsady *Ramola* zginął śmiercią tragiczną w ciągu ostatnich dwóch tygodni, a zupełnym trafem był też jednym z gości Sutane'a w dniu tragicznej śmierci Chloe Pye.

Gdy Campion dojechał do stacji przy Liverpool Street, wciąż jeszcze nie mógł dojść do siebie i otrząsnąć się z szoku. Pojechał taksówką do Junior Greys i siedział właśnie niezdecydowany w barze, próbując stwierdzić, czy silny impuls nakazujący mu zatelefonować do Sutane'a jest rzeczą mądrą, czy wręcz przeciwnie, gdy otrzymał wiadomość ze Scotland Yardu. Liścik stwierdzał krótko, że inspektor Stanislaus Oates byłby zobowiązany, gdyby pan Campion okazał się tak miły i zjawił się u niego o trzeciej po południu.

W normalnych warunkach Campion nie należał do osób niezdecydowanych ani przesadnie strachliwych, ale pół godziny przed lunchem i godzinę po nim spędził w bardzo niespokojnym, nerwowym nastroju, przez który już całkiem podupadł na duchu.

Za pięć trzecia szedł za posterunkowym długim, gołym korytarzem, w którym czuć było lekko środkami odkażającymi, a chwilę później witał się już ze srogą postacią, która na jego widok podniosła się zza biurka.

Niedawny awans nie zmienił inspektora Stanislausa Oatsa w dużo większym stopniu niż wcześniej pokonywane stopnie kariery. W głębi serca pozostał energicznym, poważnym młodzieńcem ze wsi, którego koncentracja i nieustępliwość pozwoliły mu niemal trzydzieści cztery lata wcześniej zasłużyć na pochwałę komisarza wiejskiej komendy. Inspektor nie był człowiekiem niesympatycznym, ale nawet Campion, który znał go prawdopodobnie lepiej niż ktokolwiek inny spoza policji, nigdy nie stanął przed ryzykiem przekształcenia łączącej ich zażyłości w przyjacielską pogardę.

Inspektor stał chwilę przygarbiony, pochylając szpakowatą głowę nad leżącą na biurku bibułą.

– Campion – odezwał się. – Siadaj, druhu.

Sposób, w jaki się do niego zwracał, zachował się jeszcze z czasów w Dorset. Przez trzydzieści cztery lata powolnego awansu Oates starannie go unikał, ale teraz, skoro doszedł na sam szczyt i spełnił swoje nadzieje, wracał do niego od czasu do czasu – drobne uchybienie, na które mógł sobie pozwolić na swoim stanowisku.

– Wyjeżdżałeś?

– Tak. Byłem w Kepesake. Pojechałem na weekend do Guffy'ego Randalla i jego żony. Coś nie tak?

– Nie. Kiedy wyjechałeś?

– W sobotę rano.

– Mieszkasz w klubie?

– Tak.

– Lugg wyjechał?

– Tak.

– Dokąd?

– Do White Walls niedaleko Birley. Do rezydencji Jimmy'ego Sutane'a. Czemu pytasz?

Campion usiadł wygodniej w fotelu dla gości. Miał świadomość, że poci się na czole i sam się sobie dziwił. Wyciągnął chusteczkę i wbił w nią tępo wzrok.

Inspektor też usiadł i oparł łokcie na biurku. Miał smutną, kościstą twarz i zaciekawione szare oczy.

– Co ci wiadomo na temat Benny'ego Konrada?

Pan Campion nagle poczuł się swobodniej.

– Niewiele – odparł pogodnie. – Doradzałem Blestowi w prywatnym śledztwie, które zdawało prowadzić do Konrada. I tyle. Widziałeś się z Blestem, jak sądzę?

Oczy inspektora rozjaśniły się w krótkim uśmiechu.

– Tak. Rozmawialiśmy z Blestem. Widziałem się z nim wczoraj wieczorem. Sam do nas przyszedł.

Pan Campion stwierdził, że zaczyna wszystko rozumieć, a dziwny, nieokreślony strach, który przez cały ranek nie dawał mu spokoju, wreszcie zniknął.

– Chciałeś się ze mną skonsultować, jak mniemam? – rzekł pogodnie. – To dla mnie wielki zaszczyt. Naprawdę to doceniam.

Oates roześmiał się suchym, nieco gwałtownym śmiechem wyrażającym życzliwość i pogodę ducha, ale nie rozbawienie. Wyjątkowo rzadko coś go bawiło.

– Zadaję ci pytania, bo wynika to z moich obowiązków służbowych – wyjaśnił mozolnie. – Co zamierzał Konrad? Wiadomo ci?

– Co zamierzał? – powtórzył w osłupieniu Campion. – Mój drogi, po co te podchody? Zejdź na ziemię. Rozmawiałeś z Blestem, więc wiesz wszystko to co on. Nic więcej ci nie powiem, przyjacielu, bo nic więcej nie wiem. Konrad odstawiał szopki w teatrze i omal nie został zdemaskowany. Oto i cała tajemnica.

– Aha! – Inspektor zdawał się częściowo usatysfakcjonowany. – Słyszałeś, jak zginął?

– Czytałem w gazecie. Dość paskudna sprawa.

– I to jak. – Oates był autentycznie poruszony. – Pojechałem tam wczoraj osobiście rzucić okiem na miejsce katastrofy. Potem pojechałem do szpitala i do kostnicy. Straszne przeżycie. Potworny chaos. Kobiety pokaleczone szkłem, lekarze wyciągający im z ciała drzazgi długości moich palców. Zabici byli w opłakanym stanie. Konrad miał kawałek metalu wbity w głowę. Rura zrobiła mu na czubku głowy dziurę, w którą można było włożyć rękę po nadgarstek. A biedny bagażowy! Oszczędzę ci opisów. Wyjęli mu z brzucha stalowy gwint.

Przyjemny, suchy głos zamilkł, ale oczy w dalszym ciągu wpatrywały się w Campiona.

– To było przerażające – powtórzył. – Nie jestem specjalnie delikatny, ale widok tego mleka, krwi i szkła mną wstrząsnął. Zebrało mi się na mdłości. Przedziwna, a przy tym paskudna sprawa – zakończył z odrobinę przesadną powagą.

Podczas całej tej przemowy Campion milczał, a na jego twarzy malowała się coraz większa powaga i zaczęło powracać wcześniejsze przerażenie.

– Nie do końca rozumiem, co to wszystko oznacza – zaczął ostrożnie. – Jestem w kropce. No bo przyczyna wybuchu nie mogła mieć przecież nic wspólnego z Konradem, prawda?

– Nie byłbym taki pewny. – Inspektor pokręcił wytworną głową. – Wcale nie jestem taki pewny. Nie wiem, czy powinienem ci o tym mówić, ale panuje tu przekonanie, że ktoś rzucił w biedaka bombą.

Po raz drugi tego dnia pan Campion doświadczył czegoś niezwykle dla siebie rzadkiego – bezbrzeżnego zdumienia.

– Nie... – zaczął w końcu. – Nie wierzę. To niemożliwe.

– Tak sądzisz? – Oates sprawiał wrażenie rozczarowanego. Zerknął na blat biurka. – Za jakiś kwadrans przyjdzie major Bloom. Cały dzień zbierał materiał dowodowy. Liczę, że będzie miał dla nas jakieś konkrety. Jak dotąd opieraliśmy się na kilku poszlakach, które przedstawił nam wczoraj wieczorem. Po wstępnych oględzinach powiedział Yeo, że jego zdaniem nie ma wątpliwości, iż epicentrum wybuchu znajdowało się mniej więcej tam, gdzie stał Konrad. Wiesz, są w stanie stwierdzić coś takiego na podstawie kierunku zniszczenia. Ustalają to w bardzo pomysłowy sposób. Żadne tam domysły. Wszystko opiera się na metodach naukowych. Yeo był pod wrażeniem.

– Ale... – zaczął pan Campion i umilkł. – Bomba? – wykrztusił w końcu. – Jakiego rodzaju?

– Tego chcę się właśnie dowiedzieć – wyjaśnił poważnie inspektor. – Coś bardzo skutecznego. Chciałbym, żebyś zobaczył tę stację, mój drogi. W normalnych okolicznościach nie jechałbym tam osobiście, ale przyjaźnimy się z Yeo, a podczas rozmowy telefonicznej miejscowa policja wydawała się tak poruszona, że nie mogłem sobie odmówić, by nie rzucić na to okiem. Yeo przyjedzie o czwartej na konferencję prasową. Cały dzień zbierał zeznania.

Mimo powagi Oates miał w sobie coś z małego chłopca, pewien naiwny entuzjazm, który od czasu do czasu z niego wychodził.

– Słuchaj, Campion – kontynuował. – Znałeś Konrada. Myślisz, że mógł mieć jakieś powiązania polityczne, o których nikt nie wiedział? Zamachy bombowe nie zdarzają się często, a jak już, prawie zawsze mają charakter polityczny albo są dziełem szaleńców – a najczęściej łączą obie te rzeczy naraz. Co myślisz? Chciałbym poznać twoje zdanie na ten temat.

Starał się go zachęcić do wypowiedzi i Campionowi było autentycznie przykro, że nie może spełnić jego oczekiwań.

– Myślę, że nie – odparł. – Nic na to nie poradzę, ale zdecydowanie tak właśnie uważam. Oczywiście nie był moim przyjacielem – nie znałem go zbyt dobrze – ale nie, nie, naprawdę nie bardzo widzę go zamieszanego w politykę. Byłoby to naprawdę niesłychane!

Oates odchylił się w krześle.

– Panie Campion – zaczął w nietypowo oficjalny sposób. – Znamy się od dawna i czasem współpracowaliśmy. Jeśli masz zamiar zaangażować się w tę sprawę, chciałbym, żebyś to nam pomagał. Nie twierdzę, że ci nie ufam. Nie myśl tak. Ale chcę, żebyś mówił mi wszystko, co wiesz, a jeśli będziesz pracować dla mnie, będę mieć pewność, że nie pracujesz dla nikogo innego za moimi plecami. Możesz się uznać za biegłego powołanego na potrzeby sprawy, tak samo jak major.

Znając inspektora od piętnastu lat, Campion był w stanie docenić wysiłek, jaki tego typu decyzja kosztowała policjanta, który kierował się w życiu logiką i był tradycjonalistą. Zrobiło to na nim autentyczne wrażenie.

– Mój drogi, jestem do twoich usług – rzucił lekko. – W tej chwili wiesz wszystko to co ja. Jimmy Sutane poprosił mnie, żebym pomógł Blestowi zdemaskować swego rodzaju nagonkę na niego. Byłem przekonany, że stoi za nią Konrad, więc dałem Blestowi cynk. Później straciłem zainteresowanie sprawą i usunąłem się w cień. Z tego, co zdążyłem się zorientować, Konrad nie wyglądał na kandydata do publicznej egzekucji. Jedyne sensowne wyjaśnienie, które przychodzi mi na poczekaniu do głowy, to takie, że twój zamachowiec był obłąkany i pomylił Konrada z kimś innym.

– A z kim mógł pomylić faceta w koszulce na ramiączkach i krótkich spodenkach? – spytał Oates z pragmatyczną ciekawością.

Campion wzruszył ramionami. Nie wiedział, co odpowiedzieć.

– W chwili wybuchu pan Sutane był u siebie w domu w otoczeniu rodziny, dwadzieścia mil od miejsca katastrofy – zauważył ze smutkiem inspektor. – Jesteśmy w stanie określić z dość dużą pewnością, kto znajdował się na peronie przyjazdów, tam gdzie Konrad, ale mogliśmy przeoczyć część podróżnych udających się w drogę powrotną do Londynu.

Pan Campion zamrugał oczami.

– Nikt nie widział, żeby ktoś czymś rzucał?

– Nie. Nikt taki się nie zgłosił. Yeo pracuje nad tym. – Oates nachylił się nad biurkiem, a w jego nieoczekiwanie młodzieńczym spojrzeniu odmalowało się oburzenie. – Kto mógł zrobić coś takiego, Campion? – zapytał. – Żeby narazić na śmierć i kalectwo tłum niewinnych, bezradnych ludzi na wiejskiej stacyjce? Facet musiał być albo zupełnym szaleńcem, albo okrutnym i niebezpiecznym człowiekiem. Musimy go dorwać. Co do tego nie ma dwóch zdań.

Campion uśmiechnął się niewyraźnie na słowa „okrutny i niebezpieczny człowiek". Dziewczęca wręcz powściągliwość inspektora była dla niego typowa i nie miała żadnego związku z intensywnością odczuwania. Stanislaus Oates poświęcił znaczną część swojego życia na pogoń za mordercami i nieodmiennie, gdy tylko miał taką możliwość, posyłał ich z pogodną satysfakcją na stryczek. W jego światopoglądzie było niewiele odcieni szarości, raczej czerń o różnym stopniu natężenia. Okazał kiedyś współczucie Crippenowi*, ale tylko dlatego, że doktorek pozwolił sobie wpaść w sidła pokusy. Gdy Belle Elmore nie żyła, Crippen właściwie już wisiał i całkiem słusznie w opinii łagodnego Oatesa. A jednak Crippen, jak przypominał sobie Campion,

---

* Mowa o głośnej sprawie Hawleya Harveya Crippena, angielskiego lekarza amerykańskiego pochodzenia, który w 1910 roku został stracony przez powieszenie za zabójstwo swojej żony Cory Turner, posługującej się pseudonimem artystycznym Belle Elmore.

figurował u Oatesa jako „biedny, słaby drań". „Okrutny i niebezpieczny człowiek" stanowił najwyraźniej osobną kategorię.

Oates miał w sobie jednak pewną wrażliwość, choć swoje współczucie rezerwował zawsze dla właściwych osób.

– W szpitalu jest młoda kobieta, która być może straci nogę, a pewien osiemnastolatek ma sieczkę zamiast twarzy. Gdyby to był wypadek kolejowy, byłoby mi ich po prostu bardzo żal, ale gdy w grę wchodzi bezsensowne, świadome okrucieństwo, budzi się we mnie gniew. Taka jest prawda. Musimy go dorwać.

Campion podniósł głowę.

– Władze też się tego domagają, jak mniemam? – wysunął przypuszczenie.

Oates uśmiechnął się.

– Owszem, gadają – potwierdził pogodnie. – Ale będą musieli zaczekać. Nie możemy zawracać sobie nimi głowy, gdy są ważniejsze sprawy.

Jego dobroduszna autorytatywność była niesamowita. Campion poczuł dziwny spokój. W świecie rozdarcia wewnętrznego wielką ulgę dawała świadomość, że jest ktoś, kto naprawdę jest w stanie wskazać, nawet jeśli tylko dla własnej satysfakcji, gdzie dokładnie kończy się dobro, a zaczyna zło.

Inspektor wyjął z kieszeni kamizelki duży, płaski zegarek i spojrzał na cyferblat.

– Czas na majora – powiedział. – A więc polegam na tobie, druhu. Nie muszę nikogo prosić o pozwolenie. Jestem inspektorem centralnego wydziału kryminalnego i mogę robić to, co uważam za stosowne. Chciałbym, żebyś siadł w tamtym kącie. Pracowałeś nad Konradem, więc możesz popracować jeszcze trochę.

Pan Campion podszedł posłusznie do małego, twardego krzesła. Nigdy nie silili się między sobą na grzeczności, a Oates był niezbicie przekonany, że propozycja współpracy z policją to najwyższy zaszczyt, jaki może spotkać człowieka. Campion zajął miejsce.

Niemal w tej samej chwili do środka wszedł major Bloom w towarzystwie swojego asystenta, pana Culverta. Major był wysoki i ciężki, miał ospałe ruchy i wzrok krótkowidza schowany za iście paskudnymi okularami w stalowych oprawkach. Uścisk jego dłoni zdradzał nerwową życzliwość, a głos przyjemny akcent ze środkowej Anglii. Jego asystent, pan Culvert, nadskakiwał mu uniżenie. Był drobnym, schludnym mężczyzną, prawdziwym wcieleniem skromności. Jego cichy, kulturalny głos kontrastował z burczeniem szefa, podobnie jak jego swoboda i pewność siebie. Mimo to nikt nie pomyliłby mistrza z uczniem. Pan Culvert aż nazbyt wyraźnie uważał, że odpowiada za swojego boga, za kruche, delikatne bóstwo, które należało chronić i któremu trzeba było dogadzać na każdy możliwy sposób. Tworzyli specyficzną parę ekspertów.

Major usiadł na fotelu, uśmiechnął się nerwowo do Oatesa i zaczął grzebać w skórzanej teczce, którą pan Culvert mu przytrzymywał. W końcu znalazł notes, którego szukał, i zajrzał z westchnieniem do środka.

– Oczywiście dopiero co zaczęliśmy – powiedział z nerwowym śmieszkiem. – Zajmie to trochę czasu. Zdaje pan sobie z tego sprawę, prawda? Wiem, że zawsze wam tu spieszno. Nie przygotowałem jeszcze żadnego oświadczenia i nie miałem czasu zrobić analizy metalu, ale jest kilka kwestii, które powinny pana zainteresować.

Oates podziękował mu z powagą.

– Proszę mówić prosto – poprosił.

Major zamrugał.

– Nie bardzo rozumiem...

– Proszę mówić prosto, sir. Nie jestem mocny z chemii. Zapoznajmy się najpierw z podstawowymi faktami.

– Ach tak, rozumiem. Rozumiem. Naturalnie.

Biegły sprawiał wrażenie zaniepokojonego i zerknął bezradnie na swojego asystenta. Pan Culvert odkaszlnął.

– Przede wszystkim inspektor powinien wiedzieć, że jest pan przekonany, że to był granat, sir – szepnął.

Oates pokiwał głową.

– O? Naprawdę? Tego się właśnie obawialiśmy. Amatorska robota, sir?

– No cóż, nie do końca. Zabawne, ale wydaje mi się, że nie.

– Major podniósł się i zaczął krążyć po gabinecie, gubiąc gdzieś nagle swoją nieśmiałość i nadając swojemu głosowi nieoczekiwanej autorytatywności. – Nie mam pewności, ale z tego, co widzę, zastosowany materiał wybuchowy to albo amatol, albo tetrol. Dokładniej nie da się stwierdzić. Tetrol, czyli tetrametyloanilina. Wydaje mi się, że to było to. Wnioskuję po rodzaju uszkodzeń i zachowaniu żeliwnej obudowy. Jeden z lekarzy przekazał mi niezwykle cenną próbkę wydobytą z klatki piersiowej bagażowego. Tyle możemy stwierdzić na pewno, prawda Culvert?

– Tak sądzę, sir.

– Amatol... – notował inspektor. – A skąd się to bierze? Czy amator może coś takiego kupić?

– Nie wiem. Przypuszczam, że tak. To dość powszechna substancja. Na pewno jest w hurtowniach. – Biegły wyraźnie nie był zadowolony, że mu przerwano. – Właśnie usiłuję panu powiedzieć, że jak dla mnie to nie wyglądało na robotę amatora. Widzi pan, obudowa miała w środku rowki. To nie był kanister ani żaden stary pojemnik na herbatę, które niekiedy znajdujemy. Na podstawie zebranych dowodów można w tej chwili stwierdzić, że był to całkiem porządny, dobrze skonstruowany granat, trochę podobny do bomby Millsa, tyle że o większej sile rażenia.

– Jak dużo większej? – Oates wyprostował się na siedzeniu z autentycznym zainteresowaniem.

– Szanowny panie, skąd miałbym wiedzieć? Bomba Millsa zawiera około trzech uncji materiału wybuchowego. Myślę, że w tym przypadku można pomnożyć to maksymalnie przez cztery. Sądząc po zakresie zniszczeń. Ale niech się panu przez to nie wydaje, że użyty granat był cztery razy większy od bomby Millsa. Nic takiego nie twierdzę. Mógł być dowolnego rozmiaru. Wszystko zależy od obudowy i wypełnienia. Niech pan też nie pyta, jakiej był wielkości i jakiego kształtu, bo ani ja, ani nikt inny poza osobą, która go skonstruowała i użyła, nie będzie potrafił tego panu powiedzieć.

Urwał i zwrócił na nich spojrzenie swoich szczerych bladoniebieskich oczu.

– Badam teraz odłamki metalu, które udało nam się zebrać, rozumie pan. A skoro o tym mowa, to przyszło mi właśnie do głowy, że w peron też musiało się co nieco wbić. Muszę to mieć. Każdy kawałeczek jest dla mnie istotny. Nigdy nie wiadomo… Przy odrobinie szczęścia będę być może w stanie stwierdzić, skąd pochodzi całe to żelastwo. To znaczy, gdzie zostało wyprodukowane.

Zamilkł, zdał sobie nagle sprawę, że znajduje się w obcym miejscu, i usiadł gwałtownie.

Oates milczał przez chwilę, przyswajając sobie zaskakujące informacje.

– Jak się tego używa? – spytał w końcu. – Czy jest mi pan w stanie to wyjaśnić, sir?

Major pozwolił sobie na cichy, przykry chichocik.

– Można to zrobić na tysiąc różnych sposobów – mruknął. – Ale moim zdaniem w tym konkretnym przypadku zastosowano raczej tradycyjną czapeczkę i detonator. Nie ma na to dowodów, rozumie pan. Wyrażam tylko moje obecne przekonanie. Granat był bardzo zbliżony do bomby Millsa. Tyle mogę powiedzieć na pewno.

Oates siedział i przypatrywał się mu z lekko przekrzywioną głową.

– Chce pan przez to powiedzieć, że ktoś musiał wyciągnąć zawleczkę, zanim go rzucił?

Mimo swojego przekonania graniczącego z pewnością, major postanowił zachować ostrożność.

– No mniej więcej. To była zawleczka albo włącznik, albo śruba.

– Rozumiem. – Odpowiedź najwyraźniej tylko częściowo usatysfakcjonowała Oatesa, więc pan Culvert, rzuciwszy pytające spojrzenie swojemu szefowi, wtrącił się do rozmowy i przypomniał inspektorowi na swój skromny, uniżony sposób, że śledztwo jest dopiero na początkowym etapie.

Major znów wstał i pochylił się nad biurkiem, gdzie naszkicował coś pobieżnie na czystej bibule.

– Bierze pan żelazną skorupę wypełnioną materiałem wybuchowym i odłamkami – powiedział, wydychając ciężko powietrze na pochyloną głowę Oatesa. – W środek wkłada pan tulejkę wykonaną z cienkiego, perforowanego metalu, coś w rodzaju klepsydry, zwężoną na środku. W tulejkę wkłada pan iglicę, unieruchomioną przez kołek zakończony uchwytem. Kołek połączony jest z włącznikiem albo śrubą na zewnątrz skorupy. Powyżej iglicy umieszcza pan małą sprężynkę, więc kiedy ktoś przekręci kołek, rączka odsuwa się, a iglica opada wzdłuż prowadnicy w klepsydrze i uderza w małe kowadełko. Na kowadełku znajduje się czapeczka i detonator, zwykle piorunian rtęci. Rozumie pan?

– Tak mi się zdaje. – Oates zamrugał oczami. – I właśnie czegoś takiego użyto?

Major wzruszył ramionami.

– Tego nie jestem w stanie powiedzieć. I nigdy nie będę. Ale tak sądzę. Coś bardzo prostego, ale w profesjonalnym wydaniu. Być może później będę mógł dodać coś więcej. To dość ciekawe zagadnienie, ale na ten moment nie chciałbym niczego obiecywać. Teraz mogę jedynie potwierdzić, że to był granat i że został skonstruowany przez zawodowca.

– Aha! – przytaknął inspektor i umilkł.

Młody posterunkowy zapukał do drzwi i wsunął w nie swoją gładką twarz.

– Przyszedł nadkomisarz Yeo, sir.

Inspektor podniósł głowę i uśmiechnął się szeroko.

– Witaj, Freddie – przywitał się. – Dobrze cię widzieć. Wchodź. Mamy dla ciebie kilka uroczo paskudnych wieści, chłopie.

ROZDZIAŁ 19

Nadkomisarz z wydziału dochodzeniowo-śledczego Yeo wszedł sprężystym krokiem do środka. Był krępy i energiczny, o dużej okrągłej głowie i niepozornej, niemal komicznej twarzy. Jego zadarty nos i okrągłe oczy całe życie stanowiły dla niego spory kłopot, bo podważały jego autorytet i raczej zjednywały mu przyjaciół, niż pozyskiwały wielbicieli. Nawet Oates, który miał najwyższy szacunek dla niezwykłych zdolności nadkomisarza, doskonale rozumiał jego problem za każdym razem, gdy się spotykali.

W tej chwili Yeo był bardzo zmęczony, a jego pulchna twarz wymizerowana.

Inspektor szybko dokonał prezentacji. Zignorował pytające spojrzenie Yeo i nie wyjaśnił w żaden sposób obecności pana Campiona.

– Oczywiście nie miałeś czasu sporządzić raportu? – nie mógł się powstrzymać Oates i zadał pytanie z nutką złośliwości. – Dopiero co przyjechałeś, prawda? Coś nowego?

Yeo pokręcił głową.

– Nie – odparł posępnie. – Mnóstwo dowodów negatywnych. Moi ludzie cały czas pracują nad sprawą, a miejscowa policja też dużo pomaga, ale sami mają ręce pełne roboty. Zdarzył się dość paskudny incydent. Żona bagażowego rzuciła się dziś rano do stawu młyńskiego. Została sama z dwójką małych dzieci. Bała się, że bez męża sobie nie poradzi. Oczywiście była lekko obłąkana. Zapewne na skutek doznanego szoku. Wyciągnęli ją, ale było już za późno. Człowiekowi robi się od tego niedobrze, co? Paskudna, koszmarna sprawa. Zupełnie bez sensu.

Z posępną miną otarł dużą chustką czoło i krótki, gruby kark.

Inspektor w żaden sposób nie skomentował tragedii, o której się właśnie dowiedział, ale twarz mu stężała. Pan Campion, siedzący bez słowa w swoim kącie, uświadomił sobie, że Oates pochodził z podobnej wsi, w której znajdował się podobny staw i w której z dużym prawdopodobieństwem mieszkał podobny bagażowy.

Inspektor wrócił do sprawy.

– Major Bloom jest przekonany, że granat to robota zawodowca. Czy taka wiedza może być w czymś pomocna?

– Zawodowca? – Yeo spojrzał na majora w osłupieniu. – To zabawne. W takim razie musiał znajdować się w jakimś pakunku na peronie. Kolej najwyraźniej ma z kimś na pieńku.

Mówił z nadzieją w głosie, ale bez specjalnego przekonania.

– Zebraliśmy pięćdziesiąt cztery zeznania i trzydzieści dziewięć oświadczeń – podjął powoli. – I w tej chwili, panowie, gdybyście mi powiedzieli, że waszym zdaniem to był grom z jasnego nieba, z wdzięcznością bym uznał, że to prawda. Przedziwna sprawa, ale nikt nie widział, żeby ktoś czymś rzucał, a ponieważ większość tych ludzi w ogóle się nie zna, żaden spisek nie wchodzi w grę.

Major, który słuchał z zainteresowaniem, przechylił się nad oparciem fotela.

– A ma pan porządną relację naocznych świadków z dwóch, trzech minut przed samym wybuchem? – spytał.

Yeo skrzywił się.

– Mam, ale obawiam się, że nie znajdzie pan w niej nic niezwykłego. Wygląda na to, że nie zdarzyło się wtedy nic ciekawego. Jeden chłopak bardzo dokładnie opisał wydarzenia na peronie.

Nadkomisarz otworzył wysłużoną dyplomatkę i wyciągnął plik maszynopisów.

– Przeczytam panu. O, mam. Joseph Harold Biggins, lat 17, Christchurch Road 32, N.E. 38. To jeden z rowerzystów. Jest w szpitalu i ma, biedak, skórę zdartą z połowy klatki piersiowej. Pominę początek, gdzie opisuje, jak znalazł się w Boarbridge, i tak dalej. Oto interesujący pana opis.

Odchrząknął i zaczął czytać bezbarwnym, urzędowym tonem.

– *Gdy pociąg ruszył ze stacji, prezes naszego klubu, pan Konrad, którego przyjechaliśmy odebrać, stał w połowie peronu z rowerem. Poszliśmy się przywitać, a ponieważ naszego sekretarza coś zatrzymało przed budynkiem dworca, ja i Duke wysunęliśmy się na czoło grupy. Pan Konrad miał na sobie strój kolarski i bardzo się ucieszył na nasz widok. Gdy do niego podeszliśmy, uśmiechnął się i powiedział: „Cześć, chłopaki, już jestem", czy coś w tym stylu. Nie pamiętam dokładnie.*

Nastąpiła chwila ciszy, bo część klubowiczów trochę się wstydziła, więc – by rozluźnić atmosferę – pan Konrad wskazał na swój rower, prezent od klubu, i powiedział: „Śliczność, co? Śmiga jak jelonek". Potem ustawił rower bokiem, zaprezentował kierownicę z rogami wyposażoną w specjalne uchwyty, udawał, że włącza i wyłącza lampkę, et cetera. To ostatnie, co pamiętam.

Potem rozległ się huk i pamiętam, że upadłem na ziemię. Gdy odzyskałem przytomność, wszystko mnie bolało, a Duke leżał na mnie. Nie zdawałem sobie sprawy, że nie żyje, póki nie zobaczyłem jego twarzy.

Yeo nagle urwał.

– Straszna historia – westchnął. – Wszystkie zeznania są podobne. Ni z tego, ni z owego taka masakra. Jedna z pasażerek pociągu do Londynu powiedziała, że widziała, jak Konrada i rower wystrzeliło w powietrze, ale trochę zasłaniał go jej bagażowy z bańkami mleka, który przewrócił się i pociągnął cały ciężar na siebie. Widok tych wszystkich kanek spadających na tory wśród sypiącego się z dachu szkła najwyraźniej wymazał całą resztę z jej pamięci. Ten granat nie mógł być chyba w bańce na mleko, co? Nie znam się specjalnie na tych rzeczach, ale wydaje mi się...

Urwał, zawieszając pytająco głos. Dwaj biegli spoglądali po sobie i wyraźnie mieli coś do powiedzenia. Pan Culvert zdawał się milcząco naciskać na szefa, żeby o czymś poinformował, i major nagle skapitulował.

– Chciałem się najpierw upewnić, rozumieją panowie – zaczął swoim delikatnym, prostym akcentem. – Bo szczerze mówiąc, sam ten pomysł wydaje się strasznie, strasznie dziwny. Ale w świetle zeznania tego chłopaka myślę, że nawet na tak wczesnym etapie możemy wziąć pod rozwagę dowody w postaci fragmentów szkła i roweru.

Obaj policjanci i pan Campion przyglądali się mu z uprzejmym zdziwieniem.

– Jakiego szkła? – zapytał inspektor.

Yeo był wyraźnie zainteresowany.

– Mówi pan o małych kawałkach grubego szkła wyciągniętych z ciała Duke'a? – chciał wiedzieć. – Sam się nad tym zastanawiałem. Jakie są pańskie przypuszczenia, sir?

Choć major zdecydował się podzielić tą informacją, wciąż wykazywał się dużą dozą ostrożności.

– Musicie panowie mieć świadomość, że nie mówimy tu o żadnych dowodach – podkreślił. – Wciąż czeka nas ogrom pracy, zanim uznamy kwestię lampki rowerowej za absolutny pewnik. Musimy dokonać kilku analiz porównawczych, bo w przeciwnym razie adwokaci zrobią z nas bandę idiotów. Sami wiecie, panowie, że z prawnikami ciężko się dogadać.

– Aż tak daleko jeszcze nie zaszliśmy – mruknął sucho inspektor. – Nie wiadomo, czy w ogóle dojdzie do aresztowania. Być może będziecie musieli wszcząć prawdziwą wojnę. Sprawa może być polityczna, całkowicie poza naszymi kompetencjami.

Do nadkomisarza dotarły jednak niezwykłe słowa.

– Lampka rowerowa? – spytał.

– Tak. Właśnie. Na tym etapie jednak nie chciałbym udzielać żadnych jednoznacznych odpowiedzi – powtórzył podekscytowany major. – Granat znajdował się w lampce rowerowej – tam, gdzie powinna być sucha bateria. Takie lampki zapala się czasem przez przekręcenie i moja prywatna hipoteza – ale nie jest ona w żaden sposób potwierdzona – zakłada, że mężczyzna zdetonował granat, gdy włączył, czy też próbował włączyć

lampkę. Rozumieją panowie, to by wiele wyjaśniało: stan roweru, który został w znacznym stopniu zniszczony, małe kawałki grubego szkła soczewkowego w ciele drugiego mężczyzny,
ogólny kierunek zniszczeń, fakt, że najwyraźniej nikt niczym
nie rzucał...

Urwał. Poza Culvertem nikt nawet nie udawał, że słucha.
Dwaj policjanci patrzyli na siebie pytającym wzrokiem, a Campion znieruchomiał i wpatrywał się z uporem przed siebie, snując
najróżniejsze domysły.

– Sam to ze sobą przywiózł – stwierdził Yeo. – Boże Wszech-
mogący, sam to ze sobą przywiózł!

– Będziecie musieli panowie dowiedzieć się, jak wyglądała
oryginalna lampka i znaleźć mi podobną, abym mógł ją porów-
nać z zachowanymi fragmentami – wtrącił major, który najwyraźniej w ogóle nie zauważył sensacji, jaką wywołały jego słowa.

– To najważniejsze, jeśli sprawa trafi do sądu. Ważna jest też ta
kobieta z pociągu. A skoro o niej mowa. Musiała widzieć sam
wybuch. Jeśli ktoś z nas ją przesłucha, to może przypomni sobie
i przekaże nam więcej szczegółów, które wcześniej wydawały jej
się mało ważne, a my w ten sposób zyskamy być może coś, co
pozwoli nam zebrać niezbite dowody. Widzicie panowie, moim
zdaniem granat był prawdopodobnie wyposażony w zapalnik
czasowy krótkiego działania: dwu-, trzysekundowy. Dzięki temu
był bezpieczniejszy w użyciu, mężczyzna mógł przestawić rower,
a nawet powiedzieć coś, a wszystko po uruchomieniu zapalnika
za pomocą lampki. Z tego, co wiemy, mężczyzna nie zrobił nic,
żeby się uratować.

– Nie zapoznałem się jeszcze z wszystkimi danymi. Co on
robił? To miał być jakiś protest?

Jego ostatnie słowa dotarły do zatroskanego inspektora.
Oates podniósł powoli głowę.

– On nie miał pojęcia, co robi – wyjaśnił. – Tyle wiemy na
pewno. Niczego nie był świadomy. Nie wiedział o ładunku.

Yeo podniósł się z miejsca.

– Ale ci wszyscy ludzie? – zaczął, a jego okrągłe oczy zrobiły się ze zdziwienia jeszcze większe.

Gdy niezaprzeczalna prawda wreszcie do niego dotarła, zrobił się cały czerwony.

– To była pomyłka! – wykrzyknął. – To była pomyłka. To nie miało się stać tam. To miało się stać na jakiejś opustoszałej drodze. To pomyłka. Morderstwo, które wymknęło się spod kontroli!

Przez chwilę sam był porażony własnym odkryciem, ale zaraz potem do głowy przyszła mu kolejna myśl i zaczął grzebać w teczce.

– Oates – powiedział drżącym głosem. – Wszystko tu jest, czarno na białym. Konrad dostał rower od klubu. Zbiórkę i dostawę nadzorował sekretarz. Niejaki Howard. Mam gdzieś jego zeznanie. Nie lubił Konrada. Tak wynika z kilku innych zeznań. Pamiętam, że zwróciłem na to uwagę. W momencie wybuchu nie było go na stacji i – co najważniejsze – pracuje w hurtowni aptekarskiej. Właśnie to sobie przypomniałem.

Pan Campion wstał ze stojącego w kącie krzesła i wysunął się cicho naprzód. Mówił ciężkim, martwym głosem i stał niepewnie na nogach, jakby nie był nagle w stanie utrzymać ciężaru własnego ciała.

– Obawiam się, że to na nic – rzekł nieświadomy zdziwionego spojrzenia nadkomisarza. – Konrad dostał ten rower wiele tygodni temu. Bez trudu znajdą panowie dowody na to, że się z nim nie rozstawał, bo cieszył się z niego jak kobieta z nowej torebki. Ale potem stracił go z oczu na pięć dni i odebrał dopiero w niedzielę rano. Pojechał na nim na stację w Birley, żeby złapać pociąg do Boarbridge. Przez te pięć dni rower stał w szatni w White Walls.

– Gdzie to jest? – spytał zdecydowanie nadkomisarz.

Oates wyręczył Campiona.

– To wiejska rezydencja Jimmy'ego Sutane'a. To ten aktor, o którym opowiadał Blest. Pamiętasz?

ROZDZIAŁ 20

– Panie Campion…

Nadkomisarz odstawił skromny kufelek bassa i nachylił się konfidencjonalnie nad zgrzebnym lnianym obrusem.

– Gdy rozmawiał pan wczoraj wieczorem przez telefon z panem Sutane'em, co mu pan powiedział?

Było dość późno jak na lunch i górna, duszna sala u Boniniego praktycznie opustoszała. Mieli dla siebie cały róg przy oknie od strony Old Compton Street i cichy szept Yeo docierał wyłącznie do ucha, dla którego był przeznaczony.

Campion, który wyglądał nieco mizerniej i – zdaniem nadkomisarza – zdecydowanie inteligentniej niż w swoim zwykłym, mimowolnie eleganckim wcieleniu, zamrugał w zamyśleniu oczami, rozumiejąc wreszcie powód pospiesznego i natarczywego zaproszenia. Spojrzał na Yeo, który siedział przed nim, krępy i absurdalny, i poczuł, że bardzo go lubi.

Znali się od dawna, ale tylko ze słyszenia i teraz po raz pierwszy mieli okazję ze sobą współpracować.

– Chciał, żebym przyjechał – powiedział Campion zgodnie z prawdą.

– A czemu pan tego nie zrobił? Nie ma pan nic przeciwko kilku pytaniom? – Yeo uśmiechał się przyjaźnie, ale w jego zachowaniu dało się wyczuć ostrożność, ponieważ pan Campion, jako ceniony biegły i przyjaciel inspektora wydziału śledczego, zasługiwał na delikatne traktowanie.

– Stwierdziłem, że lepiej usunąć się na bok.

– Zdecydowanie. Zdecydowanie. Doskonale pana rozumiem.

Nadkomisarz był tylko częściowo usatysfakcjonowany odpowiedzią. Spróbował od innej strony.

– To sprawa klasy A – poinformował. – Dopadniemy go. Widziałem się dziś rano z komendantem i podkomisarzem. Mam do swojej dyspozycji całą komendę i mogę powołać dodatkowo kogokolwiek zechcę. Sprawa jest priorytetowa. Rozumie pan, panie Campion, człowiek, którego szukamy, jest niebezpieczny. Można go uznać za osobę aspołeczną, zgodzi się pan? Jeśli to osoba prywatna, która ma dostęp do materiałów bojowych, bo inaczej nie da się tego określić, i która zupełnie nie zważa na to, kogo zabije, to trzeba ją bezwzględnie powstrzymać!

Mówił z taką żarliwością, że jego oczy zrobiły się jakby większe, a nos mniejszy i zaczął przypominać komika w trakcie występu.

– Bezwzględnie – powtórzył. – Musimy go dorwać. Życiu kobiety ze zranioną nogą zagraża niebezpieczeństwo. Jeśli umrze, będziemy mieli cztery ofiary śmiertelne, jedenastu rannych i Bóg raczy wiedzieć, jaką skalę zniszczeń.

Campion uśmiechnął się krzywo.

– Mój drogi – powiedział. – Niech pan nie sądzi, że się z panem nie zgadzam. Zgadzam się. Sprawa z natury budzi taką grozę, że chyba nikt przy zdrowych zmysłach by się z panem nie spierał. Bez względu na okoliczności, nie ma i nigdy nie będzie usprawiedliwienia ani przyzwolenia dla tego rodzaju niesłychanego, niedorzecznego okrucieństwa. Gdy złapiecie już tego człowieka, będziecie musieli go powiesić. To dla mnie jasne.

Yeo spojrzał na niego z ulgą, choć w dalszym ciągu z pewnym zdziwieniem.

– Obaj z Oatesem wiedzieliśmy, że jest pan rozsądnym człowiekiem – zauważył naiwnie. – Ale szczerze mówiąc, zastanawialiśmy się, czy pan czegoś nie ukrywa – czegoś, co pozwoliłoby nam na przykład zrozumieć motyw.

Campion nie odpowiedział, więc detektyw po krótkiej chwili mówił dalej.

– Miał pan czas poznać tych wszystkich ludzi, a to dość ciekawe towarzystwo. Cały czas myślę, że na pewno by pan zauważył, gdyby działo się tam coś podejrzanego. To znaczy coś, co mogło doprowadzić do tej rzezi. Fakt, że zjawiamy się dopiero po katastrofie, stawia nas w bardzo niekorzystnej sytuacji, zwłaszcza że prasa, gdy tylko coś wywęszy, natychmiast to publikuje. Weźmy tę aktorkę, która tam zginęła... Spadła czy skoczyła? Nikt nie wie i nie ma to tak naprawdę większego znaczenia. A jednak to bardzo dziwna historia. Nie lubię zbiegów okoliczności. Głupio jest udawać, że się nie pojawiają, co nie zmienia faktu, że ich nie lubię.

Pan Campion podniósł głowę znad talerza.

– Obstawia pan White Walls?

– Tak, w głównej mierze. – Yeo zniżył głos i spojrzał gniewnie na pulchnego Boniniego, który zmierzał w ich kierunku z gościnną serdecznością. Urażony właściciel zmienił kurs, a nadkomisarz upewnił się, że nikt ich nie podsłuchuje, i mówił dalej.

– Minęły już cztery dni, a my pracujemy bez wytchnienia, oczywiście z pewnymi efektami. Jak tylko powiedział nam pan o rowerze – co, swoją drogą, oszczędziło nam sporo zachodu – sprawdziłem pańskie informacje i wszystko się zgadza. Konrad dostał rower drugiego, niemal dwa tygodnie przed rajdem. Dotarłem do sporej liczby osób z teatru i z innych miejsc, które widziały włączoną lampkę. Stopniowo skoncentrowaliśmy się na okresie, gdy Konrad zabrał rower do rezydencji pana Sutane'a. Mają tam szofera – przyzwoity, rozsądny człowiek. Nie wiem, czy pan go zna. To jeden z tych wielbicieli nowości. Był zachwycony rowerem. Zaklina się, że pierwszej niedzieli, gdy pan Konrad go ze sobą przywiózł, on, jako szofer, zrobił mu pełny przegląd i był pod szczególnym wrażeniem lampki, określił ją nawet słowem „super". Podał mi dokładne parametry roweru, które zgadzały się w pełni z tym, co uzyskałem od producenta.

Umilkł, a Campion pokiwał głową na znak zrozumienia i aprobaty. Nadkomisarz zapalił papierosa.

– Tak więc – powiedział – wiemy dokładnie, co się działo z lampką do czasu, gdy Konrad zostawił rower w szatni w White Halls. W poniedziałek wrócił do miasta samochodem. Następnej niedzieli przyjechał do White Walls taksówką i nie miał za dużo czasu. Mamy informację, że wpadł prosto do pokoju, który dla niego przygotowano, przebrał się szybko w strój kolarski, zostawił rozrzucone na podłodze rzeczy, które ktoś miał spakować – swoją drogą, pański człowiek, pan Lugg, chętnie nam o wszystkim opowiedział – po czym pobiegł do szatni, porwał rower i popędził na stację w Birley, o mały włos nie spóźniając się na pociąg. Nikt nie zwrócił wtedy uwagi na lampkę.

Pan Lugg mówi, że przez cały tydzień widział rower w szatni, ale nie przyszło mu do głowy, żeby go sobie dokładnie obejrzeć. Wygląda na to, że miał szczęście. Włączyć lampkę – to w końcu naturalny odruch, prawda?

– Ale granat nie mógł tam być długo – stwierdził przerażony Campion. – Za duże ryzyko. W domu jest przecież małe dziecko. Wszystko mogło się zdarzyć.

Yeo pokręcił ze zrozumieniem głową.

– Wszystko zależy od tego, kto go tam umieścił – odparł. – Jeśli chce pan znać moje zdanie, człowiekowi, który to zrobił, brakowało raczej wyobraźni. Prosty, ale pomysłowy – tak go widzę. Jednotorowe myślenie. Założył, że Konrad będzie jeździł na rowerze aż do zmroku, po czym zapali lampkę, a ona wybuchnie, gdy się nad nią pochyli, i go zabije. Przy takim założeniu plan wydaje się niezawodny, prawda?

Campion niechętnie rozważył tę kwestię.

– Granat musiał zostać umieszczony ostatniego ranka. Zapewne ktoś podmienił całą lampkę na podobną. Właściwie to musiało się odbyć w ten sposób.

– Ma pan słuszność. – Yeo był zadowolony i uśmiechnął się do swojego gościa jak do obiecującego ucznia. – Major Bloom miał na ten temat więcej do powiedzenia. Twierdzi teraz, że ładunek znajdował się w lampce, ale kawałki, które udało się zebrać, nie pasują do tej, którą dostarczono razem z rowerem, różnią się też dane techniczne uzyskane od szofera i producenta roweru.

Wiemy zatem na pewno, że ktoś podmienił lampkę w czasie pomiędzy wyjazdem pana Konrada w poniedziałek i jego powrotem w następną niedzielę po odbiór roweru. Zgadzam się, że zamiana została najprawdopodobniej dokonana pod koniec tego okresu, ale nie mamy na to żadnych dowodów, prawda? Podejrzani są zatem wszyscy, którzy przewinęli się przez ten dom w ciągu sześciu pełnych dni – a niech mi pan wierzy, że były ich całe tłumy.

Campion zawahał się.

– A może to stało się później, po wyjeździe z domu? – zasugerował bez przekonania.

– Niemożliwe. Sprawdziłem, o której wyjechał i o której wpadł na stację w Birley. Cudem zdążył. Rower został wrzucony do wagonu służbowego, a konduktor pamięta, że siedział przy nim całą drogę. Omal nie zemdlał, jak mu powiedziałem o granacie. Z trudem powstrzymałem parsknięcie.

Yeo uśmiechnął się szeroko na to wspomnienie, ale zaraz potem zmarszczył brwi i westchnął, wracając znów myślami do sprawy.

– Gdyby udało nam się znaleźć motyw, mielibyśmy jakiś konkretny trop – powiedział, zerkając na Campiona znacząco. – Z tego, co się zorientowałem, nikt specjalnie nie przepadał za Konradem, ale nikt też na pewno nie ucieszył się z jego tragicznej śmierci.

Pan Campion w dalszym ciągu nie dał się wciągnąć w rozmowę. Siedział wygodnie w fotelu, twarz miał poważną i życzliwą, ale nie wysunął żadnej sugestii.

Yeo, człowiek o nieprzebranych pokładach cierpliwości, nie ustawał w wysiłkach.

– Zna pan rodzinę i najbliższe kręgi, więc nie muszę ich panu ponownie przedstawiać – podkreślił. – Jest u nich z wizytą starszy mężczyzna, William Faraday. Kilka lat temu był zamieszany w tę sprawę w Cambridge, zgadza się? Wtedy się poznaliście. To pański znajomy. Przyznaje, że nie miał najlepszego zdania o Konradzie, ale jest autorem przedstawienia, w którym Konrad występował i dzięki któremu zaczął po raz pierwszy zarabiać poważne pieniądze. Nawet jeśli to typ, który byłby w stanie zadać sobie cały trud związany z produkcją i montażem granatu, niespecjalnie widzę, co miałby zyskać dzięki śmierci Konrada, natomiast związany z nią skandal mógł się z pewnością odbić na jego kieszeni. To samo tyczy się pana Sutane'a, pana Mercera, kompozytora, i agenta, pana Poysera, który był u nich w sobotę. Poza tym jest pan Petrie, sekretarz i rzecznik prasowy. Jego pozycja uzależniona jest od sukcesu Sutane'a, a nie cierpi na nadmiar gotówki. Służbę moim zdaniem można wykluczyć, podobnie jak kobiety, które nie przemawiają do mnie w roli podejrzanych. Zarówno żona, jak i siostra mogły teoretycznie to zrobić, ale niech skonam, jeśli miałbym wiedzieć po co. Nie wygląda też na to, żeby chodziło romans, a poza tym w przypadku pań w grę wchodzą te same czynniki powstrzymujące, co w przypadku panów.

Pokręcił głową.

– Nikt nie zabija bez powodu, chyba że jest mordercą maniakalnym. To musi być robota człowieka rozsądnego, ale bezwzględnego, z pewnego rodzaju defektem umysłowym. Kogoś, kto chciał śmierci Konrada, kto chciał, żeby zniknął z tego świata, zginął, nieważne gdzie. Tak sobie to wyobrażam. Ale nie wiem, czemu ktoś miałby w ogóle tego chcieć.

Na jakiś czas zapanowało między nimi milczenie. Pan Campion zorientował się, że ze wszystkich sił stara się nie myśleć.

Nadkomisarz nachylił się i dźgnął go palcem w ramię.

– Faraday jest pańskim przyjacielem, ale pozostali nie – zauważył. – Po raz pierwszy zjawił się pan w White Walls niecałe dwa tygodnie temu?

Campion uśmiechnął się szeroko.

– Mam wrażenie, jakby upłynęło więcej czasu.

– Nie dziwię się. Trochę się tam działo. – Oczy Yeo były lśniące i niezmiennie życzliwe. – Blest dobrze się spisał. Oczywiście wszystko z niego wyciągnąłem. Przeanalizowaliśmy z Oatesem całą tę nagonkę od A do Z. To z tego powodu został pan zamieszany w całą sprawę. O wszystkim wiemy i wzięliśmy to pod uwagę. Jednak bez względu na stopień poirytowania pana Sutane'a, przecież nie zabiłby Konrada, skoro mógł go po prostu zwolnić, prawda? A nawet jeśli stracił nad sobą panowanie i rąbnął kolesia, nie bawiłby się przecież w materiały wybuchowe i ładunki z opóźnionym zapłonem. Poza tym nie miał na to czasu. Blest powiedział panu Sutane'owi o swoich podejrzeniach dopiero w sobotę, gdy udało mu się zlokalizować wspólnika, Konrad natomiast zginął w niedzielę. Ten granat przecież trzeba było najpierw skądś zdobyć.

Campion wyrwał się z trudem z zamyślenia.

– Skąd?

– Tego jeszcze nie wiemy. Major Bloom wciąż nad tym pracuje.

Po raz pierwszy podczas całej rozmowy Yeo wykazał się zwykłą dla siebie powściągliwością.

– Mam wrażenie, że tylko ja mówię – zauważył. – Może teraz pan coś powie?

– Przez cały czas się z panem zgadzałem – zaczął ostrożnie Campion. – Myślałem dokładnie to samo co pan. Nie wiem, co o tym sądzić. Ta zbrodnia mnie zaskoczyła. W życiu bym nie pomyślał, że ten dom może być zamieszany w coś takiego. Jeśli jednak tak jest, to bardzo mi przykro, ale nie chcę mieć z tym nic wspólnego.

Yeo wzruszył ramionami.

– I pod tym względem ma pan przewagę nad nami, zawodowcami – rzucił kwaśno. – Ja nie mogę podjąć takiej decyzji. Nigdy pana takim nie znałem, panie Campion. Zwykle jest pan skory do działania. Gdyby mnie ktoś pytał, wie pan, co bym powiedział? Gdybym nie wiedział, że ci ludzie są dla pana właściwie obcy, stwierdziłbym, że w grę wchodzi zaangażowanie uczuciowe. Ale przecież jedynym pańskim przyjacielem w tym towarzystwie jest Faraday, a szczerze mówiąc, nie wyobrażam sobie, by miał coś wspólnego z tą sprawą.

– Niech pan posłucha, nadkomisarzu, gdybym uważał, że jestem w stanie pomóc schwytać tego człowieka, zrobiłbym to. – W głosie Campiona dało się nagle wyczuć nieoczekiwane napięcie. – Musi mi pan uwierzyć. Ale nie jestem w stanie. Nic nie wiem. Nie przychodzi mi do głowy nikt, kto mógłby mieć motyw, żeby zrobić coś tak potwornego, coś tak głupiego. Mówi pan, że Blest odnalazł wspólnika? Kto to jest, jeśli wolno wiedzieć? Pytam z czysto zawodowej ciekawości.

– Może się pan z nim zobaczyć, jeśli pan chce. – Yeo był wcieleniem życzliwości. Nie od parady słynął z wytrwałości. – Zaraz po naszym spotkaniu idę z nim porozmawiać. Jak pan myśli, kto to jest? Ni mniej, ni więcej tylko Beaut Siegfried.

– Nie. Poważnie? – Campion miał wrażenie, że nie słyszał tego wymyślnego nazwiska od czasów dzieciństwa. – Ten nauczyciel tańca?

– Stary pryk we własnej osobie – potwierdził niezbyt grzecznie Yeo. – Tak na marginesie, teraz uczy baletu. Zasuszony jak róża. Blest wydobył z niego, że to on wypisał zaproszenia. Niech pan mnie nie pyta, jakim sposobem. Chyba nie chcę wiedzieć. Mógłbym się pożegnać z policją, gdybym postępował tak jak ci prywatni detektywi. Wie pan, Blest nigdy nie zaszedł zbyt wysoko w policji, był tylko zwykłym aspirantem. Ma za mało cierpliwości do tej pracy. Tak czy inaczej ze starym Beautem mu się udało. Pan Siegfried napisał do pana Sutane'a uprzejmy list z przeprosinami za „być może nieco niesmaczny żart". Blest mówi, że Sutane przyjął przeprosiny. W tych okolicznościach nie miał specjalnie wyboru. To były zwykłe wygłupy, wystarczyły jednak, żeby zaleźć wszystkim za skórę.

– Ale nie na tyle, żeby zabić – dodał po chwili i przekrzywił głowę, zerkając na Campiona jak terier na mysią dziurę.

Koniec końców pan Campion udał się razem z nadkomisarzem do studia na Cavendish Square, przyjmując jego propozycję w imię utrzymania koleżeńskich stosunków, na których zależało mu równie bardzo, co policji. Po wieloletniej współpracy z władzami, zawsze bliskiej i jak najbardziej serdecznej, boleśnie odczuwał swoje obecne położenie i z wyjątkową niechęcią myślał o splocie okoliczności, które zmusiły go do jego przyjęcia.

Przechodząc w ciepłe, wonne londyńskie popołudnie przez elegancki plac, Yeo odkaszlnął.

– Utniemy sobie tylko krótką, przyjacielską pogawędkę. Na ten moment jest pan nieoficjalnie moim podwładnym. W przypadku tego człowieka doszło już do tylu naruszeń proceduralnych, że jeszcze jedno nie będzie chyba miało większego znaczenia. Mnie już zna. Swego czasu odbyliśmy jedną czy dwie krótkie rozmowy.

Gdy podchodzili po wąskich schodkach do eleganckich, georgiańskich drzwi, nadkomisarzowi przyszła na myśl jeszcze jedna uwaga.

– Jest trochę komediantem – powiedział. – Wydaje mu się chyba, że gra w *Szkole obmowy**.

Beaut Siegfried przyjął ich w swoim pięknym studiu. Był to chudy, starszy mężczyzna, obwieszony dawną afektacją niczym spłowiałymi girlandami. Bryczesy i jedwabne pończochy odsłaniały postarzałe, kościste nogi, a ramiona pod długim aksamitnym płaszczem były przygarbione i wątłe. Mężczyzna miał piękne białe dłonie, którymi chwalił się jak dziecko, gestykulując nimi ze swobodą i gracją, gdy tylko sobie o nich przypomniał. Twarz skryta pod puszystymi włosami, jeszcze brązowymi i poskręcanymi, była twarzą stereotypowej przywiędłej starej panny – pruderyjna, pomarszczona i złośliwa, z lekko wyłupiastymi oczami o zaskakująco pustym spojrzeniu.

Gdy ich wprowadzono, stał właśnie ze skrzypcami w rękach, a jego pochyloną głowę oświetlały promienie słońca wpadające

---

* Komedia obyczajowa Richarda Brinsleya Sheridana z 1777 roku.

przez wysokie okno. Na widok gości odłożył z lekkim westchnieniem instrument i podszedł do nich po wypolerowanej podłodze.

– Szanowny panie nadkomisarzu! – powiedział. – Jestem zaszczycony. Oraz chwilowo wolny. Moi chłopcy i dziewczęta będą dopiero koło szóstej. Wie pan, wciąż do mnie przychodzą, żebym nauczył ich piękne ciała pełnych gracji ruchów. Ale ponieważ będą dopiero koło szóstej, mogłem od razu panów poprosić. Kieliszeczek amontillado? Tycieńki? W kryształowych kieliszkach.

Yeo odmówił i usiadł, nie czekając na zaproszenie i pokazując panu Campionowi, żeby zrobił to samo.

Siegfried stał upozowany przed nimi, a promienie słońca skrzyły się mu we włosach i wśród miękkich fałd peleryny. Pan Campion zauważył, ze jedna z desek podłogowych jest nierówna i ma podpowiadać, gdzie się ustawić, by osiągnąć ów efekt.

Yeo przyglądał się nauczycielowi beznamiętnie i z niejaką satysfakcją, niczym osobliwemu zwierzęciu domowemu.

– Chciałem porozmawiać z panem na temat Konrada – zaczął. – Pomyślałem, że może będzie pan w stanie mi pomóc.

– Na temat Konrada? – Siegfried nakrył oczy białą dłonią. – Nie potrafię o tym myśleć – jęknął. – Przesłałem bukiet róż, ale nie potrafię o tym myśleć. Niech pan tego ode mnie nie wymaga. Chłopak miał taki dar, taki talent! Żeby umrzeć w tak młodym wieku!

Mówił dziwnie miękkim, lekko złamanym głosem, z wytwornym akcentem, który, co zaskakujące, nie robił przykrego wrażenia. Campion zaczął się zastanawiać, jaki był, gdy chodził do szkoły.

Okrągłe oczy Yeo wyrażały rozbawienie.

– Wie pan, czy ktoś go nie lubił? – spytał bez ogródek.

– Och! – Nauczyciel opuścił dłoń, a na jego ostrej, przywiędłej twarzy odmalowało się niespokojne wścibstwo. – Och. Czemu zadaje mi pan takie pytanie?

– Bo być może coś pan wie – wyjaśnił beznamiętnie Yeo. – W końcu był jednym z pana najwybitniejszych uczniów, prawda?

– No cóż... – Siegfriedowi pochlebiły te słowa. – Przekazałem mu całą swoją wiedzę. Jego wytworność, elegancja, natchnienie – wszystko to miał ode mnie. Ale jego współczesna technika... Nie, do tego nie roszczę sobie praw. Karciłem go czasem za to, że porzucił klasyczną szkołę tańca z jej czystym pięknem na rzecz zawiłości nowoczesnych rytmów.

– Ale znał go pan – nie dawał za wygraną Yeo. – Miał jakichś wrogów?

Siegfried zawahał się. Zacisnął mocno usta, a jego oczy zalśniły mściwie.

– Byli tacy, co mu zazdrościli – rzucił półgębkiem.

Yeo czekał cierpliwie, aż w końcu Siegfried zdobył się na stanowczy krok, wzruszając przy tym przygarbionymi ramionami, czym pokazał równie wyraźnie, jak gdyby komunikował to wprost, że zarzuca wszelką powściągliwość.

– Może okaże się to pomówieniem – zaznaczył. – Nie mam pewności. Prawo jest absurdalne. Ale uważam, że ktoś musi wiedzieć. Powiem to panu w zaufaniu, nadkomisarzu, ale proszę nie wiercić mi później dziury w brzuchu. Biedak był prześladowany.

Wydawało się niesłychane, że jeden pomarszczony starzec mógł kryć w sobie tak wielkie pokłady jadu.

– Sutane – wycedził. – Ten cały Sutane. Żaden z niego tancerz. To zwykły akrobata, z którego lud zrobił sobie bóstwo. Brak mu duszy, poezji, natchnienia, a widok Benny'ego budził w nim zazdrość. Nie dawał chłopakowi żyć. Siłą zmusił go do udziału w swoich przedstawieniach i trzymał go w ukryciu, bo bał się pozwolić mu zaistnieć.

Mężczyzna zapomniał o snopie światła i podszedł trochę bliżej, przysuwając twarz do twarzy nadkomisarza i pieniąc się lekko z emocji.

– Benny przyszedł tu do mnie i płakał – dodał z emfazą. – Gdy miał dobre wejście, Sutane mu to odbierał. Gdy miał pomysł na kostium, Sutane się nie zgadzał. Gdy dostawał owacje na stojąco, Sutane z niego szydził. Po miesiącu czy dwóch

251

u Sutane'a chłopak był kłębkiem nerwów. Nie wiem, co się ostatecznie stało. Nie jestem w stanie czytać gazet. Są obrzydliwe. Jednak bez względu na to, co się wydarzyło, Sutane jest za to moralnie odpowiedzialny. To teraz już wiecie. Moje sumienie jest czyste. Ale proszę pamiętać, że nie zgadzam się na to, żeby mnie niepokoić. Nie będę składać żadnych zeznań, a już na pewno nie pójdę do sądu. Muszę myśleć o moich chłopcach i dziewczętach. Uczę ich, jak być artystami w prawdziwym tego słowa znaczeniu, i nie pozwolę, żeby coś stanęło mi na przeszkodzie.

– Konrad nigdy nie skarżył się panu na nikogo poza Sutane'em?

Yeo zupełnie się nie przejmował bełkoczącą twarzą znajdującą się w takiej bliskości od jego własnej.

– Nie. Tylko na Sutane'a. – Starszy mężczyzna zagryzł wargi i spojrzał na niego mściwie swoimi wyłupiastymi oczami. – Sutane zabijał w nim ducha, tłamsił go i wysysał z niego życie. Ale nie chcę dłużej o tym mówić. Męczy mnie to. Tragedia jest faktem dokonanym, biedak nie żyje.

Podszedł do wielkiej włoskiej skrzyni w kącie pomieszczenia i wziął do ręki skrzypce. Yeo skierował się do wyjścia. Do drzwi odprowadziła ich szacowna starsza gosposia, odpowiadająca podanemu przez gońca opisowi kobiety, która nadała czosnkowy bukiet. Odchodząc, usłyszeli niepewne dźwięki fatalnego wykonania arii Pucciniego.

Nadkomisarz szedł przez jakiś czas w ciszy.

– Niczego się tu nie dowiemy – odezwał się w końcu. – Od razu miałem tego świadomość. Ale rozumie już pan, jak doszło do całej tej błazenady w teatrze? Zazdrość zżerała Konrada żywcem, więc przetransponował ją we własnej głowie, co nie jest zresztą niczym nowym u ludzi jego pokroju, po czym podjudzali się z Siegfriedem tak bardzo, że musieli przejść w końcu do czynów, bo inaczej by chyba pękli.

Campion pokiwał przytakująco głową. Pomyślał, że zachowanie Konrada było typowe – drobne, sporadyczne wybuchy niemocy, małostkowe, niedorzeczne i bardzo irytujące.

Yeo roześmiał się.

– Stary diabeł nie pisnął ani słówkiem o swoim spotkaniu z Blestem, co? – zauważył. – Można by pomyśleć, że tego rodzaju doświadczenie nauczy go trzymać język za zębami, ale nie wydaje mi się. Zachowuje się jak stara baba, bez dwóch zdań! Oates nie jest w stanie wytrzymać z nim w jednym pokoju, ale mnie on tylko śmieszy. Nie jest złym człowiekiem. Kupa staromodnych eleganckich fatałaszków i tyle. Czemu nie przyjmie pan zaproszenia pana Sutane'a i nie pojedzie do White Walls, panie Campion?

Pytanie zostało zadane tak nagle, że odniosło zamierzony skutek i zaskoczyło Campiona.

– Bo nie chcę – odparł.

Yeo westchnął.

– Niech pan to jeszcze przemyśli – doradził. – Dobrze, gdybyśmy mieli tam swojego człowieka. Pozwolę sobie na jeszcze jedną uwagę i nic już więcej nie powiem. Pana zdaniem Sutane nie jest poszukiwanym przez nas człowiekiem, a ja też nie mam żadnych podstaw, by uznać go za bardziej podejrzanego od innych. W jego interesie leży jak najszybsze wyjaśnienie tej sprawy, bo my nie odpuścimy, choćby miało nam to zająć całą wieczność, w tym czasie zaś zniszczymy człowieka. To nieuniknione. Tak więc czyjej gościnności będzie pan nadużywać? Proszę to sobie przemyśleć…

Pan Campion chodził po Londynie przez blisko cztery godziny. Niczym niezakłócona prywatność przebywania w otoczeniu czterech milionów zupełnie obcych ludzi uspokoiła go, a ruch na powietrzu przyniósł ukojenie. Szedł cichą, dostojną ulicą w kierunku Junior Greys. Popołudniowe słońce malowało czerwienią okna potężnych szaro-białych budynków, powietrze zaś było ciepłe, nabrzmiałe cichym śmiechem odpoczywającego po pracy Londynu. Campion znów poczuł się wolny. Niedająca spokoju, wstydliwa fascynacja Lindą, z początku zabawna, potem wstrząsająca, a na koniec autentycznie przerażająca,

została wyparta, odsunięta, częściowo do jakichś odległych za-
kamarków umysłu, a częściowo do miejsca gdzieś u podstawy
przepony.

Campion poczuł, że znów jest człowiekiem odpowiedzial-
nym i panem własnego umysłu.

U portiera w klubie czekała na niego wiadomość. Zwięzła
i tajemnicza, i sama w sobie niezbyt niepokojąca. Dozorca z Bottle Street dzwonił z pytaniem, czy Campion mógłby wrócić do
domu, gdy tylko pojawi się w klubie. Ponieważ mieszkanie było
blisko, ledwie trzy ulice dalej, Campion udał się tam bez zwłoki i wbiegł na górę po znajomych schodach, grzebiąc w kieszeni
w poszukiwaniu klucza.

Gdy dotarł na ostatnie półpiętro, przystanął nagle, a jego
świeżo odzyskany spokój prysł, jakby pancerne drzwi wyleca-
ły z hukiem z zawiasów i cały psychiczny i emocjonalny zamęt
ostatnich dziesięciu dni ogarnął go na nowo z całą swą siłą.

Na ostatnim schodku tuż przed jego drzwiami siedziała Linda Sutane, która właśnie podniosła się z trudem i zaczęła schodzić do niego, żeby się przywitać.

ROZDZIAŁ 21

Campion stał, opierając pięty o brzeg kominka, a ramiona o gzyms, i starał się utrzymać szczupłe ciało w równowadze, jednocześnie zaś przyglądał się siedzącej w fotelu dziewczynie, dokonując przy tym niepokojącego odkrycia: doszedł mianowicie do wniosku, że rozwój uczuć natury romantycznej wcale nie ustaje z chwilą, gdy obie zaangażowane strony przestają się widywać, ponownie podejmując swój bieg wraz z kolejnym spotkaniem, ale raczej cały czas posuwa się niestrudzenie naprzód, powoli i nieubłaganie, bez względu na to, czy zainteresowani spędzają wspólnie czas, czy nie.

Linda Sutane wydawała się mniejsza, niż zapamiętał. Miała na sobie czarny kostium z plisowanym białym kołnierzykiem projektu Lelonga* i osadzony na lśniących włosach kapelusz, przydający jej pewnej finezji, która spodobała się Campionowi i w dziwny sposób go uspokoiła.

Chwilę wcześniej kobieta weszła do mieszkania bez słowa i usiadła, nie rozglądając się wokół. Jej milczenie peszyło Campiona, więc stał z rękami w kieszeniach i wpatrywał się w nią z nadzieją, że w końcu się odezwie i nada wreszcie ich w najwyższym stopniu kłopotliwemu spotkaniu konkretne ramy. W tym momencie bowiem miał wrażenie, że cierpi na halucynacje, tyle że towarzyszyła temu przykra świadomość, że to nieprawda.

Linda podniosła głowę, dzięki czemu zobaczył, że jej drobna twarz jest blada i zmartwiała, a jej miodowe oczy pociemniały z troski. Serce ścisnęło mu się gwałtownie i boleśnie, co przelało czarę goryczy i sprawiło, że jego uczucia odmieniły się

---

* Lucien Lelong był znanym francuskim projektantem mody, szyjącym na indywidualne zamówienie klientów głównie w latach 20., 30. i 40. XX wieku.

o sto osiemdziesiąt stopni, budząc w nim cudowną i wyzwalającą złość. Miłość ujawniła się mu z całym swym monstrualnym ciężarem, a on zagotował się na jej widok z wściekłości.

– No cóż – powiedział zjadliwie. – To bardzo miłe z pani strony.

Linda podsunęła się głębiej na siedzeniu i podciągnęła pod siebie stopy tak, żeby fotel objął ją w całości.

– Wujcio William stwierdził, że być może zgodzi się pan nam pomóc, jeśli osobiście pana o to poproszę, więc przyjechałam.

Mówiła z niezwykłą naiwnością i widać było, że jest speszona, co dało Campionowi poczucie nędznej satysfakcji.

– Ależ droga pani – odrzekł – gdybym był w stanie cokolwiek zrobic, to – proszę mi wierzyć – nie wychodziłbym z pani zachwycającego ogrodu, wiercił dziurę w brzuchu służącym, skakał z lupą między rabatami i zachowywał się jak na dobrze wytresowanego prywatnego detektywa przystało. Ale ponieważ jest inaczej, nie rozumiem, jak mógłbym się narzucać pani swoją obecnością. Cóż poradzić?

Linda wpatrywała się w niego.

– Zmienił się pan – zauważyła.

Niespodziewanie bezpośredni atak powalił go, czy może raczej kazał mu się opamiętać. Znalazł papierośnicę i poczęstował gościa. Linda pokręciła odmownie głową, ale nie przestała wbijać wzroku w jego twarz. Jego zachowanie wyraźnie ją zabolało i zaskoczyło, ona zaś irytująco przypominała mu Sarah.

– Mamy potworne problemy – wyznała. – Codziennie jest u nas policja. Wie pan coś? Wie pan, co myślą o Konradzie?

– Z grubsza tak.

– A mimo to nic pan nie zrobi?

Zapewne po raz pierwszy w życiu Campion w trakcie rozmowy przestał myśleć. Bywają chwile, gdy intelekt wycofuje się z wdziękiem z sytuacji, nad którą w absolutnie niedopuszczalny sposób traci kontrolę, i zdaje się całkowicie na całą resztę skomplikowanej maszynerii umysłu. Ponieważ Campion był bardzo dobrze wykształconym wytworem niezwykle cywilizowanego gatunku, naturalne instynkty równoważyły sztucznie zaszczepione ludzkie nakazy i zakazy, a toczona między nimi wojna sprawiała w rezultacie, że o ile jego wewnętrzny stan był raczej żałosny, o tyle zewnętrzny cechował się lekkim obłędem.

– Moja droga – powiedział. – Dla pani każę temu cholernemu światu wstrzymać bieg. Jeśli tylko pani każe, zatrzymam potężną machinę urzędniczą policji brytyjskiej. Jestem wszechmocny. Wystarczy, że machnę czarodziejską różdżką i okaże się, że to wszystko nie dzieje się naprawdę.

Przez chwilę Linda miotała się szaleńczo między wściekłością i łzami, aż w końcu wcisnęła się głębiej w czeluście fotela i patrzyła na niego jak strzyżyk ze swojego gniazda.

– Jak się miewa Lugg? – spytał Campion. – A wujcio William? I uczynny Mercer? I Sock, i Poyser, i panna Finbrough? Wszystkim wam serdecznie współczuję i gdybym tylko był potężnym czarodziejem, z największą przyjemnością cofnąłbym dla pani zegar o miesiąc, powiedzmy do początku maja. Ale wygląda na to, że nie jestem człowiekiem, za jakiego mnie pani uważała. Na Boga, jak się okazuje, nie jestem dobrą wróżką.

Campion ze wszystkich sił starał się ją rozzłościć. W tym momencie nic nie liczyło się dla niego bardziej.

– W głębi duszy jestem draniem – stwierdził pogodnie. – Nie jestem wyrocznią i nie umiem czynić cudów. Widzi pani, okazuje się, że ktoś rzucił jeszcze kilka innych zaklęć – taka na przykład żona bagażowego.

Campion był bardzo ożywiony i rozbawiony. Jego twarz straciła wyraz bezmyślności i była już tylko szczupła i przyjemna. Zdjął okulary, a jego jasne oczy dalekowidza pociemniały i wyostrzyły się.

Linda pokiwała poważnie głową, jakby zdradził jej tajemnicę, którą znała już wcześniej.

– Niech pan ze mną jedzie – poprosiła i wyciągnęła do niego rękę.

Spojrzał na jej dłoń, obrzucając ją krótkim, przenikliwym spojrzeniem, zauważając wszystko, co było do zauważenia: jej kształt, fakturę i bladziutkie niebieskie żyłki pod skórą. Źrebak na łące patrzy w ten sam sposób na smakołyk, za pomocą którego ktoś chce go do siebie przywabić.

Odwrócił się nagle i podszedł do barku.

– Przedyskutujmy to przy drinku – zaproponował. – Białą damę?

Długo szykował napoje, a Linda tymczasem przyglądała się jego szczupłym, muskularnym plecom i krótkim, cieniutkim włoskom na karku.

– Szczury weszły już do domu – powiedziała cichutko. – Niedługo wyjdą na wierzch. To jakby znaleźć się w domu nawiedzonym przez duchy. Jimmy odchodzi od zmysłów z niepokoju, nikt nie jest sobą. Myślałam, że jest tak tylko u nas, ale teraz widzę, że chyba wszędzie tak jest. Myślałam, że zechce pan nam pomóc.

– Chciałbym – zapewnił ją lekko. – Gdybym mógł, wskoczyłbym do waszego domu jak powracająca na swoje terytorium wiewiórka ziemna. Ale odstrasza mnie skala sprawy. Zauważyła pani, że w przypadku morderstwa zachodzi zależność wprost proporcjonalna? Dwa trupy są dwa razy gorsze od jednego, a trzy – trzy razy gorsze od dwóch. Mogę latać jak opętany i majstrować przy silnikach samochodów w drobnej sprawie dotyczącej dyskusyjnego samobójstwa, ale gdy widzę taką jatkę, wiem, że to nie dla mnie. Znałem kiedyś skundlonego charta angielskiego, który wabił się Addlepate. Rzucał się w pojedynkę na każdego młodego byczka, ale wystarczyło, że spojrzał raz na zagrodę podczas pokazu bydła na wsi, żeby uniósł brwi i odszedł. Doskonale go rozumiem. Sam jestem taki. Pani koktajl, madame.

Linda wzięła od niego kieliszek i odstawiła go, nawet nie spróbowawszy. Campion nie był w stanie wytrzymać jej oszołomionego spojrzenia, więc unikał jej wzroku.

– Nie miałabym do pana żalu, gdyby pan odkrył prawdę i ją ujawnił – powiedziała.

– Nie jestem taki pewny. Ciężko to teraz stwierdzić. Czasem tak bywa – odparł i roześmiał się.

Kobieta wtuliła twarz w tapicerkę fotela, a Campion umilkł nagle i spojrzał na nią żałośnie. Zapadła długa cisza, w której trakcie Campion był boleśnie świadomy, że znajduje się we własnym, dobrze znanym pokoju i że Linda też tam jest, ale że wszystko się poplątało.

Wyciągnął z butonierki chusteczkę i opuścił ją delikatnie na jej dłoń. Dotyk wyrwał ją z apatii. Podniosła chusteczkę i popatrzyła na nią.

– Jest pan bardzo twardy – oceniła. – Nie zdawałam sobie z tego sprawy. Niesamowicie twardy.

– Lita skała – zgodził się. – Granit. Pod wierzchnią warstwą z błota człowiek dociera do kamienia. Koszmarną monotonię przerywa tu i ówdzie skamieniały szkielet ryby.

– No cóż, rozmowa była bardzo, bardzo interesująca – powiedziała i podniosła się z wysiłkiem z fotela.

Uśmiechnęła się do niego, a jej brązowe oczy lśniły.

Nie odwzajemnił uśmiechu. Twarz miał ściągniętą i poszarzałą.

– Przyjechała pani samochodem czy pozwoli się pani odwieźć na stację?

Podeszła do niego blisko i podniosła głowę, spoglądając na niego wyraźnie poruszona.

– Boję się – wyznała. – Tak naprawdę dlatego przyjechałam. Nie wiem, co się dalej stanie. Zostałam tam z nimi wszystkimi całkiem sama i jestem fizycznie przerażona. Nie widzi pan?

Pan Campion wpatrywał się w nią z rękami zwieszonymi bezwładnie po bokach. Po chwili uniósł brodę i spojrzał ponad jej głową. Jego twarz była pozbawiona wyrazu, zwrócona do wewnątrz.

– Dobrze – rzucił, decydując się nagle. – Pojedziemy. Proszę pamiętać, że to mój obowiązek. Nie ma to z panią nic wspólnego. Zarówno pani mąż, jak i policja prosili mnie, żebym przeprowadził dochodzenie, więc spróbuję to zrobić. To wszystko. Ale obawiam się…

Urwał, a ona spytała:

– Czego?

– Obawiam się, że nadejdzie taki moment, kiedy uzna mnie pani za skończonego drania, moja słodka Lindo – zakończył poważnie.

ROZDZIAŁ 22

– Poluzuj – rzucił pan Lugg przez drzwi. – Wsadź jeszcze raz. Poluuu-zuj. Nie gorączkuj się. Bez strachu. Jestem tu. Wypuszczę cię, jak ci nie wyjdzie, ale nie poddawaj się – próbuj. Nie bądź mięczak!

Na długim korytarzu, który prowadził ze wschodu na zachód przez całe szczytowe piętro White Walls, panowała cisza. Wyjątkiem były żarliwe zalecenia pana Lugga. Pan Campion, który szukał go od chwili przyjazdu, zobaczył w końcu monstrualne plecy dobrze sobie znanej olbrzymiej postaci.

– Pomału – teraz pomału! Słyszę, że idzie.

Białe sklepienie łysej głowy pojawiło się ponad znacznie większym sklepieniem wełnianego fraka, przypominającego odwrócony sierp księżyca, gdy tymczasem jego właściciel przykładał swoje wielkie ucho do drzwi. Rozległ się pomruk niezadowolenia.

– Wymskło się... Nieważne. Zacznij znowuż. Nigdy ci się nie uda, jeśli nie będziesz próbować. Wyciąg spinkę. Wygła się? Że co? To ją rozgnij, ty ćmoku zafajdany! Przecie ci pokazywałem. Masz? No, to wsadzaj. Cichutko! – cichutko! Nie chcesz postawić na nogi całego domu. Idzie – idzie... Tak jest. A teraz...

Złowieszcze drapanie w drzwiach ucichło, a zamek odskoczył z triumfalnym trzaskiem i drzwi uchyliły się cicho, ukazując zarumienioną i podekscytowaną Sarah z wygiętą wsuwką w dłoni.

– Udało się! – wrzasnęła i zaczęła podskakiwać wokół starego jak oszalały szczeniak. – Udało się! Udało się! Udało się!

– Sza. – Lugg zamachnął się, jakby chciał ją przyjacielsko trzepnąć w ucho, choć jego cios mógłby powalić wołu, ale na szczęście zrobił to bez przekonania i chybił celu. – Nie drzyj się, bo znowu nas przez ciebie objadą. Nie musisz trąbić jak w oberży przy sobocie, nawet jeśli uda ci się otworzyć zamek, a dwa razy większemu od ciebie nie. A teraz nauczę cię czegoś przydatnego, tyko nikomu nie rozpowiadaj. Tą sztuczkę musisz zachować dla siebie – zrozumiano? A to kto...

Ostatnie słowo miało posłużyć za ostrzeżenie. Oboje znieruchomieli, a malutkie błyszczące oczka pana Lugga zmierzyły chłodno chudą postać na końcu długiego korytarza.

Campion podszedł bliżej.

– Lugg, co ty wyczyniasz?

– Bawię się z dzieckiem – odparł buńczucznie i niedbale ordynans. – Teraz jestem niańką. Nie mówili panu? – Spojrzał na swoją uczennicę i puścił do niej oko. – Uciekaj, panienko Sarah – powiedział z karykaturalnym ceremoniałem. – Niania na pewno będzie panienki szukać. Nie chce przecież panienka, żeby się denerwowała? Tak myślałem. Później wrócimy do zabawy. No, zmykaj. Dobre dziecko.

Sarah ścisnęła go za rękę i wsunęła sobie spinkę do kieszonki fartuszka.

– Dziękuję, panie Lugg – pożegnała się z wyuczoną godnością. – To było wielce ciekawe.

Odeszła spokojnie i dopiero gdy minęła nowo przybyłego mężczyznę, zaczęła się chichrać jak szalona. Campion czekał, aż dziewczynka znajdzie się poza zasięgiem jego głosu, a wolną chwilę poświęcił na chłodną obserwację jedynego prawdziwego powodu, dla którego się tu znalazł, mającą wywołać zapewne w obserwowanym poczucie głębokiego wstydu.

– Wydaje ci się, że jesteś cholernie fajnym gościem, co? – rzucił w końcu. – Cholernym opiekuńczym harcerzykiem wnoszącym w życie zaniedbanego dziecka przykurzony promyk słońca?

Lugg pociągnął nosem, żeby pokazać, że nie zrobiło to na nim wrażenia.

– Bardzo lubię takie stworzenia – powiedział. – Poza tym nigdy nie wiadomo, kiedy może się przydać taka sztuczka. Każde dziecko powinno umieć używać wytrychu. To mały bezradny brzdąc. W którymś momencie będzie musiała sobie sama radzić w życiu. Szykuję ją na to. Robię jej przysługę. Niech się pan nie czepia. Lubię ją. Fajny z niej dzieciak.

– Niewątpliwie przypomina ci samego siebie z czasów dzieciństwa? – spytał życzliwie pan Campion.

Lugg przedarł się przez zakamarki pamięci wypełnionej niezwykle barwnym życiem do niemal zapomnianego domostwa w Canning Town, dzielnicy biedoty.

– Nie – odparł poważnie. – Niezbyt. W porównaniu ze mną to aniołek. To wychowanie zmienia człowieka. No, ale w końcu się pan zjawił. Najwyższa pora. Od tygodnia mam dla pana pokój. Chodźmy. Zaprowadzę pana, skoro już pan jest.

Podreptał korytarzem, prowadząc za sobą Campiona.

– Proszę – powiedział, otwierając drzwi do pokoju znajdującego się bezpośrednio nad małym salonikiem muzycznym. – Pokój świętej pamięci Benjamina Konrada. Ostatniego dżentelmena, który tu spał, wystrzeliło prosto do Buenos Aires. Mam nadzieje, że będzie panu wygodnie.

Campion wszedł do obwieszonego perkalem pokoju i stanął przy oknie, wyglądając na rozległy, spowity mglistym zmierzchem ogród.

– I co tam? – rzucił przez ramię. – Zauważyłeś coś ciekawego?

– Nie. Nie wtrącam się. – Służący postawił skórzaną walizkę na narzucie i zaczął ją rozpakowywać. – Nie pomyślał pan przypadkiem, żeby przywieźć mi ze dwie koszule? – spytał. – Daleko stąd do cywilizacji, wie pan.

– Nie pomyślałem. Zostaw te rzeczy. Skup się. Nie mogłeś być przecież jak w transie. Musiałeś coś zauważyć. Czym się zajmowałeś?

– Tym, co mi kazano – byciem kamerdynerem – odparł zadowolony z siebie Lugg. – Wypożyczył mnie pan damie na kamerdynera, no to nim byłem. To nie moja działka, ale robiłem swoje i nawet mi się podobało. Służący chodzą mi na pasku, a w wolnym czasie bawię się z dzieciakiem. Jeszcze rok, dwa, a wyprowadziłbym ją na ludzi. Ma zadatki na rzezimieszka pełną gębą. Ale musi pan wiedzieć, że mam surowe zasady. Żadnego przeklinania. Nic, co nie uchodzi damie. Ona też mnie czasem czegoś uczy. Jeśli czegoś nie wiem i nie chcę zniżać się do tego, żeby pytać służbę, pytam ją, a jeśli ona też nie wie, pyta niani. Oboje korzystamy. Aaa, była tu policja – widzę po pana minie, że tylko to pana obchodzi. Z tego, co wiem, w oberży przy drodze zatrzymał się jeden sierżant, ale przecież nie będę się przejmował jakąś mendą.

Najwyraźniej uznał, że ostatnie wyznanie dobrze o nim świadczy.

– Tak mi pan przecież kazał, prawda?

Campion westchnął.

– Z grubsza – przyznał. – Aha, tak na marginesie, może powinienem był wcześniej o tym wspomnieć. Jeśli podczas twojego pobytu w domu wybuchnie pożar, wcielisz się – chwilowo, rzecz jasna – w strażaka. A jeśli rzeka na końcu ogrodu wystąpi z brzegów i zaleje dolne piętro, na jakąś godzinkę zamienisz się w bosmana i odstawisz domowników bezpiecznie na suchy ląd.

Lugg milczał przez chwilę.

– Zachowuje się pan jakoś dziwnie – odezwał się w końcu. – Coś nie tak? Żarty żartami, ale po co te przytyki? To i tak istny dom wariatów. Gdybym był inspektorem, wsadziłbym do paki wszystkich jak leci, przez miesiąc bym ich karmił i pilnował, a na koniec powiesił tego, który dalej zachowywałby się jak stuknięty.

Przedstawiwszy sprawę w ten sposób, zajął się znów walizką.

– Ładnie się odpłacił szefowi za to, że pozwolił mu przetrzymać rower u siebie w domu – rzucił przez ramię. – W gazetach piszą, że podejrzewają lampę. Czułem, że musi chodzić o coś takiego, bo ciągle wypytywali o rower. Zabraniam czytać gazet w kuchni. Powiedziałem, że ja wiem wszystko z samego źródła, więc jak chcą coś wiedzieć, mają pytać mnie. Musiałem tak zrobić, bo inaczej wszyscy by odeszli, a nie chcę zostać sam z całą robotą w takim wielkim domu.

Urwał i obejrzał się szybko na drzwi na chwilę przed tym, zanim rozległo się pukanie.

– Niech pan wchodzi, panie Faraday – zawołał i dodał, otwierając drzwi z godnością człowieka przyuczonego do lepszych rzeczy. – Wiedziałem, że to pan, sir. Słyszałem, jak pan dyszy. Jest wreszcie pan Campion.

Do pokoju wszedł, powłócząc lekko nogami, przygaszony i niemal blady wujcio William.

– Kochany chłopcze – powitał gościa z autentycznym uczuciem. – Kochany chłopcze.

Lugg najeżył się, a jego małe, czarne oczka zalśniły z zazdrości.

– Pohulał, spaślaczek – mruknął drwiąco.

Wujcio William, który nie był zbyt lotny, nie zrozumiał w pierwszej chwili aluzji i pomyślał, że to jego się tu obraża. Odwrócił się z surowością sierżanta na placu apelowym.

– Muszę prosić, żebyś powściągnął swój język, człowieku. Zostaw nas. Chcę porozmawiać z twoim panem.

Stojący przy łóżku gruby mężczyzna rzucił kosmetyczkę, którą wyciągnął z walizki, i patrzył tylko z twarzą pociemniałą z oburzenia.

– No znikaj – powtórzył wujcio William, siląc się na stanowczość, choć nie wypadło to autorytatywnie.

Lugg spojrzał na Campiona, a nie otrzymawszy od niego żadnego wsparcia, podszedł ociężale do drzwi.

Gdy zaczęły się już za nim zamykać i nikt nie przywołał go z powrotem, przystanął i wsunął znów głowę do pokoju.

– Jeśli pan jeszcze nie jadł, sir, na kredensie w jadalni zostało trochę zimnych przekąsek – powiedział z najwyższym dostojeństwem, a odzyskawszy w ten sposób poczucie godności i zyskawszy pewność, że ostatnie słowo należało do niego, oddalił się do swojego królestwa pod schodami.

Wujcio William zmarszczył natomiast brwi i obejrzał się zmartwiony za siebie.

– Nie chciałem go urazić – powiedział. – Ale nie pora bawić się w grzeczności. Co za historia, Campion! Co za straszna historia! Prawdę mówiąc, pewnie wiesz na ten temat więcej niż ja, ale widzę, co się tu przez to wyrabia. Istny koszmar, mój chłopcze. Nie raz budziłem się z drzemki z sercem w gardle. Ani na chwilę nie da się od tego uciec. Wisi nad człowiekiem dzień i noc. Dzień i noc!

Opluł się trochę z wrażenia i otarł sobie twarz jedną ze swoich wykrochmalonych białych chusteczek.

– Gdy już myśleliśmy, że najgorsze za nami, że koniec z wrzaskami i że znów zaczniemy powoli wracać do normalności, ten mały pętak zjawia się po rower i jedzie na spotkanie ze śmiercią. Przyznaję, że gdy usłyszałem o tym po raz pierwszy w niedzielę wieczorem, nie złamało mi to serca – oczywiście przejąłem się pozostałymi biedakami. Zawsze uważałem Konrada za darmozjada i wcale się nie zmartwiłem, że trafił do Wielkiej Spalarni. Ale kiedy wczoraj razem z miejscowym funkcjonariuszem przyjechała policja z Londynu i zaczęła wypytywać nas o ten rower, zrozumiałem z porażającą jasnością, że znów ugrzęźliśmy w błocie, tym razem dobrze po kostki.

Usiadł w nakrytym perkalem fotelu, zbyt małym, żeby wygodnie pomieścić jego tłuste boki, i siedział przygarbiony, ze wzrokiem wbitym w swoje czerwone skórkowe domowe pantofle.

– Policja jest zdezorientowana, nie dziwota – zauważył. – W zeszły piątek odbył się pogrzeb tej biedaczki, która zapoczątkowała tę czarną passę, a w sobotę Jimmy opuścił popołudniówkę i przez większą część dnia pracował nad nowym przedstawieniem. W sobotę rano przyjechali wszyscy odtwórcy głównych ról i większość została na noc, żeby popracować w niedzielę. Obawiam się, że to nie będzie dobre przedstawienie. To, co widziałem, w ogóle mi się nie podobało. No ale to nie ma nic do rzeczy. Kiedy nadkomisarz Yeo spytał mnie, kto był w domu w zeszłym tygodniu, ciężko mi było wszystkich wymienić. Powiedziałem mu, że nigdy nikogo nie złapie drogą eliminacji kolejnych podejrzanych. Był też u nas na noc pewien książę – w piątek albo w sobotę. Rosjanin. Wcielenie grzeczności. To chyba jakiś znajomy Jimmy'ego z dawnych lat. Poznali się w Paryżu wieki temu. Nie dał mi spać całą noc, bo opowiadał o polowaniu na wilki. Przez dom przewinęło się mnóstwo ludzi. Powiedziałem sierżantowi, że to jak szukanie tygrysa w Ameryce Południowej. Nawet jeśli tam jest, ukrywa się w przebraniu. Przy takim założeniu to może być każdy.

Umilkł, prychnął i zwrócił swoją zmartwioną, pulchną, niemłodą twarz w stronę przyjaciela.

– Jesteśmy w strasznych tarapatach, Campion – powiedział.

– Kto spośród nas to zrobił? Wiesz może?

Nie otrzymał żadnej odpowiedzi i zwiesił głowę, ukazując swoją żałosną, zroszoną potem łysinkę, okoloną żółto-białymi kędziorkami.

– Nie mogę w to uwierzyć – stwierdził. – I powiem ci coś, Campion. Na pewno nie jestem zawziętym człowiekiem, ale istnieje możliwość – oczywiście bardzo niewielka, ale nie jestem głupi i dostrzegam ją – istnieje możliwość, której nie chcę widzieć. Niech się dzieje, co chce, i tak w to nie uwierzę. Rozumiesz?

Pan Campion znów spojrzał na ogród.

– Tak mi się wydawało, że możesz mieć do tego takie nastawienie – zauważył.

Wujcio William podniósł gwałtownie głowę. Miał rozbiegany, przestraszony wzrok.

– Czemu miałby... – zaczął, ale zaraz potem się rozmyślił. – Dalsza dyskusja jest bezcelowa – stwierdził. – Jak człowiek zaczyna o tym myśleć, czuje się jak szczur na karuzeli. Powiem ci, co zrobiłem. Wniknąłem w siebie, podjąłem decyzję i mam zamiar się jej trzymać. Może to nie jest najlepszy sposób, ale wygrywano już w ten sposób niejedną bitwę, mój chłopcze. Jeśli nie masz nic przeciwko, chciałbym, żebyśmy nie wspominali już więcej o tej sprawie... Nie podoba mi się, że dziewczyna znikęła w ten sposób, a tobie? Co ona wyprawia?

Campion odwrócił się gwałtownie od okna.

– Jaka dziewczyna?

– Eve. Linda ci nie mówiła? – wyraźnie zirytował się wujcio.

– Po co to ukrywa? Pewnie najpierw chciała mieć pewność, że przyjedziesz. Z kobietami nigdy nic nie wiadomo. No więc tak, Eve zniknęła. Wyszła z domu wczoraj po południu. Szofer mówił, że płakała. Cały dzień czatowałem przy telefonie, czekając, aż zadzwoni. Ale nie zadzwoniła.

Campion wpatrywał się w niego z milczącą fascynacją. Wujcio spuścił wzrok.

– Dziwne, co? – mruknął.

– Dosyć – odparł ostro Campion. – Policja wie?

– Nie. Nie wydaje mi się. To znaczy nie wiedzą, że nie mamy pojęcia, gdzie ona jest.

Campion oparł się o parapet.

– Będziesz mi to musiał wyjaśnić, wiesz?

Wujcio William wzruszył ramionami i zaczął się wiercić niespokojnie.

– Być może, powiadam, robię z igły widły – zauważył, w wyjątkowo nieudany sposób starając się nie pokazać po sobie niepokoju. – Sam się starzeję, co mi uświadamia, jak młoda jest ta dziewczyna. Chyba zamieniam się w starą babę. Możliwe, że Linda ma podobne odczucia i dlatego uznała, że nie warto o tym mówić.

Pan Campion przypomniał sobie długą, milczącą drogę na wieś, ale stwierdził, że nie chce się nad tym zastanawiać.

– Co się dokładnie stało? – zapytał. – Rozumiem, że przepytaliście szofera po jego powrocie do domu?

– No tak, widzieliśmy, że skądś wraca, powiadam, i spytaliśmy, gdzie był.

Wujcio mówił z ociąganiem, ale nie wymijająco.

– Krótko mówiąc, wszyscy byliśmy dość zaskoczeni, gdy usłyszeliśmy, że dziewczyna wyjechała bez słowa. Ktoś pobiegł do jej pokoju sprawdzić, czy nie zostawiła jakiegoś liściku, a kiedy się okazało, że nie, wszyscy bardzo się zaniepokoiliśmy, ale nagle Jimmy, który był akurat w domu, żeby odpowiedzieć na pytania policji, przypomniał sobie, że przecież o wszystkim wiedział. Powiedział, że Eve dziś wróci. Sierżant nie pytał o nią dziś rano i nikt mu nie mówił, że jej nie ma. Przez ten dom przewija się tyle osób, że policja nie jest w stanie się wszystkich doliczyć, chyba żeby postawili sprawę otwarcie i nałożyli na nas areszt domowy.

Wciągnął głęboko powietrze w płuca i zamrugał niespokojnie.

– Spytałem Jimmy'ego wprost, gdzie ona jest, a on mi powiedział, że pojechała do koleżanki do Bayswater. Linda wiedziała, o kogo chodzi, więc gdy Jimmy pojechał do miasta, zadzwoniła do niej. Ale Eve nie było u niej ani wtedy, ani wcześniej.

Urwał.

Campion przyswajał przez chwilę tę dość dziwną wiadomość.

– Czy zdarzało się wcześniej, że wyjeżdżała ni z tego, ni z owego do miasta bez wcześniejszej zapowiedzi i zostawała na noc u koleżanek?

– Ale zawsze kogoś informowała, kochany chłopcze – odparł poruszony wujcio. – Takich rzeczy po prostu się nie robi. Zwłaszcza gdy jest się siedemnastolatką. Martwię się o nią, Campion. To ona napisała ten liścik, który znalazłem w gnieździe.

– Naprawdę? Do kogo?

– Tego się nie dowiedziałem – z żalem przyznał się do porażki wujcio. – Nie mogłem cały dzień sterczeć pod drzewem. W sobotę jeszcze tam był. W niedzielę rano też. Ale w poniedziałek poszedłem na bardzo wczesny spacer, żeby oswoić się z kolejną katastrofą, i nagle zobaczyłem kogoś między drzewami. Poznałem po różowej sukience, że to Eve. Minęła mnie ze skrzywioną miną i łzami w oczach, a kiedy powiedziałem „Dzień dobry" czy coś równie bzdurnego, nawet na mnie nie spojrzała. Gdy dotarłem do gniazda, było puste, ale liścik leżał podarty w trawie. W ogóle bym go nie zauważył, gdybym specjalnie się nie rozglądał. Skrawki były raczej suche, a ponieważ w nocy mocno padało, doszedłem do wniosku, że musiała dopiero co go podrzeć.

W jego oczach pojawił się krótki, nieśmiały błysk.

– Nieźle się spisałem – mruknął. – Przyznasz, prawda?

– Doskonale – wyraził stosowny podziw Campion. – Sock był w domu?

– Wielokrotnie. Biedak jest zalatany. Nie mam pojęcia, kiedy on sypia. To niesamowite! Zauważyłeś, Campion? Jak człowiek nie ma jeszcze dwudziestu siedmiu lat, każdemu się wydaje, że w ogóle nie potrzebuje odpoczynku. Jimmy nie jest wymagający, ale traktuje Socka jak jakiegoś uskrzydlonego posłańca. Nie sądzisz chyba, że dziewczyna pojechała do Socka, co? No bo tacy młodzi, tylko we dwoje. Bez żadnej kontroli. Bez żadnych ograniczeń. Potworne.

Campion przeczesał ręką włosy.

– Kto jest teraz w domu, poza nami i Luggiem?

– Tylko Linda i panna Finbrough. Jimmy ma przyjechać za godzinę lub dwie i Bóg raczy wiedzieć, kogo ze sobą sprowadzi. Mercer jest u siebie, w łóżku. Zatruł się, bałwan.

– Zatruł?

Wujcio William zachichotał.

– Przeziębił się, wracając w piątek wieczorem do domu – wyjaśnił ze złośliwym rozbawieniem. – Dobrze mu tak. Trzeba było iść na pogrzeb. Okropny człowiek, jak coś mu dolega. Wszyscy zmartwieni, zdenerwowani, zrozpaczeni, a on gada w kółko o tym, że chyba się przeziębił. W niedzielę nie wytrzymałem. Kazałem mu zapakować się do łóżka, wypić coś gorącego i trzymać się od innych z daleka, zamiast jęczeć, szwendać się bezczynnie i rozsiewać zarazki. Ale ten baran czekał do ostatniej chwili, gdy odchodziliśmy już od zmysłów ze zdenerwowania, bo usłyszeliśmy o dziewiątej w radio o katastrofie, i wtedy dopiero poszedł do kuchni pożyczyć od kucharki buteleczkę chininy amoniakalnej. Wziął ją ze sobą do domu i wyszedł w moim wełnianym płaszczu, nie zapytawszy nawet o pozwolenie, po czym przysłał jeszcze służącego po łyżkę. Naturalnie chłopak nie wiedział, jaką ma dokładnie przynieść, wziął więc pierwszą lepszą, jaka mu się nawinęła, a Mercer zażył łyżkę stołową chininy na pół szklanki wody. Zalecana dawka to pół łyżeczki, najwyżej cała.

Położył się potem do łóżka, obudził na wpół głuchy i na wpół ślepy i zaczął wrzeszczeć, żeby słać po doktora. Widziałem się z nim później. – Wujcio uśmiechnął się na wspomnienie tego spotkania. – Mówił, że przedawkował chininę. Mercer jest ciągle w łóżku. Czuje się już jednak lepiej. Byłem dziś u niego. Powiedział, że szum w uszach trochę zelżał. Ale dureń dalej się nad sobą użala.

Linda nie pojawiła się, gdy zeszli na dół, a Campion był wdzięczny za jej wyrozumiałość. Wciąż urażony Lugg przyniósł wujciowi jego karafkę i postawił ją przed nim bez słowa. Starszy pan siedział dłuższą chwilę i wpatrywał się w złocistobrązowy płyn w szklance z rżniętego szkła. Campion pomyślał, że chyba odpłynął gdzieś myślami, gdy nagle wujcio zerwał się na równe nogi.

– Chyba jednak podziękuję – postanowił. – Muszę zachować jasny umysł. Nie piję już tyle co wcześniej – co to, to nie. Ale i tak nie mogę patrzeć na butelkę. Schowam ją do mojej szafki w saloniku muzycznym. A potem pójdziemy zażyć powietrza.

Schował whisky, obchodząc się z karafką z niezwykłą delikatnością, po czym wyszedł z Campionem do ciepłego, wonnego ogrodu. Przechadzali się jeszcze po trawniku, gdy przednie światła bentleya utworzyły długie smugi na ciemnej trawie.

Sutane przyjechał sam. Zobaczyli jego szczupłą, ożywioną postać na tle reflektorów, gdy wyskoczył z samochodu i zaczął iść w ich kierunku.

– Campion! – zawołał. – Dobry człowieku. Wiedziałem, że mnie pan nie zostawi. Eve już jest, wujciu?

– Nie – odpowiedział z niezwykłą opryskliwością starszy pan. – Myślałem, że pojechałeś ją znaleźć i kazałeś jej natychmiast wracać do domu.

Sutane nie odpowiedział od razu i ruszył tak szybko, że mieli trudności z dotrzymaniem mu kroku. Gdy wchodzili po schodach do jasno oświetlonego holu, Campion spojrzał na jego twarz i zdumiał się tym, co zobaczył. Każdy zbędny gram ciała zniknął i została tylko dziwnie ożywiona trupia czaszka, na której malował się niemal każdy nerw.

– A, tak – odparł lekko Sutane. – Prawda. Taki miałem zamiar. Ale cały teatr wpadł w histerię. Dwie osoby z obsady nie żyją, a ludzie w teatrze są strasznie przesądni. Zupełnie o tym zapomniałem.

Zerknął kątem oka na Campiona, a jego zmęczone, inteligentne oczy były ufne i uśmiechnięte.

– Wróci jutro, prawda? – chciał wiedzieć.

ROZDZIAŁ 23

Gdy wcześnie rano, o pół do siódmej, pan Campion schodził cichutko na dół, w pogrążonym we śnie domu było jasno i trochę duszno. Jaskrawe słońce, które nawet na wsi o tej porze dnia wydaje się znacznie wyrazistsze niż o jakiejkolwiek innej, wpadało przez firanki do środka, malując kolorowy wzorek na kamiennej podłodze i dywanie, a złote czubki drzew za oknami tańczyły w podmuchach porannego wietrzyka.

Campion obejrzał sobie dokładnie szatnię oraz gorący, skąpany w słońcu hol i dopiero po chwili usłyszał, że z salonu dochodzi cichutkie szuranie. Zajrzał więc do środka i zobaczył, że pan Lugg i jego pomocnica zabrali się już do pracy.

Ubrany w podkoszulek i stare szaro-czarne spodnie przewiązane w pasie paskiem bagażowym, w byle jakich szmacianych kapciach na bosych stopach, doraźny kamerdyner przecierał porcelanę z wiszącej szafki, podczas gdy energiczny szkrab w piżamie i czerwonym szlafroczku szorował ściereczką parkiet. Oboje byli całkowicie pochłonięci swoją pracą. Ciasne warkoczyki Sarah sterczały z małej okrągłej główki, a postękiwania i pojękiwania zdradzały zarówno skupienie, jak i znaczny wysiłek.

– No dalej, jeszcze w kątach – rzucił znad ramienia Lugg, przesuwając dużym kciukiem po delikatnej buźce drezdeńskiej dojareczki. – Ładna rzecz – zauważył. – Ale niedużo warta, a ile się trzeba przy tym napracować. Ale podoba mi się. Wszystko to jak laleczki. Jak zabawki.

Campion wykazał się godną pochwały roztropnością i zaczekał, aż delikatny przedmiot wróci na miejsce, i dopiero wtedy się odezwał.

– Dzień dobry – powiedział ostrożnie.

Lugg okręcił się na pięcie.

– Jezu! Ale mnie pan nastraszył – rzucił z przyganą. – Co pan tu, u licha, robi o takiej porze? Ja się zrywam o świcie, żeby w spokoju zrobić swoje, ale pan? Salon zawsze sprzątam sam. Pokojówce nie wolno go tknąć. Dlatego muszę wstawać tak wcześnie, żeby nikt mnie nie widział w tych spodniach. Człowiek traci poważanie, jak się ubiera zbyt swobodnie. No dalej, do roboty! – zwrócił się do swojej pomocnicy, która przysłuchiwała się z przestrachem rozmowie. – Nie jestem twoją niańką. Pomaga mi z podłogą, bo kolana już nie te – wyjaśnił znów Campionowi. – Po co ma siedzieć w łóżku i czekać, aż reszta się obudzi? Niech już się lepiej na co przyda. Nie zmęczyłaś się, koleżanko?

Sarah pokręciła wzgardliwie głową, a Campion uświadomił sobie, że jego obecność przeszkadza w rozmowie dwóch osób, których umysły znajdowały się na wyjątkowo zbliżonym poziomie. Zostawił ich więc samych i wrócił do swojego śledztwa.

Na dole nie znalazł tego, czego szukał, chociaż robił to bardzo dokładnie. Nie zmartwiło go to jednak, ani nawet nie zaskoczyło, a kiedy dom zaczął powoli budzić się do życia, wycofał się do skąpanego w słońcu ogrodu. Tam posuwał się naprzód niewiele szybciej. Rozglądał się wokół tarasu i w krzakach między kuchnią a oknem saloniku muzycznego, ze szczególną starannością sprawdzając beczki na deszczówkę i dekoracyjne oczko wodne w ogrodzie różanym. Po lewej miał zadbany warzywniak. Prostokątne grządki rozdzielały omszone żwirowe ścieżki i eleganckie bukszpanowe żywopłoty wysokie niemal na dwie stopy. Trwało właśnie sezonowe przycinanie i połowa krzaków nie była już bujna i okrągła, tylko przystrzyżona schludnie w kant.

Ogrodnik, na którego Campion się natknął, wskazał na nieprzystrzyżone krzaki i wyjaśnił z żalem, że nie mógł dokończyć pracy.

– W piątek i przez pół soboty zrobiłem ten kawałek – wyjaśnił. – W poniedziałek i wtorek nie mogłem wrócić do pracy, a w środę i czwartek byłem nad jeziorem i pomagałem policji.

Spojrzał z zaciekawieniem na Campiona, który nie połknął haczyka, tylko wymamrotał kilka pustych, mało ciekawych banałów i ruszył dalej. Gdy dochodził do młodnika wujcia Williama, natknął się na Lindę. Szła w jego kierunku w żółtej lnianej sukience. Głowę miała pochyloną, a oczy pociemniałe i zmartwione. Zawołał ją szybko, a ona podniosła głowę i spojrzała na niego z niejasnym poczuciem winy, które z jakiegoś powodu bardzo go ucieszyło.

– Byłam się przejść – powiedziała. – Nie chciało mi się spać. Zaraz podadzą śniadanie. Chodźmy.

Zrównał z nią krok i poszli razem wzdłuż pięknych, jaskrawych kwiatów. Szczupły, wysoki Campion wyraźnie górował nad swoją towarzyszką.

– Czy policja robiła coś poza zadawaniem pytań? – spytał nagle.

– No wie pan, trochę się porozglądali. Nie wiem po co. – Mówiła oschłym głosem, któremu usilnie starała się nadać lekki ton. – Zachowywali się bardzo tajemniczo, wręcz konspiracyjnie. Zabrali ogrodnika i poszli szukać czegoś nad jeziorem. Kiedy spytałam, czy chcą przeszukać dom, z radością skorzystali.

– Po co to pani zrobiła? – spytał z ciekawości Campion. – Oczywiście postąpiła pani bardzo roztropnie.

Nic nie mówiła, ale kiedy podeszli przez trawnik do tarasu, nagle zadrżała.

– Niech to się wreszcie skończy – powiedziała. – Cokolwiek ma się zdarzyć, niech wreszcie się zdarzy i niech będzie po wszystkim. Rozumie mnie pan?

Pokiwał głową, uświadamiając sobie, że o jej uroku decydował w dużej mierze właśnie fakt, że tak doskonale ją rozumiał.

– Znaleźli coś?

– Nie wydaje mi się. Dziś mają znów przyjechać.

Weszli na taras, a potem przez otwarte drzwi balkonowe do salonu, w którym zastali wujcia Williama przy małym owalnym stoliku nakrytym do śniadania. Panna Finbrough siedziała obok i jadła machinalnie, najwyraźniej w ogóle nie myśląc o tym, co robi.

Siedziała dokładnie naprzeciwko wejścia i Campion był wstrząśnięty zmianą, jaka w niej zaszła. Żywy kolor jej cery, będący prawdopodobnie jej najbardziej charakterystyczną cechą, pozostał, ale nie była to już intensywna, lśniąca czerwień czerstwości i zdrowia. Teraz jej twarz była raczej przekrwiona i przesuszona, czerwona czerwienią piaskowca. Jej siła jakby zapadła się do wewnątrz, jakby mięśnie naprężyły się i stężały.

Popatrzyła na Campiona pustym wzrokiem i obdarzyła go krótkim, machinalnym uśmiechem.

Wujcio William odłożył „Timesa". Przeglądał ogłoszenia, które – podobnie jak wielu innych prenumeratorów tego znakomitego dziennika – uznawał za najciekawszą część lektury.

– Piątek – westchnął. – A więc znów minął tydzień. Dzień dobry. Nie mogłem spać. To żaden przytyk do twoich cudownych łóżek, kochana Lindo. Nie jestem w stanie czytać gazety. Jakoś w ogóle mnie nie interesuje. I nie ma w niej też nic zabawnego. Czasem tylko jakaś niezrozumiała gra słów, nic poza tym. Czuję tylko niepokój, wyłącznie niepokój.

Drzwi za jego plecami otworzyły się, a wujcio odwrócił się wojowniczo do nowo przybyłego, którym okazał się Mercer w eleganckim, prawie nowym garniturze. Kompozytor narobił hałasu, zatrzaskując za sobą drzwi tak, że aż się zatrzęsły. Wciąż jeszcze wyglądał blado po niedawnej przypadłości i miał podkrążone oczy.

– Witam – powiedział. – Witam, wrócił pan do nas, Campion? Boże! Nie czuję się dobrze. Lindo, jadę do miasta skonsultować z jakimś specjalistą to cholerne zatrucie chininą. Wrócę wieczorem. Szofer przyjedzie tu po mnie, zawiezie mnie na stację i odbierze z ostatniego pociągu. To ten dziesiąta dwie, prawda? Chyba napiję się herbaty.

Był całkowicie pochłonięty sobą, co wszystkim pozwoliło odetchnąć, choćby tylko na zasadzie tematu zastępczego.

Mercer opadł na fotel i wyciągnął niepewną jeszcze rękę po filiżankę herbaty, którą podała mu panna Finbrough.

– Ogłuchłem – krzyknął do Campiona. – W uszach trzaskało mi, jakby ktoś strzelał z karabinu maszynowego. Oślepłem i dostałem zeza.

– Ale przeżyłeś – mruknął wujcio William, sprowokowany do łagodnego sarkazmu. – Doprawdy miłosiernie.

– To prawda. Miałem cholerne szczęście. – Mercer podniósł filiżankę do poszarzałych ust. – Jakiś przeklęty gliniarz siedział przy mnie całą środę i zadawał idiotyczne pytania, na które mógł mu bez trudu odpowiedzieć ktoś inny. Byłem taki chory, że powiedziałem mu, co myślę o nim, policji i tym jego głupim notatniku. Nie pojawił się więcej. Wiecie, to zatrucie korą chinowca. Mogłem od tego umrzeć.

Błękitne jak niezapominajki oczy wujcia Williama błysnęły niebezpiecznie, więc Linda postanowiła interweniować.

– Czyli wrócisz dziś wieczorem, Squire?

– Tak, prawdopodobnie. Mam trochę roboty do skończenia. Przez to cholerstwo straciłem mnóstwo czasu.

Panna Finbrough wyglądała tak, jakby znajdowała się na skraju omdlenia.

– Cholerstwo? – powtórzyła słabo.

– No zatrucie. – Mercer radośnie nie zauważył dwuznaczności. – Ten kawałek o tańcu, który starałem się sklecić, wyszedł całkiem nieźle. Naprawdę mi się udał. Dillowi nie podoba się tytuł: *Pawana dla zmarłej tancerki*. Wolałby poszukać czegoś innego. Ci tekściarze mają się za ważniaków. Dill uważa, że tytuł jest za trudny.

– Chyba raczej, że jest w bardzo złym smaku, sir – warknął wujcio William z przyganą, zanim ktoś go powstrzymał.

– W złym smaku? – Kompozytor był w pierwszej chwili szczerze zaskoczony, ale po chwili, gdy dotarła do niego istota obiekcji, zaczął się ze złością bronić. – Nie bądź pieruńskim durniem, wujciu – powiedział zdecydowanie za ostro. – Zanim piosenka ujrzy światło dzienne, afera dawno ucichnie. Jeśli masz zamiar opowiadać takie bzdury, to znaczy, że rozumiesz działanie opinii publicznej równie dobrze co byle dzieciak, co ma jeszcze smarki pod nosem. Pamiętasz na przykład, o czym pisali w gazetach pół roku temu? No pewnie, że nie!

W wujciu zawrzało. Dzielił powszechne niemal przekonanie, że słowo „publiczny" brzmi obelżywie w zestawieniu z prawie każdym rzeczownikiem, a już zwłaszcza ze słowem „opinia". Poczuł się osobiście urażony i miał właśnie dać temu wyraz, gdy szczęśliwie uwagę wszystkich odwrócił przyzwoicie odziany Lugg, który przyszedł zawiadomić, że zajechał samochód pana Mercera.

Kompozytor wstał pospiesznie.

– Tak? – upewnił się. – To dobrze. Nie chcę się spóźnić na pociąg. Zostawiłem może tutaj swój płaszcz? Nie siedzisz na nim przypadkiem, Lindo? Nie? Czyli musi być na zewnątrz. Poszukaj go Lugg, dobrze? Do widzenia, Lindo. Może wpadnę do was wieczorem, jeśli po przyjeździe nie będę zbyt zmęczony.

Wyszedł bardziej niezdarnie niż zwykle, a dziewczyna obejrzała się za nim.

– Bardzo sobie zaszkodził – stwierdziła. – Jimmy potwornie się o niego martwi. Chinina to paskudztwo. Człowiek robi się przez to nieznośny. Wyobraźcie sobie, ile on tego połknął – całą łyżkę!

– Jak dla mnie to cud, że nie wypił całej butelki, zważywszy na to, jak marudził z powodu głupiego przeziębienia – skomentował wujcio William nielitościwie. – Cudownie musi być tak bardzo przejmować się własnymi dolegliwościami. Jimmy powinien go odprawić. A właśnie, pójdę z nim pogadać. Chyba się już obudził. Muszę zamienić z nim słówko.

Panna Finbrough wydała z siebie dźwięk przypominający coś pomiędzy szlochem i czkawką.

– To niemożliwe – oznajmiła kategorycznie.

– Nie? – Starszy pan odwrócił się powoli na krześle, żeby na nią spojrzeć, tymczasem w pokoju zapadła cisza i wszyscy zebrani wzięli przykład z wujcia i popatrzyli na pannę Finbrough tak, że znalazła się w końcu pod obstrzałem zaskoczonych spojrzeń.

– Czemu nie, Finny? – W pytaniu Lindy dało się wyczuć ostrą nutkę.

– Bo go nie ma. Wyjechał. Z samego rana samochodem. Gdyby policja o niego pytała, mam powiedzieć, że po jedenastej będzie w teatrze.

Panna Finbrough mówiła z monotonią, przez którą w jej głosie pobrzmiewało nieuzasadnione samozadowolenie. Linda zarumieniła się.

– Ale ja nawet się z nim nie widziałam – zdziwiła się. – Wczoraj wieczorem też nie. Nie zostawił dla mnie żadnej wiadomości?

– Pan ma dużo problemów, pani Sutane – skarciła ją druga kobieta. – Zapukał do mnie o piątej rano i kazał przygotować sobie śniadanie. Wszystko przyszykowałam, a on niczego nie tknął. Wpadł tylko do kuchni, wypił w biegu filiżankę herbaty i wskoczył do samochodu.

Panna Finbrough zaczęła się przeraźliwie trząść i wyciągnęła pomiętą chusteczkę.

– Państwo wybaczą – powiedziała. – Nie czuję się najlepiej. To jedyna wiadomość, jaką zostawił.

Nawet przy tak wielkim wzburzeniu widać było cień jej apodyktycznej osobowości. W pewnym sensie wydawała się przez to jeszcze słabsza. Wyszła z pokoju, a Linda zaraz za nią.

Wujcio William podniósł wzrok.

– Przedziwna sprawa – zauważył. – Coś ci przychodzi na myśl, drogi chłopcze?

Campion nie odpowiedział. Pokręcił się po pokoju krótką chwilę, a zyskawszy pewność, że obie kobiety poszły na górę, zaś wujcio William oddał się własnym ponurym rozmyślaniom, poszedł do kuchni i pożyczył sobie dwa żelazne odważniki z wagi kuchennej.

W zaciszu małego saloniku muzycznego wsadził czterouncjowy odważnik w ośmiouncjowy i związał je razem chusteczką. Następnie otworzył na oścież dolne okno, cofnął się i cisnął białym zawiniątkiem, jak najdalej zdołał, w najbardziej zarośniętą część rozciągającego się przed nim ogrodu.

Zawiniątko przeleciało nad murkiem do warzywnika, a Campion pobiegł go poszukać, zsuwając się z niskiego parapetu na twardą jak kamień darń. Poszukiwania nie zajęły mu dużo czasu. Biały pakunek leżał pomiędzy dwiema grządkami sałaty. Campion podniósł go i zakreślił wzrokiem szeroki łuk, z własną osobą na obwodzie i oknem pośrodku. Linia biegła przez krzaki porzeczek, mijała kilka ścieżek i zagon cebuli, a kończyła się murem z jednej strony i poletkiem kabaczków z drugiej. Mężczyzna zaczął starannie przeczesywać teren, uwzględniając z każdej strony zapas czterech jardów.

Poszukiwania w zagonie kabaczków nie przyniosły niczego ciekawego poza wspaniałą kolekcją zdumiewających tykw, ale przy dalej wysuniętej części bukszpanowego ogrodzenia ciągnącego się wzdłuż drugiej ścieżki Campion nagle przystanął. To tu w zeszłą sobotę ogrodnik przerwał strzyżenie żywopłotu i odłożył sekator. Taczka i deszczułki wciąż jeszcze leżały na brzegu ścieżki. Campion szedł powoli, aż natrafił wzrokiem na ciemną nieregularność gładkich, równych konturów świeżo przystrzyżonych krzewów. Kiedy w końcu znalazł to, czego szukał, zanurzył rękę w gęste, kłujące gałązki i westchnął mimowolnie. Odwinął w kieszeni ciężarki z chusteczki i za pomocą batystu zabezpieczył znalezisko przed własnymi odciskami palców. Wokół rozlegał się świergot ptaków i czuć było zapach kwiatów z drugiego ogrodu, przepływający ponad niskim murkiem w powiewach skrzącego słońcem powietrza. Campion spojrzał na swoje znalezisko.

W rękach trzymał posrebrzaną lampkę od roweru.

ROZDZIAŁ 24

Mimo swojej wielkości sala klubu Pod Zającem i Ogarami była zagracona. Ogromny stół, przy którym siedzieli nadkomisarz Yeo, sierżant Inchcape, obaj z centralnego wydziału dochodzeniowo-śledczego, nadkomisarz Cooling z policji okręgowej oraz pan Albert Campion, prywatny detektyw mimo woli, dźwigał także, poza parafernaliami* owych dżentelmenów, trzydzieści siedem popielniczek, z których każda miała inny napis reklamowy, pierwiosnka w przedziwnej doniczce, pęknięty kałamarz wypełniony porządnym atramentem i Biblię z czerwoną zakładką. Wystrój pozostałej części sali harmonizował z głównym meblem i obejmował znakomite kolekcjonerskie okazy zdjęć portretowych, sięgające początków owej sztuki.

– Wytarł lampkę i najzwyczajniej w świecie ją wyrzucił, myśląc, że nikt nie zwróci na nią uwagi, nawet jeśliby się znalazła. W ogóle nie wziął pod uwagę majora. Nigdy nie mieliśmy się dowiedzieć, w jaki sposób doszło do wybuchu.

Yeo wypowiedział te słowa z powagą stosowną do swojej pozycji najlepiej poinformowanej osoby na sali, a nadkomisarz z miejscowej policji, wytworny, postawny mężczyzna w eleganckim mundurze, skinął poważnie głową.

Yeo zerknął na leżący przed nim maszynopis.

– Gdy tylko oddał nam pan wczoraj lampkę, panie Campion, od razu się zorientowaliśmy, że została dokładnie wyczyszczona – powiedział. – I oczywiście rozpoznaliśmy w niej lampkę ze specyfikacji producenta. Firma jest gotowa przysiąc, że to ta sama lampka, którą dostarczyli razem z rowerem. Inchcape przekazał nam informację o przycinaniu żywopłotu i jestem skłonny się z panem zgodzić. Ogrodnik musiałby ją znaleźć, gdyby była

---

* Parafernalia – rzeczy osobiste.

tam podczas strzyżenia. A zatem znalazła się w krzakach mniej więcej między dwunastą w południe w sobotę i, możemy chyba przyjąć, dziesiątą trzydzieści w niedzielę rano, kiedy Konrad odebrał rower. Kto znajdował się w tym czasie w domu?

Nadkomisarz Cooling westchnął.

– Z przerwami trzydzieści siedem osób – poinformował ze smutkiem. – Przesłuchaliśmy jak dotąd mniej więcej połowę z nich. Będziemy oczywiście kontynuować. Ale to robota głupiego.

Yeo skrzywił się.

– Z tego, co rozumiem, w tej chwili w domu przebywa tylko rodzina i pan Faraday, nie licząc pana Campiona, zgadza się? – spytał. – Pojadę tam jeszcze raz dziś po południu. Sutane po południu oczywiście gra. Nie wrócił wczoraj na noc, prawda?

– Przenocował w swoim mieszkaniu na Great Russell Street, sir. Często tak robi, gdy ma potem popołudniówkę – podzielił się z zadowoleniem skromnym zasobem swoich informacji sierżant Inchcape. – Wszyscy są w domu z wyjątkiem panny Eve Sutane. Pojechała w środę do Londynu i jak dotąd nie wróciła. W czwartek umknęła mi jej nieobecność, ale wczoraj, czyli w piątek, pokojówka poinformowała mnie, że dziewczyna pojechała z wizytą do przyjaciół. Domownikom powiedziano, że jej brat uznał, że przyda jej się mała odmiana. Informację przekazała panna Finbrough.

Urwał i cmoknął – okropny nawyk, którym akcentował co drugie zdanie. Tworzył on wokół sierżanta aurę zarozumialstwa, co było albo irytujące, albo zabawne, w zależności od nastroju jego rozmówcy.

– Ma pan adres? – spytał Yeo. – Nie. No cóż, to nie ma znaczenia. Poproszę, żeby mi go podali dziś po południu. Ta sprawa jest mało ważna, ale lepiej zachować ostrożność.

Spojrzał na Campiona.

– Wciąż jest tylko jeden szkopuł. Dalej nie mamy motywu – stwierdził. – Jesteśmy bardzo wdzięczni za lampkę – naprawdę bardzo – niech pan nie sądzi, że nie, ale lampka jest tylko dowodem na to, co wiedzieliśmy już wcześniej. Zbrodnia wyszła z tego domu. Lampki zostały podmienione właśnie tam. Ale kto spośród całego towarzystwa miałby zrobić coś takiego, wciąż pozostaje tajemnicą. Nieprawdaż?

Ostatnie pytanie skierował do kolegów po fachu, którzy pomrukiem przyznali mu rację i idąc za jego wzrokiem, spojrzeli na wysokiego, chudego mężczyznę, który siedział wśród nich.

Campion rozpierał się wygodnie na krześle z rękami w kieszeniach i na wpół przymkniętymi powiekami. Wyglądał, jakby zapomniał, gdzie się znajduje.

– Chodziło mi o to, panie Campion, że skoro pan ich zna, powinien się pan domyślić motywu – wyjaśnił Yeo. – Ma pan jakiś pomysł?

Campion spojrzał na niego kątem oka.

– „Na sali jest czterdziestu policjantów, ale ja wolę ciebie, kochany" – powiedział.

– Słucham? – Yeo był wyraźnie zdumiony.

Campion wstał. Śmiał się, ale bez specjalnego rozbawienia.

– To ze sztuki – wyjaśnił. – Autorem jest sir James Barrie. To taka bajka. Mało znana. Będę się zbierał, jeśli wolno. Jeśli znajdę jeszcze jakieś luźne części rowerowe, dam znać. Do zobaczenia po południu. Robię, co w mojej mocy.

Gdy drzwi zamknęły się za nim, nadkomisarz miejscowej policji uśmiechnął się z niespodziewanym współczuciem.

– Znalazł się w nieprzyjemnej sytuacji – stwierdził. – W końcu jest przyjacielem domu. Dość niezręcznie.

Yeo uniósł brwi.

– W naszym zawodzie człowiek nie może mieć przyjaciół – powiedział z godnością. – Dobro to dobro, a zło to zło. On zdaje sobie z tego sprawę. Nie jest głupi.

Cooling pokiwał głową, bo nie chciał spierać się ze swoim dystyngowanym gościem, a już zwłaszcza nie w tak oczywistej kwestii.

Pan Campion wrócił do domu zakurzoną dolną drogą. Minął Old House i udał, że nie zauważa pani Geodrake, przyglądającej

283

mu się tęsknie z przydomowego ogrodu, który pieliła z ostentacyjną pracowitością. Spojrzał na budkę telefoniczną, z której Konrad dzwonił do Beauta Siegfrieda tego wieczora, gdy zginęła Chloe Pye, i przeszedł przez zagajnik, w którym wciąż znajdowało się gniazdo wujcia Williama, puste i zapomniane.

Wyglądał samotnie i raczej żałośnie. Nawet widok Lugga we fraku, zwalistego i imponującego, który stał niedorzecznie na rabacie i wskazywał Sarah odpowiednie kwiaty do wazonu w salonie, nie skłonił go do żadnej uwagi.

Miał wrażenie, że znalazł się w samym środku osuwającej się powoli lawiny. Prędzej czy później, dziś lub jutro nabierze ona rozpędu i popędzi z hukiem w dół z całą swą przerażającą masą, łamiąc i miażdżąc, niszcząc i dewastując. Nie mógł zrobić nic, żeby ją zatrzymać. Przy pewnym wysiłku mógłby być może przyspieszyć jej bieg, ale nie chciał tego robić. White Walls stało ciche w jaskrawych promieniach słonecznych. Niebieskie motyle na rabatach igrały radośnie wśród kwiatów. Lekki, ciepły wietrzyk pieścił skórę.

Na pewno w nocy – jutro, w najbliższy deszczowy dzień – na pewno wtedy pora byłaby lepsza?

Ale Campion nic oczywiście jeszcze nie wiedział o małym poobijanym coupé stojącym przy drodze do Birley.

Sock zadzwonił o trzeciej, przed zapowiedzianym przyjazdem Yeo. Lugg wezwał Campiona do telefonu, a ten wysłuchał go i złożył oczywistą propozycję.

– Jestem na stacji w Birley – zabrzmiał słabo przez telefon głos Socka. – Nigdzie nie mogę złapać taksówki. Ktoś buchnął mi wczoraj wóz. Co? Aha, no tam gdzie zwykle, na końcu ulicy. Głupio zrobiłem, że tam zaparkowałem, ale to taniej niż w garażu. Jakiś baran po prostu sobie wsiadł i odjechał. Tak, raczej nowy, niech to szlag!

– Przyjadę po pana – zaproponował przyjaźnie Campion. – Nie, nie będę kłopotać szofera. Drogi panie, nie mam nic do roboty. Będę za piętnaście minut.

W drodze na stację minął coupé. White Walls stało trochę na uboczu i najkrótsza droga na dworzec wiodła przez łąki pomiędzy dwiema głównymi drogami. Drogi były w dobrym stanie, choć rzadko uczęszczane, więc Campion jechał szybko.

Niebieski samochód stał na szerokim trawiastym poboczu, poobijany i żałosny, z zamkniętymi oknami. Równie dobrze mógł tam stać dziesięć minut co dziesięć lat, a Campion przemknął obok, ledwie go zauważając.

Gdy lagonda wdrapywała się pod górę, Sock zszedł po rozklekotanych schodach. Wyglądał trochę porządniej niż zwykle, ale jego ciemna, młodzieńcza twarz była wymęczona i spięta. Wyczuwało się też w nim pewne irytujące, tłumione podniecenie, jakby zdawał sobie sprawę, że uczestniczy w dziwnych i ważnych wydarzeniach.

– To bardzo miłe z pańskiej strony – powiedział, rozsiadając się wygodnie na fotelu obok kierowcy. – Nie umiem już sobie radzić bez samochodu. A musiałem przyjechać. Muszę pogadać z Jimmym, a ostatnio można go złapać tylko w weekendy. Mam nadzieję, że nie będzie trzeba zdjąć przedstawienia. Okaże się w poniedziałek.

– O, a zapowiada się na to? – spytał bez specjalnego zainteresowania Campion, uświadamiając sobie przy okazji, że nie ma nic nudniejszego niż sprawa, od której przez dłuższy czas nie było nic ważniejszego i która nagle została zdeklasowana. – Domyślam się, że to kwestia utarty reputacji?

– Co ciekawe, nie. – Sock sam wydawał się zaskoczony. – Sprzedaż nie spadła aż tak, jak by się można spodziewać. W niektórych sektorach wręcz wzrosła. Chodzi o aktorów. Cały teatr wpadł w jedną wielką histerię. Nigdy czegoś takiego nie widziałem. Skłonność do dramatyzowania mają chyba we krwi. Po wczorajszym spektaklu zemdlało trzy czwarte chóru. Koszmar dla wszystkich. Z nowym przedstawieniem wcale nie jest lepiej. Oba są niestabilne. Wszystko trzyma się siłą Jimmy'ego, a on wygląda tak, jakby w każdej chwili mógł paść trupem. Widziałeś

go ostatnio? Jest niesamowity! Żeby tak ryzykować, Campion...
Czasem mnie ciarki przechodzą, jak na niego patrzę. Ale on ma
tak silną osobowość, że zawsze mu wszystko uchodzi na sucho.

Sock westchnął i wsunął się głębiej w miękki fotel.

– Kradzież mojego samochodu dopełniła miary – stwierdził.

Pan Campion mruknął coś współczująco, a jego pasażer
mówił dalej.

– Poprzedni zostawiałem zwykle w zaułku niedaleko domu.
Mam taką wiatę przy Baker Street, wie pan. Przy tak pięknej
pogodzie pozwala mi to zaoszczędzić na garażowaniu. Ludzie
w Londynie są niesamowicie uczciwi, a ponieważ nic nie zostawiałem w środku, wydawało mi się, że pod wiatą jest równie
bezpiecznie jak w domu. Popełniłem jednak błąd, bo zapomniałem, w jakim stanie był mój stary wóz. Z nowym, który miałem
z drugiej ręki, postąpiłem tak samo i przez jakiś tydzień było
dobrze, ale wczoraj, gdzieś koło czwartej pojechałem do domu,
bo musiałem coś napisać. Zajęło mi to trochę czasu i wyszedłem
dopiero koło siódmej. I wtedy się zorientowałem, że samochód
zniknął. Gazeciarz na rogu widział, jak wsiada do niego jakiś
facet. Podszedł do niego jakby nigdy nic, wsiadł i odjechał. Zwy-
myślałem naturalnie gazeciarza, ale on stwierdził, że nie chciał
się wtrącać, bo mogłem przecież pożyczyć wóz znajomemu. Nie
mogę go winić. No ale przynajmniej podał policji rysopis, więc
będą szukać. Tymczasem jednak jest to najzwyczajniej w świecie uciążliwe.

Umilkł na chwilę, gdy zjechali ze wzgórza i skręcili w prawo.

– Jimmy mówił, że pan wrócił – rzucił w końcu. – Widziałem się z nim wczoraj przez chwilę. Dziwny facet. Nie ma chyba
nikogo, kogo bym bardziej podziwiał, ale trzeba wiedzieć, jak
się z nim obchodzić.

Zamilkł. Widać było, że chce coś powiedzieć, więc Campion
słuchał, jak krąży wokół tematu, czując przy tym narastający niepokój, co w ostatnim czasie przestało już być czymś niezwykłym.

Sock odchrząknął.

– Swego czasu podkochiwałem się w Eve – wyznał odrobinę zbyt lekkim głosem. – Ale już mi przeszło, a poza tym miałem wrażenie, że nasz James raczej krzywo na to patrzył, więc dałem sobie spokój. To urocza dziewczyna, jak się ją lepiej pozna, więc swoje odcierpiałem. Ale Jimmy był dla mnie wspaniały i nie chciałem się pakować tam, gdzie sobie nie życzy. Opowiadam to panu właściwie tylko po to, żeby opowiedzieć w końcu o Jimmym. Jakieś dwa dni temu wezwał mnie i zbeształ z powodu Eve. Spytał mnie wprost, co ja sobie właściwie wyobrażam, wypuszczając ją z rąk, i za kogo, do cholery, się mam, że pozwalam, żeby taka dziewczyna przeszła mi koło nosa. Omal nie padłem trupem. Zabawny facet, co?

Twarz pana Campiona przestała już wyrażać właściwie cokolwiek.

– Pewnie uważa, że ktoś powinien się nią zaopiekować – zasugerował ostrożnie. – Starsi bracia lubią czasem ojcować. A tak na marginesie, to nie ma jej teraz w domu.

– Nie, ja… tak myślałem – odparł zmieszany Sock. – Poza tym już jej się nie podobam, o ile w ogóle się kiedyś podobałem. Odniosłem właściwie przykre wrażenie, że „tu jest metal silniej pociągający"*. W ciągu ostatniego tygodnia–dwóch chyba mocno ją wzięło. Kwestia młodości – młodości i letniego, balsamicznego powietrza – która uderza młodym dziewczynom do głowy.

– Kim jest pański konkurent? – spytał z ociąganiem Campion.

– Nie wiem tego na pewno. – Sock pokręcił mądrą, młodą głową. – Przez jakiś czas miałem pewne brzydkie podejrzenia, ale nie będę szkalować dziewczyny. W końcu trzeba mieć jakieś granice. A niech to, Campion! Campion, zatrzymaj się pan!

Ostatnie zdanie wykrzyknął, obracając się na siedzeniu i wpatrując się w coś za swoimi plecami. Pan Campion zahamował posłusznie.

---

* Fragment *Hamleta* Williama Szekspira w przekładzie Józefa Paszkowskiego.

– Co się stało?

– Niech pan spojrzy! – Sock klęczał na swoim siedzeniu i był tak zdumiony, że wyglądał wręcz groteskowo. – A niech mnie, patrz pan! To mój wóz!

Campion odwrócił się i spojrzał na poobijane niebieskie coupé, które mijał, jadąc w przeciwnym kierunku. Wrzucił wsteczny i cofnął samochód. Sock tymczasem podskakiwał na siedzeniu.

– Zwróciłem uwagę na sylwetkę, a potem zobaczyłem tablice rejestracyjne – bełkotał podniecony. – Fantastycznie – cudownie! Nie mogę w to uwierzyć! Założę się, że te padalce zużyły całe paliwo i zatarły silnik.

Gdy tylko się zatrzymali, wyskoczył z samochodu i pobiegł do porzuconego wozu. Przez chwilę zaglądał do środka przez okno, po czym bez słowa otworzył drzwi. Campion zobaczył, jak się schyla, a głowa i ramiona nikną mu w ciemnym wnętrzu auta. Zaraz potem na zewnątrz wyleciał pled, a właściciel wydał z siebie odgłos, który nie był ani krzykiem, ani wrzaskiem, tylko czymś pomiędzy. Sock wysunął się powoli z samochodu. Miał bladą jak papier twarz i przerażenie w oczach. Położył sobie rękę na brzuchu.

Campion wyskoczył z lagondy i odpychając młodzieńca, zajrzał do auta.

Na podłodze leżało złożone wpół ciało. Nogi miało owinięte wokół pedałów, a głowę wciśniętą w siedzenie pasażera. Że człowiek był martwy, nie ulegało wątpliwości. Czaszka została bezlitośnie zgruchotana, a na dywanikach i tapicerce była krew.

Pan Campion, uodporniony na tego rodzaju przykre widoki, schylił się i zajrzał w drobną, ciemną twarz.

– Kto to jest? – spytał.

Sock zmusił się, żeby spojrzeć jeszcze raz.

– Nie wiem – wydusił z siebie w końcu drżącymi ustami. – Nie wiem. Widzę tego człowieka pierwszy raz w życiu.

ROZDZIAŁ 25

Pan Campion przysnął. Miał wrażenie, że noc nie chce się skończyć. Drewniany fotel, na którym leżał, został zaprojektowany przez człowieka, który miał bardzo określone, tyle że z gruntu błędne pojęcie o ludzkiej anatomii, przez co Campionowi było potwornie niewygodnie.

Była czwarta i na wsi wstawał wonny świt, świat budził się ze snu, a wśród liści trzepotał lekki, podekscytowany wietrzyk. W pokoju, w którym siedział Campion, na żelaznym kominku, pod przybrudzonymi licencjami wydawanymi przez urząd podatkowy Jego Królewskiej Mości tykał okrągły, cynowy zegar, drżąc co sekundę.

Zza drzwi gabinetu miejscowego inspektora dochodziły dźwięki, które nie chciały ucichnąć przez całą noc: głosy i kroki, powolne zaciąganie mieszkańców wsi i szybkie trzaski zjadanych głosek ludzi z miasta, nogi krzeseł szurających po drewnie i obcasy masywnych butów na gołych deskach. Tylko telefon milczał i wszyscy na komendzie, nie wykluczając pana Campiona, który nasłuchiwał nawet we śnie, wyczekiwali przenikliwego dźwięku znajomego dzwonka.

Na cichą uliczkę zajechał z rykiem i postękiwaniem stary fiat doktora Bouverie, a gwałtowny starszy dżentelmen wytoczył się ze środka, huknął na swojego zamroczonego snem szofera i wszedł do budynku. Lniane poły gigantycznego płaszcza w szkocką kratę trzepotały wokół niego jak żagle w czasie burzy. Jego autorytatywny głos docierał w każdy kąt, więc Campion poderwał się raptownie na fotelu. Kolejne morderstwo, oczywiste i niewątpliwe, poruszyło najwidoczniej wyobraźnię starca i jego zdumiewająca żywotność skoncentrowała się z pełną mocą na szukaniu wyjaśnień, wykazując się przy tym kompletnym brakiem poszanowania dla wczesnej godziny oraz własnej, jak i cudzej wygody.

– Z miejsca zabrałem się do roboty, powiadam.

Przez drzwi gabinetu inspektora przebił się znajomy ryk.

– Musimy wyjaśnić tę sprawę. Nie mogę pozwolić na takie rzeczy w moim rejonie. Pracowałem całą noc. Koło ósmej zrobiłem sobie przerwę, żeby coś zjeść, i znów wróciłem do pracy. Pot lał się ze mnie strumieniami. Zanim tu przyjechałem, musiałem wziąć kąpiel i przebrać się. Gdyby nie to, byłbym już godzinę temu. Młody Dean o pierwszej chciał zrezygnować, ale mu nie pozwoliłem i myślę, że wszystko już wiemy. Inspektorze, proszę mi na chwilę użyczyć jednego ze swoich ludzi.

Pozostawiony sam sobie w małym gabinecie od frontu, Campion rozciągnął przykurczone nogi i zaczął układać sobie wszystko w głowie, żeby jeszcze raz stawić czoło sytuacji. Gdy w końcu wsunął głowę w drzwi gabinetu inspektora, jego oczom ukazało się widowisko, które w innych okolicznościach mogłoby być całkiem zabawne.

Grupka zaciekawionych policjantów, spośród których wyróżniali się Yeo i Inchcape, przyglądała się niezwykłemu przedstawieniu odgrywanemu na środku pokoju. Na pierwszym planie stało krzesło, na którym leżał bezwładnie młody posterunkowy z głową i ramionami nakrytymi wielkim płaszczem doktora, starszy pan natomiast stał nad nim z kluczem francuskim w dłoni i demonstrował zebranym w niezwykle sugestywny sposób, jak dokonano morderstwa.

– Pierwszy cios dostał w sklepienie czaszki, panie inspektorze. Mniej więcej tu.

Doktor Bouverie opuścił klucz, wcale nie tak łagodnie.

– Przez to zrobiło się pęknięcie, powiadam. Potem zabójca wpadł najwyraźniej w szał. Okładał biedaka bez litości. Wygląda na to, że stracił nad sobą panowanie. Można to nazwać żądzą mordu, choć ja bym powiedział, że to raczej przerażenie. Jak pochwycony koń, powiadam. Kopie na wszystkie strony, żeby tylko się uwolnić, nie zważając na wyrządzane szkody. Sporządzę pełny raport. Nie miałem wcześniej czasu. Organy wewnętrzne w doskonałym stanie – doprawdy w znakomitym. Zdrowe serce, czyste płuca, wiek między czterdzieści a pięćdziesiąt lat, dobrze odżywiony, plamy na rękach... niech pan wstanie, dobry człowieku!

Ostatnie słowa zostały skierowane do posterunkowego, który oddychał dość chrapliwie, przyduszony grubym płaszczem. Policjant podniósł się z szerokim uśmiechem na twarzy. Cały aż pojaśniał z dumy.

Doktor wrzucił sobie klucz do kieszeni. Jego wojownicza, starcza twarz była surowa i ożywiona, a on sam emanował niezachwianą godnością. Obiektywnie rzecz ujmując, należy stwierdzić, że doktor miał w sobie sporą dawkę komizmu, ale w istocie daleko mu było do niedorzeczności. Panu Campionowi przyszło do głowy, że mieszanka powagi i komizmu stanowi o istocie prawdziwej tragedii. To potworna rzeczywistość katastrofy odzierała rzeczy zabawne z całej ich zabawności, przypominając mózgowi bez wytchnienia, że zdarzyło się coś szczerze przerażającego.

Doktor Bouverie odwrócił się i zauważył Campiona. Podniósł się natychmiast i wyciągnął do niego rękę.

– Witaj, Campion – odezwał się. – W to też się wmieszałeś? Dwie pary zwłok w ciągu dwóch tygodni, pan za każdym razem obecny, a mimo to sprawy nie mają najwyraźniej ze sobą żadnego związku... niezwykły zbieg okoliczności.

Miejscowy inspektor, przyjazna niezdara ze staroświeckimi policyjnymi wąsikami i w służbowych oficerkach, dostrzegł spojrzenie Campiona i mrugnął do niego, odzywając się pospiesznie do doktora, zanim zdąży to zrobić młodszy mężczyzna.

– Od jak dawna nie żył, sir?

Doktor Bouverie wrócił skwapliwie do tematu.

– Zastanawiałem się nad tym – odparł, a jego szare oczy błyszczały tak, jakby znów miał trzydzieści lat. – I jestem skłonny uznać, że śmierć nastąpiła maksymalnie na dwadzieścia cztery, a minimalnie na dwanaście godzin przed tym, zanim o czwartej po południu zobaczyłem ciało po raz pierwszy. To oznacza przedział od czwartej po południu w piątek do czwartej rano w sobotę. Nie dałoby się znaleźć kogoś, kto widział, jak długo tam stał ten samochód?

Inchcape zerknął na inspektora i na widok przyzwalającego skinienia głową przeszedł do wyjaśnień.

– Pracujemy nad tym – zapewnił. – Odszukaliśmy mężczyznę, który twierdzi, że gdy o ósmej piętnaście w piątek wieczorem jechał do Queen's Head, nie było samochodu w miejscu, w którym go znaleźliśmy, ale w drodze powrotnej, około pół do jedenastej, stał już tam, gdzie stoi do teraz. Uznał, że to pewnie jakaś zakochana para i nie zaglądał do środka. Ale nie da się stwierdzić, czy ktoś prowadził auto po śmierci mężczyzny, prawda?

– A to dlaczego? Od chwili zgonu nikt go nie ruszał. Co do tego mam pewność, powiadam.

Starszy mężczyzna był zafascynowany zagadką.

– O tak – ciągnął. – Mogę tego bezsprzecznie dowieść. Sądząc po pozycji, w jakiej leżał, ze stopami na pedałach, wątpię, czy po jego śmierci ktoś byłby w stanie przesunąć ten wóz choć o cal.

Yeo odkaszlnął, a miejscowy inspektor spojrzał na niego z poważaniem. Campion zauważył, że szacowny gość ze Scotland Yardu został przyjęty na wsi z całymi honorami. Yeo zwrócił się do doktora.

– Jest pan pewny, że nikt go nie ruszał po śmierci, sir?

– Całkowicie – odparł z kojącą autorytatywnością starszy mężczyzna. – W moim przekonaniu denat był kierowcą. Jego pasażer zarzucił mu nagle na głowę pled i go zaatakował. Umiejscowienie ran, w całości z lewej strony, oraz kierunek, w jakim opadło ciało, wyraźnie to potwierdzają.

– Rozumiem. – Yeo milczał, a jego twarz komika wyrażała namysł. – Nie znam tych okolic – zaczął – ale wydaje mi się, że od miejsca, w którym znaleźliśmy ciało, droga do miasta jest dosyć rzadko uczęszczana?

– Zgadza się – przyznał miejscowy inspektor. – Nie stoi przy niej żaden dom, póki nie minie się zjazdu na stację. – Umilkł na chwilę. – A może morderca wsiadł w ostatni pociąg do Boarbridge? – zasugerował nagle. – Mógł niewidziany dojść na stację, a po dziewiątej jest tylko jeden pociąg. Dworzec jest czynny od szóstej. Poślę tam kogoś, żeby się dowiedział, czy nie widziano tam wtedy kogoś obcego. To jakiś pomysł. Całkiem dobry.

Doktor Bouverie był gotów jeszcze aktywniej niż dotychczas zaangażować się w śledztwo i policjanci mieli niemały problem, żeby taktownie się go pozbyć. Dopiero gdy zaproponował, że wyciągnie z łóżka swojego starego znajomego, podpułkownika Bellera, komendanta, którego dopiero co przekonano, żeby poszedł do domu spać, zaniepokojony inspektor zdecydował się postawić sprawę jasno.

– Ale widzi pan, mamy pewien trop – powiedział – i nie chcemy postępować pochopnie. Czekamy na telefon ze Scotland Yardu. Sierżant Cooling z głównego departamentu pojechał do Londynu z odciskami palców denata. Istnieje duża szansa, że denat jest tym samym mężczyzną, który był widziany podczas kradzieży samochodu w Londynie. Właśnie otrzymaliśmy informację, że sierżantowi udało się dotrzeć do wydziału, zanim wszyscy wyszli, i kazał to natychmiast sprawdzić. Siedzimy i czekamy, co nam powie.

Energiczny starzec dał się częściowo udobruchać tą informacją. Zapewnienie, że sporo osób rezygnuje ze snu w szczytnym obywatelskim staraniu, by rozwiązać zagadkę, która okryła hańbą jego ukochany region, bardzo go uspokoiło.

– No dobrze, Larkin – rzekł z lekkim żalem. – Zostawię to wam, jeśli taka wasza wola. Będę się zbierać. Która godzina? Za kwadrans piąta? No cóż, prześpię się zatem dwie godzinki, a potem wproszę się na śniadanie do Bellera. Około pół do dziewiątej powinniśmy być z powrotem. Dobranoc. Dobranoc, Campion. Niech pan nie zapomni wpaść, by obejrzeć moje róże, jak będzie pan w okolicy. Przepiękne okazy. Doprawdy przepiękne.

W końcu wyszedł, a atmosfera w gabinecie wyraźnie się rozluźniła. Inspektor polecił młodemu posterunkowemu, który brał wcześniej udział w prezentacji, by zaparzył „chłopską herbatę", i młodzieniec wyszedł wśród pomruków aprobaty ze strony miejscowych uczestników narady.

Rozbawienie, które zawsze wisi w powietrzu, gdy grupa mieszkańców wsi zaczyna obserwować miastowego, ogarnęło wszystkich wyraźnie po powrocie posterunkowego, gdy całe towarzystwo usiadło i zaczęło popijać z wielkich, zgrzebnych białych kubków dość osobliwy trunek, składający się w połowie z gęstej, słodkiej, mocnej herbaty, a w połowie z whisky. Yeo, podchodzący do mikstury ze zrozumiałą nieufnością, z uznaniem ocenił jej smak, który Campionowi kojarzył się z tanimi „cukierkami aromatyzowanymi" z młodości, zaś narastające całą noc podniecenie w końcu osiągnęło punkt wrzenia.

– Podejrzewam, że inspektor ma rację, mówiąc, że wsiadł do pociągu – stwierdził Inchcape, miejscowy komisarz, zarzucając wszelkie próby zamaskowania swojego przyjemnego, prowincjonalnego akcentu. – Bo gdzie indziej mógł się podziać? Na pewno nie łaził po polach, prawda?

Inspektor zerknął na Yeo.

– Wszystko zależy od tego, kto to był, zgadza się? – zauważył przebiegle, z chwilą wyjścia doktora także nadając słowom bardziej prowincjonalne brzmienie.

Yeo pokiwał głową i skierował swoje okrągłe oczy na pana Campiona, który unikał jego wzroku.

Było krótko przed piątą, gdy z dołu przyszedł sierżant.

– Młody dżentelmen chciałby z panem mówić, sir – poinformował. – Najwyraźniej coś sobie przypomniał.

Inspektor kazał go wprowadzić, po czym spojrzał znacząco na Yeo.

Do pokoju wszedł Sock, wymizerowany i zmęczony. Trud, jaki zadał sobie cały komisariat, żeby wbić mu do głowy, iż nie został aresztowany, a jedynie poproszony o pozostanie w izbie zatrzymań, póki nie przypomni sobie, dlaczego nie przyjechał tego popołudnia pociągiem, a czekał jedynie na Campiona na dworcu, na nic się nie zdał.

Zeznania pracowników stacji były zaskakująco szczegółowe. Bagażowy widział po południu, jak Sock wchodzi na wzgórze. Pracownik kasy biletowej widział go, jak dzwoni z budki w poczekalni, a konduktor, jak wysiaduje na schodach, czekając na przyjazd lagondy i Campiona.

Po wejściu do pokoju Sock zauważył Campiona i zwrócił się bezpośrednio do niego.

– To cholernie głupia historia. Czy to oznacza, że muszę ją opowiedzieć przy wszystkich?

Inspektor interweniował taktownie. Miał duże doświadczenie w kontaktach z tą częścią świata, którą z upodobaniem nazywał „ziemiaństwem".

– Wszyscy jesteśmy z policji, sir – zaczął ojcowskim, by nie rzec wręcz matczynym tonem. – I wszyscy bardzo się staramy znaleźć rozwiązanie tej zagadki. Nie ma wśród nas nikogo, kto nie potrafiłby utrzymać języka za zębami, gdyby miało się okazać, że na drodze pełnionych obowiązków weszliśmy w posiadanie wiedzy, która nie była przeznaczona dla naszych uszu. Proszę usiąść i wyjaśnić nam, jak pan się dostał do miasta.

Sock opadł na krzesło, całkiem niedawno zwolnione przez doktora.

– Głupek ze mnie – rzucił. – Od razu powinienem był panom powiedzieć. Zrobiłbym to, tylko byłem przekonany, że nie ma to żadnego związku z morderstwem, a...

– Pozwoli pan, że to akurat ocenimy sami, sir. – W głosie inspektora nie tylko dalej pobrzmiewała ojcowska nuta, ale pojawiła się również stanowczość. – Pański samochód został skradziony w Londynie, a pan zaraz następnego dnia zjawia się na wsi i pierwsze, co widzi w drodze z dworca, to swój wóz ze zwłokami w środku – to naprawdę zdumiewający zbieg okoliczności. Gwoli formalności, zweryfikowaliśmy pańskie zeznania i okazało się, że wcale nie przyjechał pan pociągiem, jak pan twierdził. To wzbudziło nasze podejrzenia. Stwierdziliśmy, że powinniśmy z panem o tym porozmawiać. Ale pan nie chciał z nami mówić, więc z przykrością musieliśmy pana prosić, aby zechciał pan zaczekać na dole, póki nie zdecyduje się nam czegoś powiedzieć. Nie może pan zaprzeczyć, że uczciwie postawiliśmy sprawę.

Sock roześmiał się i znów wyglądał niesłychanie młodo.

– Ma pan całkowitą rację, panie inspektorze – przyznał. – Idiota ze mnie. Dziś po południu zostałem tu przywieziony samochodem – to znaczy w sobotę po południu, bo dziś jest niedziela, prawda? W sobotę rano pojechałem z Londynu pociągiem do Watford. Stamtąd zostałem odwieziony hillman minksem do Birley. Wysiadłem koło stacji, bo kierowca nie chciał jechać do White Walls. Cała reszta mojej pierwotnej historii to szczera prawda.

– Rozumiem, sir. – Inspektor zrobił na tyle długą przerwę, żeby posterunkowy siedzący w rogu mógł skończyć stenografować. – Dobrze, kto zasiadał za kierownicą minksa? Musi nam pan powiedzieć.

Sock westchnął bezradnie.

– Eve Sutane – wydusił z siebie.

Yeo uśmiechnął się, a Inchcape wychylił się w krześle.

– Adres w Warford, pod którym spotkał się pan z młodą damą? – mruknął inspektor z delikatnością dobrego ochmistrza.

Sock zawahał się.

– Czy to naprawdę konieczne? Nadużywam w ten sposób czyjegoś zaufania.

– Obawiam się, że konieczne, sir. Adres?

– St. Andrews 9, Cordover Road.

– Nazwisko lokatora?

– Major i majorowa Polthurst-Drew. Na litość boską, tylko ich w to nie mieszajcie. Eve zatrzymała się u ich córki, niejakiej Dorothy. Tyle wystarczy?

Yeo nachylił się, dotknął ramienia inspektora i wymienił z nim porozumiewawcze skinienie. Yeo odchrząknął, a ta część umysłu pana Campiona, która nie była chora z przerażenia, zauważyła z rozbawieniem, że pozorna łagodność prowincjonalnego inspektora zrobiła wrażenie na przedstawicielu Scotland Yardu, który był skłonny wyrazić mu swoje najszczersze uznanie.

– Chciałbym jeszcze tylko doprecyzować kilka drobiazgów, panie Petrie – zaczął przyjaźnie. – Czemu panna Sutane nie chciała zawieźć pana do własnego domu?

Sock wiercił się chwilę niespokojnie, aż w końcu dał za wygraną.

– Jest młodziutka – tłumaczył nieskładnie. – Uciekła w środę, a ja i Jimmy – to znaczy pan Sutane – mieliśmy cholernie duży problem, żeby ją znaleźć.

Jego audytorium potrzebowało kilku sekund, żeby przetrawić tę wiadomość, a gdy Yeo znów się odezwał, w jego głosie powróciła zwykła dla niego surowość.

– Młoda dama zniknęła na trzy dni i nikt nie pisnął o tym ani słowa... a to dlaczego?

Sock uśmiechnął się rozbrajająco. Nawykł do opryskliwości.

– Bo jak pan wie, nadkomisarzu, mieliśmy już mały problem – mruknął. – Dziewczyna jest młoda i głupia, a brat w miarę możliwości nie chciał, żeby sprawa trafiła do prasy. To raczej zrozumiałe. Wydaje mi się, że mówił, iż pojechała do przyjaciół, co ostatecznie okazało się prawdą. Pojechała do Londynu w środę po południu i zadzwoniła na Drury Lane, do koleżanek ze szkoły plastycznej nazwiskiem Scott. To dwie siostry. Będąc u nich, spotkała tę dziewczynę, Polthurst-Drew, która zaprosiła ją do Watford na parę dni. Pan Sutane od razu pojechał do panien Scott. To było pierwsze miejsce, które przyszło mu na myśl. Ale one ubzdurały sobie, że będą kryć swoją ukochaną przyjacióleczkę przed okrutnymi opiekunami i nie wiadomo kim jeszcze i z uporem maniaka zarzekały się, że jej nie widziały.

Dopiero w piątek wieczorem, gdy sprawdziliśmy już wszystkie inne miejsca, wpadłem na pomysł, żeby pojechać jeszcze raz do panien Scott z romantyczną historyjką o odrzuconej, ale wiernej miłości i zdołałem wydusić z nich właściwy adres. Pojechałem tam dziś rano, a Eve odwiozła mnie samochodem Dorothy aż do Birley. Próbowałem ją namówić, żeby wróciła do domu, ale nie chciała. Nikt nie wiedział, że poróżniła się z Jimmym – to znaczy nikt w White Walls, poza Jimmym, rzecz jasna – więc pomyślałem, że będę udawać, że przyjechałem prosto z miasta. Proszę. Opowiedziałem wszystko ze szczegółami.

Westchnął i odchylił się w krześle.

– Co za ulga – przyznał szczerze. – Nie rąbnąłem w głowę bliżej mi nieznanego złodzieja samochodów i możecie potwierdzić każdą sekundę z ostatnich dwudziestu czterech godzin mojego życia.

Yeo pokiwał poważnie głową. Jego okrągła twarz wyrażała zmartwienie.

– Mówił pan, że panna Sutane i jej brat o coś się poróżnili – powiedział. – O co poszło?

Prawie nie dało się zauważyć chwili wahania, bo zaraz potem Sock odpowiedział gładko i z przekonaniem.

– Nie wiem. Nie wydaje mi się, żeby to było coś ważnego. Wie pan, Eve jest – jakby to powiedzieć – młodziutka, a Jimmy to nerwus. Pewnie poszło o jakąś błahostkę. Zwykle tak bywa, gdy się kłócą. Może zarzucił jej, że za dużo wydaje albo za mocno się maluje... nie mam pojęcia.

– Nie przyznała się panu?

– Przez całą drogę się nie odzywała. W ogóle nie chciała ze mną rozmawiać.

Miejscowy inspektor uśmiechnął się pobłażliwie.

– Nie lepiej było od razu nam to wszystko zrelacjonować? – mruknął. – Musieliśmy zatrzymać... – odkaszlnął – ...poprosić pana o chwilę cierpliwości ze względu na to, że pański samochód odnalazł się w tak dziwnych okolicznościach.

– Wiem. To niesamowite! Czemu to się zdarzyło akurat tu? To niesłychany zbieg okoliczności. – Sock rozejrzał się z przejęciem wokół siebie. – To jakiś obłęd – dodał. – Czy ten mężczyzna miał przy sobie cokolwiek, co mogłoby zdradzić jego tożsamość?

Nikt nie odpowiedział na to niedyskretne pytanie, ale inspektor, który zapałał do młodzieńca niewytłumaczalną sympatią, poszedł na małe ustępstwo.

– Powiem panu jedno – rzekł. – To nic była kradzież. Człowiek miał przy sobie sporą sumę pieniędzy. Proszę pamiętać, że podaję to wyłącznie do pańskiej wiadomości.

– Nie kradzież? – powtórzył głucho Sock i pokręcił głową. – Jestem wykończony – wyznał. – Nie jestem już w ogóle w stanie myśleć. Mogę już iść? Idzie pan, Campion?

Tyczkowata postać w rogu pokoju otrząsnęła się z zamyślenia.

– Nie – odparł. – Czekam na coś. Niech pan weźmie samochód. Ktoś mnie rano podrzuci do White Walls. Proszę mnie jakoś wytłumaczyć, dobrze?

Inspektor podniósł głowę.

– Proszę jednak pozostać w okolicy, sir – mruknął uprzejmie. – Tylko do czasu potwierdzenia adresu. To nie potrwa długo. Najwyżej do jutra po południu. Powiadomimy pana. Ale na razie musimy zatrzymać samochód.

– Ależ oczywiście! Nie chcę go. Trochę się do niego zraziłem – uśmiechnął się słabo Sock. – Dobranoc, panowie. Przekażę pańskie przeprosiny, Campion. Powiem, że wcale pan nie zabalował. Do zobaczenia.

Po jego wyjściu Yeo zmarszczył brwi.

– Historia wydaje się mieć ręce i nogi – podsumował. – Tylko po co się tak rozwlekać? A o kłótni wie więcej, niż chce się przyznać. Będę to musiał wydobyć z dziewczyny.

Dzwonek telefonu kazał wszystkim zamilknąć. Aparat trząsł się na biurku inspektora przez dobrą minutę, zanim Yeo doskoczył do niego i przycisnął słuchawkę do ucha. Campion zobaczył, że twarz nadkomisarza pojaśniała.

– Mój dobry człowieku! – zawołał entuzjastycznie do zmęczonego Coolinga w Londynie. – Ach, mój dobry człowieku! Chwila. – Podsunął sobie notatnik i zaczął zapisywać.

W miarę upływu czasu Yeo był w coraz lepszym humorze, a na jego komicznej twarzy malowała się prawdziwa radość.

– Pięknie – rzucił w końcu. – Dokładnie to mi było potrzebne. Nie ruszaj się stamtąd i rób, co trzeba. Aha, cały czas tam jest? Przekaż mu wyrazy uznania i powiedz, że to mój spektakl. Tylko go nie denerwuj. Chcę, żeby staruszek pozostał na tropie. To naruszenie przepisów, więc nigdy nie wiadomo. Dobrze. Do widzenia.

Odłożył słuchawkę i spojrzał na zebranych z szerokim uśmiechem.

– Posłuchajcie, panowie. Tylko posłuchajcie – powiedział w końcu, nie starając się nawet ukryć zachwytu. – Mają te odciski w kartotece i to palant, którego szukamy.

Zaczął odczytywać swoje notatki równym, monotonnym głosem.

– Georg Kummer, alias Kroeger, alias Koetz, najprawdopodobniej pochodzenia polskiego. Czterdzieści cztery lub czterdzieści pięć lat. Po raz pierwszy zwrócił na siebie uwagę policji w naszym kraju w styczniu 1928 roku, kiedy stanął przed sądem pokoju na Bow Street pod zarzutem niedopełnienia formalności meldunkowych jako obcokrajowiec. Brak odpowiednich dokumentów. Deportowany. Wrócił w czerwcu 1929 roku. Oskarżony o poważny spisek w Glasgow i skazany w drugiej instancji na sześć miesięcy razem z czterema innymi osobami. Deportowany. Następnego roku notowany we Francji w związku z zarzutem o podpalenie. Nie został skazany, ale go deportowano. Wzbogacił się w tajemniczych okolicznościach w trakcie podpisywania i tuż po porozumieniu w sprawie złożenia broni przez rząd Severino. Wrócił do Anglii w 1932 roku i został zatrzymany przez policję po trzech miesiącach pracy w fabryce sztucznych ogni. Kolejny raz deportowany. Ostatnim razem notowany w 1934 roku, gdy został oczyszczony przez sąd w Wiedniu z zarzutów ukrywania broni i materiałów bojowych. (Dane zagraniczne dzięki uprzejmości austriackiej policji, która zwróciła się do nas z prośbą o informacje na jego temat ze spraw prowadzonych w Anglii). Uwaga: mężczyzna był zatrudniany przez liczne instytucje rządowe na stanowisku chemika. Ponoć ma na swoim koncie poważne tytuły naukowe, ale zawsze wpadał w tarapaty przez pociąg do szemranych interesów. Jego sytuacja materialna ulega nagłym i poważnym zmianom. Ostatnie dwa lata spędził w Wiedniu. Ostatni adres stałego zamieszkania: 49 Wien-Strasse 7.

Yeo zamilkł i odchrząknął. Oczy miał roziskrzone.

– Nie czytałem opisu fizycznego, bo już to sprawdzili. To ten sam facet, który zwinął auto. Gazeciarz opisał go T. Wellowi i proszę. Siedziało mi to z tyłu głowy od chwili, gdy zobaczyłem te plamy na jego rękach. Wiecie, kto to jest? To twórca naszej sakramenckiej bomby.

ROZDZIAŁ 26

O szóstej z Czerwonego Lwa z naprzeciwka przyniesiono śniadanie i inspektor zaprosił komisarza i dwóch szacownych gości do swojego gabinetu na posiłek. Odkąd przyszła wiadomość z archiwum, Yeo stał się zupełnie innym człowiekiem. Pościg był w toku i nabrał tempa. Dobry humor przydał nadkomisarzowi wigoru, który w przypadku mniej przyjemnej osobowości mógłby się okazać niemal przerażający. Yeo siedział i jadł z wielkiego talerza wyładowanego bekonem, jajkami sadzonymi, kiełbaskami i stekiem. Wzrok miał bystry i podekscytowany, a krótkie palce skubały chleb tak, jakby uosabiał on wroga.

– To musiał być szantaż – powiedział. – Wiedziałem to, jak tylko zobaczyłem ciało i usłyszałem historię o kradzieży samochodu Petriego. Te dwie sprawy musiały się jakoś wiązać. Nie wierzę w cuda. Jeszcze nie wyszliśmy na prostą, ale jeśli to się okaże kolejnym zbiegiem okoliczności, to złożę wypowiedzenie i zostanę sztukmistrzem.

– Kiedy będzie wiadomo? – spytał Inchcape, którego onieśmieliła nagła zmiana obrotu spraw.

– Nie wiem – ciągnął ochoczo rozradowany Yeo. – Cooling ma kontynuować dochodzenie pod dyktando naszego inspektora. Austriacka policja może się trochę ociągać, ale nie sądzę. Często mam wrażenie, że w innych krajach wszystko idzie szybciej – dodał naiwnie. – Dowiemy się, od jak dawna tu był i gdzie się zatrzymał. Jak już będziemy mogli zobaczyć jego mieszkanie, myślę, że znajdziemy się na dobrej drodze. Moja hipoteza jest taka, że był tu mniej więcej od dziesięciu dni i że przywiózł granat ze sobą.

Miejscowy inspektor spojrzał na niego niepewnie.

– Co do poszukiwanego przez nas dżentelmena... – mruknął. – Ponieważ na samochodzie nie było żadnych odcisków palców, poza odciskami denata i pana Petriego, wychodzi na to, że używał rękawiczek, nieprawdaż? Zapewne zwykłych, których bez problemu mógł się pozbyć. Nigdy by nie wypucował całego samochodu, nawet gdyby o tym pomyślał, zgadza się?

– Lampka była wytarta – wtrącił Inchcape z pełnymi ustami. – W dzisiejszych czasach każde dziecko słyszało o odciskach palców.

Spojrzał na Campiona.

– Wie pan, dopadniemy tego faceta – stwierdził. – Nie widzę innej możliwości. Słyszał pan kiedykolwiek o człowieku, który postępowałby równie głupio? Ten człowiek nie ma za grosz subtelności. Zachowuje się, jakby był bogiem.

– Oni często zachowują się w ten sposób – podkreślił inspektor. – Nie są obłąkani, tylko nieco egzaltowani.

Yeo ciągnął dalej, zwracając się w szczególności do Campiona.

– Wyobrażam sobie, że to człowiek, który w swoim własnym światku jest kimś w rodzaju wodza – powiedział znacząco. – Faceta, który zawsze we wszystkim stawia na swoim. Ludzie, którzy dla niego pracują, uważają go za kogoś niezwykłego, a ponieważ znoszą jego najdziwniejsze zachowania, uważa, że gdzie indziej może robić tak samo. Chciał się pozbyć Konrada i musiał mieć ku temu dobry powód, bo w przeciwnym razie w ogóle nie zawracałby sobie nim głowy, więc co zrobił? Wymyślił plan, który zdawał trzymać się kupy, i zrobił to, co zwykle robił w pracy. Wezwał specjalistę. Specjalista dostarczył odpowiednie materiały i otrzymał zapłatę za swoją fatygę. Nasz człowiek wprowadził swój plan w czyn, tyle że nie do końca mu wyszło. Zamiast zabić samego Konrada, rozpętał istne piekło i napuścił na siebie policję, zaciekłą i zdeterminowaną. Nie stracił głowy – czy może, co bardziej prawdopodobne, nie zdawał sobie w pełni sprawy z tego, co zrobił – i spokojnie kontynuował pracę w kręgu wielbicieli. Jednak specjalista, który dostarczył mu granat, nie był w ciemię bity. Miał dostęp do prasy i umiał dostrzec szansę dla siebie.

Zaczął szantażować naszego człowieka. To przesądziło sprawę. Odkrywszy prosty sposób pozbywania się kłopotliwych ludzi, mężczyzna, o którym mowa, znów przeszedł do czynów. Pożyczył samochód – taki, o którym wiedział, że będzie w konkretnym miejscu o konkretnej porze. Najwyraźniej namówił Kummera do kradzieży, a myślę, że zrobił to w następujący sposób. Stał pewnie na ulicy i wymówił się zakupem paczki papierosów czy czegoś takiego i poprosił chemika, żeby przyprowadził wóz. Pewnie po prostu wskazał na niego ręką, mówiąc: „Podjedź tu, dobrze?" lub coś w tym rodzaju. Potem dosiadł się i pojechali w najbardziej dogodne odludne miejsce, jakie znał, miejsce, z którego albo mógł wrócić do siebie piechotą, albo zorganizować własny samochód. Później kazał chemikowi po coś się schylić, zarzucił mu pled na głowę i zatłukł go kluczem francuskim.

– Ale czemu tak blisko domu? – zdziwił się Inchcape.

– A czemu wyrzucił lampkę rowerową w krzaki w ogrodzie? – zripostował nadkomisarz. – Bo nigdy nie przyszło mu do głowy, że będziemy mu w stanie coś udowodnić. Spotkałem już mnóstwo tego typu ludzi. Czterdzieści pięć procent przestępców ma takie przekonanie. Uważaj na odciski palców, to wszystko będzie dobrze. Taką wyznają zasadę.

Campion wyciągnął pod stołem swoje długie nogi. Wyglądał na zmęczonego i wycieńczonego.

– Jeśli do morderstwa doszło około dziewiątej albo dziewiątej trzydzieści… – zaczął i urwał.

Yeo przyglądał się mu z delikatnym, niepozbawionym współczucia uśmiechem.

– W piątek po czwartej pana Sutane'a nie było w teatrze – powiedział. – Tego wieczora w ogóle nie przyszedł. Zastąpił go Phil Flannery, jego nowy dubler. Dowiedziałem się o tym wczoraj dopiero po pana wyjściu, bo inaczej bym panu powiedział. Mieliśmy zamiar przesłuchać go wczoraj wieczorem, ale potem wyszła na jaw cała ta heca. Pomyślałem, że najlepiej zaczekać i najpierw zidentyfikować zwłoki.

Campion siedział nieruchomo, a Yeo nie spuszczał z niego wzroku.

– To tylko moja hipoteza, zdaję sobie z tego sprawę – powiedział oficer ze Scotland Yardu. – Zanim dokonamy aresztowania, trzeba będzie wyjaśnić kilka kwestii. Dlatego właśnie zależy mi na tym, żeby nikogo nie spłoszyć. Potrzebny nam motyw.

Do Campiona ledwie docierało, co mówi policjant. Jego blade oczy miały twardy, zamyślony wyraz. Siedział i wbijał wzrok w nietknięte, tężejące obrzydliwie na chropowatym talerzu jedzenie, uświadamiając sobie boleśnie, że to koniec. Nadeszła nieunikniona godzina zapłaty za powrót do White Walls.

Wstał.

– Pojadę już – powiedział. – Jeśli byłby pan tak miły i podrzucił mnie radiowozem, nadkomisarzu, to chciałbym zamienić z panem słowo.

Yeo podniósł się skwapliwie.

– Chętnie. Ostatnia historia wiele zmienia, prawda? – zauważył, gdy skierowali się do wyjścia. – Muszę przyznać, że w ogóle nie brałem takiej możliwości pod uwagę. Nie przypuszczałem, że w tak krótkim czasie zabije jeszcze raz. Im szybciej go przyskrzynimy, tym lepiej. Nie chcemy, żeby ktoś znów wzbudził w nim niechęć.

Odkaszlnął. Ciężki żart nawet w jego własnych uszach nie zabrzmiał dobrze.

Zatrzymał ich telefon. Ze stacji kolejowej dzwonił miejscowy sierżant, mówiąc, że w piątek wieczorem nikt nie dosiadał się do pociągu z Londynu. Konduktor doskonale pamiętał ten wieczór.

Yeo wzruszył ramionami.

– To była tylko jedna z możliwości – stwierdził. – Musiał mieć narajony drugi samochód. Może pojechali osobnymi wozami, z tym że Kummer prowadził najwyraźniej coupé. Będziemy musieli to wyjaśnić. Pozostało jeszcze sporo rutynowych pytań. To będzie pracowity dzień. Trzeba jeszcze odnaleźć narzędzie zbrodni. Idę o zakład, że znajdzie się w jakimś rowie albo kępie kolcolistu. Na pewno. Musimy je oczywiście znaleźć. Doktor uważa, że to mógł być klucz francuski. Proszę sobie wyobrazić poszukiwania klucza francuskiego na dwudziestu pięciu milach kwadratowych pól i łąk.

Campion zamrugał oczami.

– Mógł się go pozbyć na podobnej zasadzie co lampki – wyrzucić go zaraz po tym, jak przestał mu być potrzebny – podsunął nieśmiało.

Yeo wbił w niego wzrok.

– Mógł – przyznał. – Boże! Co za głupiec, nie uważa pan? Zachowuje się tak, jakby nie miał pojęcia o naszym istnieniu. Chłopcy przeszukali naturalnie teren wokół samochodu, ale każę im przeczesać go jeszcze raz dokładniej. Ten facet zaczyna mi działać na nerwy. Obraża nas.

Sierżant Inchcape, który przysłuchiwał się ich rozmowie, nagle się ożywił.

– Natychmiast tego dopilnuję – powiedział szybko. – Wróci pan, nadkomisarzu, prawda? Nasz komendant chciałby być przy wszystkim obecny. To wspaniały, dokładny dżentelmen. Przyjedzie z doktorem krótko po ósmej, bez pudła.

– Wrócę – obiecał Yeo. – Jest pan gotowy, panie Campion?

Wyjechali z małego cichego miasteczka na drogę. Słońce podnosiło się szybko, a lekka mgiełka nad położonymi niżej łąkami stanowiła zapowiedź skwaru w południe.

Kiedy dojechali do wygodnego prostego odcinka, tuż przed zjazdem do White Walls, Yeo zatrzymał samochód.

– Słucham, panie Campion – powiedział. – Czekałem, aż pan coś powie. Dość jasno przedstawiłem panu moje stanowisko, nieprawdaż? Dostanę tego człowieka. Prędzej czy później zdobędę dowody, dzięki którym uzyskam nakaz. W tej chwili mam związane ręce, bo prokuratura nie życzy sobie zatrzymania pod zarzutem morderstwa i choć dysponuję pierwszorzędnymi materiałami, nie jestem w stanie udowodnić wszystkiego, póki Cooling nie skończy. Potrzebuję czegoś mocnego, czegoś, co powiąże sprawę z nim i tylko z nim. Potrzebuję motywu. Zdobędę go za dzień, dwa, ale co on w tym czasie zmajstruje? Nie jest specjalnie wybredny i nigdy nie wiadomo, komu znów narobi problemów, prawda? Weźmy na przykład Boarbridge.

Campion zadrżał lekko. Poczuł, że ogarnia go chłód i dziwna obojętność.

– Tak – powiedział nagle z autorytatywnością, której Yeo dotąd nie słyszał w jego głosie. – Ma pan rację. Niech pan posłucha, w White Walls jest pewna masażystka, niejaka panna Edna Finbrough. Niech pan ją weźmie na stację. Tylko niech pan nie wyciąga jej teraz z łóżka. Jeśli pan to zrobi, wzbudzi pan podejrzenia, a tego pan nie chce, jeśli ma pan bez problemu schwytać tego człowieka. Gdy już ją pan zawiezie pod jakimś wiarygodnym pretekstem do Birley, niech pan ją przesłucha. Jest twarda, ale zaczyna się łamać. Widzę to od jakiegoś czasu.

– A czego od niej chcemy? – zaczął Yeo.

Ale chudy mężczyzna, który zrobił się nagle oschły i oziębły, nawet go nie usłyszał, tylko mówił dalej.

– Niech jej pan powie, że w poniedziałek wieczorem, tuż po śmierci Chloe Pye, była w pensjonacie dla pracowników teatru. Podam panu adres. Pod jakimś pretekstem zdołała rozejrzeć się w samotności po pokojach panny Pye i przetrząsnąć jej papiery. Myślę, że znalazła to, czego szukała, i oddała to w ręce osoby, która ją tam wysłała. Dokument prawie na pewno został zniszczony, ale może panu powiedzieć, co w nim było, a dzięki tej informacji zyska pan motyw zbrodni, na którym tak panu zależy.

– Wie pan, co to był za dokument?

Campion spojrzał chłodno na policjanta. Był bardzo opanowany, a mówiąc, zdawał się niemal bezduszny.

– Nie, ale się domyślam. To był akt małżeństwa.

Yeo gwizdnął, a jego twarz przybrała wygląd komicznej maski.

– No, no! – przyznał z podziwem. – To jest coś. To mi się podoba.

Jego rozmówca nie zwrócił na niego uwagi.

– Myślę, że Konrad dowiedział się o tym małżeństwie i chciał wykorzystać tę informację. Dlatego zginął. Raczej nie będzie łatwo wydobyć tej informacji od panny Finbrough, ale o wszystkim wie.

– Chciałby pan być przy tej rozmowie?

– Nie – odparł ostro Campion. – To zadanie dla policji. Bardziej nie jestem w stanie panu pomóc. Będę cały dzień w White Walls. Jak już się pan wszystkiego dowie, mógłby pan dać mi znać? Zostanę, póki pan go nie aresztuje. Do tego czasu trzymałbym pannę Finbrough gdzieś na uboczu. Niech jej pan nie pozwoli kontaktować się z domownikami.

– Dobry Boże, oczywiście, że nie! – odezwał się z zapałem Yeo, a spojrzenie, które rzucił Campionowi, było niemal czułe.

– Tego właśnie potrzebowałem. Jeśli ma pan rację, powinien pan dopilnować, żeby znalazł się tam, gdzie jego miejsce. A nie mówiłem, że powinien pan tu przyjechać?!

Campion nic nie odrzekł, a nadkomisarz, który po nieprzespanej nocy zdawał się mieć coraz więcej, a nie coraz mniej energii, wcisnął sprzęgło i pomknął dalej.

– Przyjadę po nią koło jedenastej – powiedział, wysadzając swojego pasażera przy podjeździe. – Proszę się nie martwić, będę wcieleniem dyskrecji. Jeśli wszystko się uda, to będzie pana zasługa. Tę pierwszą kobietę też zabił?

Campion wzruszył ramionami.

– Rozumiem. No tak. I tak nie udałoby się nam tego udowodnić – spoważniał Yeo i skrzywił się lekceważąco. – Paskudna historia. Rodzinie nie będzie lekko. No ale Bóg jeden wie, że mamy nad czym pracować. Jak już go posadzimy, może zacznie mówić. Czasem tego typu zarozumialcy robią to sami z siebie. Gazety będą miały używanie, co? No dobrze, dziękuję i do zobaczenia.

Campion wszedł powoli na podjazd i zobaczył biały dom niczym piękny jacht pod pełnymi żaglami w promieniach porannego słońca. Gdy szedł przez trawnik, jakaś postać w szlaf-roku w wesołe paseczki zerwała się z leżaka i ruszyła w jego stronę. Wujcio William.

Był zaróżowiony, rozespany i nieszczęśliwy. Wiatr mierzwił mu rzadkie loczki, a jego twarz marszczyła się ze zmęczenia i niepokoju.

– Czekam od świtu – mruknął. – Musiałem. Niemal się mod-liłem. Wszystko dobrze, mój chłopcze? Całkowicie na tobie po-legam.

Campion odwrócił się i poszedł do domu.

ROZDZIAŁ 27

W południe, gdy ogród prażył się cudownie w pełnym słońcu, a w domu panowała owa osobliwa niedzielna cisza, która w tak przedziwny sposób różni się od spokoju innych dni, wujcio William wszedł do pokoju Campiona i stanął w nogach łóżka. Trwał tak przez kilka chwil z rękami w kieszeniach białych spodni, garbiąc z przygnębieniem ramiona. Jeszcze bardziej niż zwykle przypominał niedźwiedzia.

– Śpisz, Campion?

Leżący w łóżku mężczyzna spojrzał bacznie na starego przyjaciela. Wyglądał, jakby przez całą noc nie zmrużył oka. Oczy miał zimne i rozbudzone, a skórę opiętą ciasno na kościach twarzy.

– Ktoś przyjechał po pannę Finbrough, żeby pomogła w dochodzeniu – mówił właśnie wujcio. – Nie słyszałem, jaki podali powód. Chyba tylko mówili, że potrzebna im jej pomoc. Myślę, że dlatego, że jest masażystką. Nic z tego nie rozumiem. Wokół dzieje się tyle niepojętych rzeczy.

Jego przestraszony głos umilkł, a wujcio poczłapał do okna i wyjrzał na zewnątrz.

– Na co się zanosi? – spytał w końcu.

Pan Campion usiadł na łóżku. Nie opuścił go oziębły, autorytatywny nastrój, na który Yeo zwrócił uwagę wcześniej. Dla wujcia Williama, który był tym nieco oszołomiony, Campion stał się nagle kimś zupełnie obcym.

– Gdzie wszyscy? – spytał.

– Linda jest tam. – Starszy mężczyzna skinął głową w stronę ogrodu. – Sock wziął bentleya i gdzieś pojechał, a Jimmy i Slippers ćwiczą w salonie, Mercer im akompaniuje i mogę ci chyba powiedzieć, że robi to w cholernie protekcjonalny sposób. Jimmy najwyraźniej musi cały czas ćwiczyć. Biedak zaharowuje się na śmierć. Kiedy te piekielne chmury wreszcie się rozwieją, Campion? A niech mnie, w taki dzień jak ten to grzech myśleć o pewnych sprawach. Czy policji udało się ustalić, kim był zbir w samochodzie Socka?

Pan Campion znów zignorował jego pytanie i zadał własne.

– Gdzie pojechał Sock?

– Do Eve. – Wujcio William odsunął się od okna. – Wczoraj wieczorem wszyscy na niego czekaliśmy – wyjaśnił, a wyznanie to sprawiło, że jego małe niebieskie oczka zrobiły się okrągłe jak u dziecka. – Przyjechał skonany, zamienił słowo z Jimmym, a potem obaj opowiedzieli nam o wszystkim w salonie. Było mu wyraźnie wstyd, że powiedział policji tak dużo, ale wyjaśniłem mu, że bywają chwile, gdy człowiek musi zadecydować, czy narobić poważnych problemów, czy zdradzić przyjaciela. W takiej sytuacji można się kierować tylko własnym sumieniem. Dodałem też, że cieszę się, widząc, że nie jest go pozbawiony, i pochlebiam sobie, że przemawiałem prawdziwie po ojcowsku.

Umilkł na chwilę.

– Widzisz, dziewczyna nie zrobiła przecież niczego naprawdę złego – dodał, jednym ruchem zaprzepaszczając efekt wcześniejszej wypowiedzi. – Ona mu się podoba. Nie powiedział tego wprost, ale widać gołym okiem. I dobrze. Co za pora na kłótnię zakochanych, Campion! Wiem, nie można oczekiwać, że kobieta będzie myśleć, ale żeby tak uciekać bez słowa, gdy wszyscy mają poważniejsze problemy na głowie! Gdyby dziewczyna nie była taka młoda, nazwałbym ją bezwstydnicą. W każdym razie nie rozumiem, czemu musiała uciekać akurat teraz, a ty? Sock nie był wczoraj w najlepszej formie, więc nie chciałem o nic go wypytywać. Ale z tego co rozumiem, pokłóciła się z Jimmym. Tylko nie wiem o co, a ty?

– Pewnie o mężczyznę – odpowiedział bez zastanowienia Campion.

– Tak przypuszczałem. Ale nie rozumiem o kogo, jeśli nie o Socka.

Campion oderwał się myślami od katastrofy, która nadchodziła wielkimi krokami, i spróbował sobie przypomnieć rozmowę z Sockiem Petrie w lagondzie, zanim dojechali do poobijanego niebieskiego coupé.

– Sock przestał się jej podobać i zakochała się nieszczęśliwie w kimś zupełnie nieprawdopodobnym – wyjaśnił. – Albo Sutane dowiedział się o tym i wyraził swój sprzeciw, albo – skoro nikt tak długo nie odbierał jej liściku – mężczyzna zniknął z własnej woli.

– A biednej małej wydawało się, że świat się skończył – wtrącił radośnie wujcio William. – Taka wersja ma jak dla mnie ręce i nogi. To by wyjaśniało, dlaczego nie chciała wracać do domu. Tak było, Campion, możesz być pewny. Urażona duma. Już nieraz dziewczęta traciły z tego powodu głowę. Biedactwo! Kim jest ten chłystek? Jest zdecydowanie zbyt pewny siebie. Nie jestem już młody, ale...

– Nie – przerwał mu Campion i dodał stanowczo: – Nie robiłbym tego.

Z oczu wujcia zniknął wojowniczy błysk, choć z lekkim ociąganiem.

– Może faktycznie nie – przyznał. – Trochę mnie poniosło. To by oczywiście tylko pogorszyło sprawę. Mimo to wielka szkoda, że nie wiemy, kto to – dodał z żalem, spoglądając na swoje pięści. – Chciałbym się na coś przydać, wiesz? To oczekiwanie dobija nas wszystkich. Jak cisza przed burzą. Kochani ludzie. Są tacy dzielni. Starają się po prostu żyć dalej. Jimmy wygląda jak kościotrup, a Linda jak jeden z tych nieboszczyków z Haiti – jak im tam? – zombie.

Campion wziął się w garść.

– No tak – powiedział cicho. – Chciałbym porozmawiać z tobą o Lindzie. Gdzie mieszkała, zanim wyszła za mąż?

– Naturalnie ze swoją matką. – Wujcio William uznał najwyraźniej, że odpowiedź jest oczywista. – Starsza dama była siostrą poprzedniego właściciela tego domu. Ma mały mająteczek w Devon. Śliczne miejsce, z tego, co słyszałem. Wiesz, rodzina nie przymiera głodem. Linda odwiedza ją czasem z córką. Czemu pytasz?

Campion wzruszył ramionami.

– Z czystej ciekawości – odrzekł. – Zastanawiałem się tylko, skąd pochodzi.

Starszy pan milczał dłuższą chwilę.

– Jeśli martwisz się, że całe to zamieszanie pogrąży Jimmy'ego finansowo, to zapewniam: Linda ma gdzie się podziać – rzucił w końcu i spojrzał Campionowi w oczy, po czym spuścił dyskretnie wzrok. – Zastanawiałem się nad tym i będę obstawał przy swoim – dodał pozornie bez związku. – Powiedziałem ci to jakiś czas temu dokładnie w tym pokoju. Linda cię polubiła.

Pan Campion znieruchomiał.

– Nie wydaje mi się.

Wujcio William stał się człowiekiem bywałym około 1910 roku. Był to jego trzeci najszczęśliwszy okres w życiu i czuł się w tej roli wyjątkowo dobrze. Jego niebieskie oczka spojrzały na Campiona z przenikliwością i zrozumieniem.

– Gdy kobieta czuje się samotna – miła kobieta, godna zaufania, rozsądna, pilnująca swojej trzódki – wówczas mały, niewinny flircik tylko jej służy, rozwesela ją, pozwala zachować młodość – rzekł niespodziewanie. – Nic nie znaczy. Kobieta traktuje go jak ozdoby we włosach. Podobnie jest w przypadku mężczyzny. Pochlebia mu to i pozwala w głębi duszy pozostać chłopcem. Póki oboje się pilnują i nie wpadają w sentymentalne tony, flirt to dobra rzecz. Jako człowiek z wieloletnim doświadczeniem mogę z pełną odpowiedzialnością powiedzieć, że to pochwalam. Flirt nadaje życiu smak. Niedobrze, gdy potrawa jest zbyt mocno doprawiona, ale szczypta tu i ówdzie poprawia smak dania.

Campion wpatrywał się w niego, a wujcio William znów miał wrażenie, że siedzi przed nim ktoś obcy.

– Nie wiem, czy podzielasz moje zdanie, chłopcze – pospieszył z wyjaśnieniem. – To zdanie starego kawalera.

Campion roześmiał się.

– „Jeśli brak panu temperamentu, podboje miłosne nie są dla pana, gubernatorze" – rzucił. – To cytat z Dona Marquisa, chyba jedynego poety o upodobaniach filozoficznych w tym pokoleniu. Z tego, co sobie przypominam, powiedział to w związku z Lancelotem i Ginewrą, co czyni tę uwagę niezwykle pouczającą.

Wujcio William był speszony, gdyż najprawdopodobniej nie bardzo rozumiał.

– To Hiszpan? – spytał, nawiązując do słowa, które szczególnie nie przypadło mu do gustu, bo wyraźnie pochodziło z kontynentu. – Przepraszam, że ci przerwałem, mój chłopcze. Człowiek natyka się na różne rzeczy i niestety je zapamiętuje. Prawda jest taka, że chwytam się każdego tematu, który pozwala mi choć na chwilę zapomnieć o kłopotach. Ośmielę się stwierdzić, że ty też. Nieważne, co się stanie z moim przedstawieniem – przestałem się już tym przejmować. Wstrzymuję tylko oddech i modlę się o odrobinę spokoju dla siebie i swoich przyjaciół. Kiedy to wszystko się skończy? Tylko to chciałbym wiedzieć, Campion. Kiedy to wszystko się skończy? Oczywiście zdaję sobie sprawę, że gdybyś sam wiedział, to byś mi powiedział. A ponieważ nie możesz tego zrobić, pójdę się przejść przed obiadem.

Wyszedł, człapiąc swoimi pulchnymi stopami obutymi w szkarłatne pantofle, a Campion wstał i ubrał się powoli. Przestał się zastanawiać nad własnym udziałem w tej tragicznej, zmierzającej do nieuniknionego końca historii. Ta kwestia została przesądzona w jego własnym mieszkaniu, gdzie Linda po raz ostatni zwróciła się do niego z prośbą.

Od tego czasu był w stanie spoglądać na ów nieszczęsny spektakl, będący dziełem okoliczności i pewnej niezmiennej części jego własnej natury, i obserwować go bacznie dopiero po odcięciu dużej części swojej świadomości. Bardzo szybko się przekonał, że tego rodzaju postępowanie ma swoje wady. Okazało się, że zaczyna robić niesłychane rzeczy, że robi niedorzeczne uniki, że wykręca się od spotkań, a wszystko po to, aby oszczędzić sobie odczuć, których w normalnych okolicznościach w ogóle by nie doświadczył, gdyby w pierwszej kolejności nie dokonał częściowego znieczulenia swoich zdolności logicznego rozumowania.

Tego ranka na przykład zauważył, że ubiera się ze szczególnym namysłem, ale nie dlatego, że zależy mu na elegancji. Kiedy dotarło do niego wreszcie, dlaczego to robi, przeżył wstrząs. Z przykrością uświadomił sobie, że chce się spóźnić na posiłek. Spóźnić do tego stopnia, żeby nie musieć zasiadać przy stole Sutane'a i jeść jego jedzenia. Odkrycie owego pierwotnego tabu, za którym szła reakcja organizmu, który mimo niezjedzonego śniadania nie pozwalał sobie na głód, w równej mierze go zdumiało, co zirytowało. Czuł się tak, jakby jakaś jego część zaczęła nagle podlegać rozkazom kogoś zupełnie innego. Zniecierpliwiony wziął się w garść. Kiedy jednak jakieś pół godziny później do pokoju wszedł ciężkim krokiem Lugg, Campion w dalszym ciągu był w samej koszuli.

Doraźny kamerdyner był brutalnie radosny.

– Podobno wczoraj znalazł się jeszcze jeden trup – powiedział i usiadł, żeby dać wytchnienie stopom. – Miał pan niezły wieczór, co? Dobrze się pan bawił? A tak przy okazji, droga jest ze wszystkich stron obstawiona szpiclami. To coś znaczy czy tylko się pan popisuje?

Jego chlebodawca nie odwrócił głowy. Nie otrzymawszy żadnej oznaki zainteresowania, Lugg milczał chwilę. Kiedy jednak cisza stała się dla niego nie do zniesienia, spróbował zagaić jeszcze raz.

– To jest życie, co? – zauważył z wyraźną lubością. – Łatwe i przyjemne, choć trzeba się wykazać klasą. Ale szybko przywykłem i już czuję się tu jak ryba w wodzie.

Campion zawiązał krawat ze szczególną starannością.

– Najprawdopodobniej dziś wieczorem będziemy wyjeżdżać – rzucił odwrócony tyłem. – Nie mów o tym nikomu. Spakuj tylko wszystko.

Zażywny mężczyzna nawet nie mrugnął. Jego małe oczka spoczęły na stojącej pod światło wysokiej postaci.

Zrobiło się bardzo smutno.

W końcu Lugg westchnął.

– Wiedziałem – powiedział z żalem. – Czułem, że tak będzie. Jak tylko zobaczyłem pana w korytarzu w zeszłym tygodniu, pomyślałem sobie: „Oho". Zabawne, prawda, jak człowiek przywiązuje się do miejsca? – ciągnął z filozoficzną rezygnacją w głosie. – Pewnikiem, po jakimś czasie miałbym dość, ale póki co byłem dumny z salonu i fajnie mi się uczyło moją małą kumpelkę. Uczy się teraz sztuczki z trzema kartami. Robi postępy. Wyjedziemy, jak pójdzie już spać, dobra? Nie chcemy ataku histerii. Na pewno musi pan wyjeżdżać dziś? Taki piękny dzień.

Smutek w jego głosie był wzruszający i Campionowi zrobiło się go nagle żal.

– Obawiam się, że tak – mruknął. – Zabawa skończona. Przykro mi.

Lugg wzruszył monstrualnymi ramionami.

– Zabiorę ze sobą frak – oświadczył. – Kazałem go przysłać ze sklepu na pana koszt. Największy jaki mieli. Dziesięć szylingów ekstra. Na nikogo innego i tak by nie pasował. Każdy inny wyglądałby w nim śmiesznie. Może zaprosi pan któregoś wieczora wszystkich na kolację, to go założę, co?

Campion wyjrzał przez otwarte okno na roziskrzony ogród.

– Nie liczyłbym na to, Lugg – sprowadził go na ziemię. – Ale oczywiście zatrzymaj sobie frak, jeśli masz ochotę. A teraz zostaw mnie, staruszku, dobrze? Nie jestem w nastroju do rozmowy.

Olbrzym wstał posłusznie i podszedł z ociąganiem do drzwi.

– Może uda mi się nauczyć ją do końca dziś po południu – rzucił z nadzieją. – Nie umie należycie pstryknąć w kartę. No ale nawet wróble wracają do Londynu po zbiorach. Niech się pan ubiera. Zaraz będą dzwonić na lunch.

Wyszedł przygnębiony, a Campion opuścił pokój dziesięć minut później, spóźniony na posiłek.

ROZDZIAŁ 28

Pan Campion siedział w pobliżu domu, bo chciał słyszeć telefon. Na tarasie podano herbatę, a całe towarzystwo podzieliło się na małe grupki. Linda, Sock Petrie i Eve przechadzali się między rabatami. Młodzieniec przywiózł posępną, rozzłoszczoną dziewczynę do domu tuż przed obiadem i Campion był pod wrażeniem jej opanowania, gdy podeszła do stołu i usiadła między nimi. W żaden sposób się nie tłumaczyła i nie było po niej widać, że jest jej przykro. Bił od niej tylko nieprzejednany młodzieńczy bunt, oziębły i ugrzeczniony. Sock dobrze sobie z nią radził. Przybrał ton pogodnego opiekuna: nie pozwalał na niebezpieczne tematy w rozmowie i poświęcał jej w całości swoją uwagę.

Sutane i Slippers wpadli na filiżankę herbaty, po czym równie szybko wrócili do salonu. Po południu oboje usnęli po żmudnych porannych ćwiczeniach, a teraz postanowili popracować jeszcze godzinkę, tym razem przy gramofonie, bo Mercer znudził się rolą akompaniatora. Znużony geniusz wrócił do fortepianu w pokoju dziennym i brzdąkał tam teraz do znudzenia improwizowane na poczekaniu kawałki, odgrodzony podwójnymi drzwiami od gramofonu. Wujcio William siedział w kącie pod oknem. Na brzuchu miał rozłożoną niedzielną gazetę, a na wyciągnięcie ręki stała jego karafeczka. Nieodmiennie odmawiał herbaty, upierając się, że to napój dla bab lub że mu szkodzi, w zależności od towarzystwa, w jakim się akurat znajdował.

Campion spojrzał na rabaty, na których gladiole we wszystkich kolorach tęczy i drugie w tym roku ostróżki lśniły w pełnym słońcu. Zastanawiał się przy tym, czy ten dzień kiedykolwiek się skończy. Atmosfera zrobiła się tak ciężka, że stała się nie do zniesienia. Wszyscy mieli tego świadomość, nawet Mercer, który jak zwykle był zaabsorbowany wyłącznie sobą, przez co przy herbacie zamienił się w milczącego, nieruchomego manekina.

Detektyw przez cały dzień unikał Sutane'a, choć był dotkliwie świadomy jego obecności. Każde pomieszczenie było przesiąknięte skrajnym podenerwowaniem tancerza do tego stopnia, że cały dom zdawał się przez to drżeć w posadach. Sutane ćwiczył z zimnym zapamiętaniem, na które nawet łagodna z natury Slippers Bellew nie mogła pozostać obojętna.

Campion siedział na niskim murku okalającym taras, opierając długie ręce na kolanach i pochylając głowę, gdy nagle stanęła przed nim Linda. Nie zauważył, kiedy odłączyła się od pozostałych, a w sandałach poruszała się po trawie właściwie bezszelestnie.

Podniósł głowę i udawał, że nie dostrzega jej podkrążonych oczu.

– Kiedy? – spytała.

– Wkrótce – wymknęło mu się niechcący.

Była to ostatnia rzecz, którą zdecydowałby się powiedzieć, więc podniósł się, zły na siebie i trochę przestraszony. Z ulgą stwierdził, że najwyraźniej nie zrozumiała w pełni, co to oznacza.

– Mam taką nadzieję – westchnęła.

Ruszyli razem przez trawnik, a Campion uświadomił sobie, że robią to po raz ostatni – po raz ostatni w życiu. Szli jakiś czas w milczeniu, a kiedy Linda się odezwała, zaskoczyła go bezpośredniością swoich słów.

– Wszyscy wiedzą, oprócz mnie. Jimmy wie. Pan wie. Eve chyba też. Zostanie pan przy mnie, póki się nie dowiem?

– Zostanę.

– Będzie mi przykro, gdy pan wyjedzie – wyznała.

Nic na to nie powiedział i był jej wdzięczny, gdy zdał sobie sprawę, że wcale tego od niego nie oczekuje.

Przeżył wstrząs, słysząc jej następne słowa.

– Gdy będzie po wszystkim, wyjedziemy do Ameryki – Jimmy i Sarah, i może wujcio William. Wie pan, lubią tam Jimmy'ego, a poza tym to wspaniały kraj, zwłaszcza dla dzieci.

Amerykańskie dzieci mają prawdziwe dzieciństwo. Sarah będzie zachwycona – prawie tak samo jak teraz ze starym Luggiem. Mówi, że będą do siebie pisać po jego wyjeździe. To będzie z pewnością wytworna korespondencja. Bardzo to miłe z pana strony, że pan go użyczył. Bardzo to doceniam.

Campion poderwał głowę i spojrzał w stronę domu, ale mylił się. Telefon nie dzwonił. Ze zdziwieniem poczuł, że Linda bierze go za rękę i idzie dalej, wpatrując się w nią.

– Trudno mi o tym mówić – zaczęła. – I pewnie nawet przez myśl by mi nie przeszło, żeby to robić, gdyby sytuacja miała choćby pozory normalności. Ale w całym swoim życiu nie lubiłam nikogo tak bardzo jak pana. Nie jest pan małym chłopcem, więc nie przewróci się panu w głowie, a pańska uczciwość nic dozna zniewagi przez to, żc pomyśli pan, iż się w panu zakochałam – bo się nie zakochałam, jeszcze. Ale myślę, że już się nie zobaczymy. Przede wszystkim my wkrótce wyjedziemy do Stanów. W każdym razie chcę to teraz powiedzieć. Lubię pana, bo jest pan jedyną osobą, do której zapałałam nagłą sympatią i co do której nie pomyliłam się beznadziejnie w ocenie. Zrobiłam z siebie przy panu idiotkę, a pan okazał mi wyrozumiałość. Nie pocałował mnie pan, gdy taka myśl pojawiła się w pańskiej głowie, a ja zdecydowanie chciałam, żeby pan to zrobił. I okazał nam pan lojalność w chwili, gdy musiało być to panu bardzo nie na rękę. Ponieważ na początku był pan po naszej stronie, został pan z nami do końca. Pomyślałam, że chciałabym panu podziękować, to wszystko… Co się stało? Czemu robi pan taką minę?

Campion wziął jej dłoń w swoje ręce. Ściskał ją mocno dłuższy czas. Była w niej siła i spokój i ciężko mu było ją puścić.

Kiedy znów podniósł głowę, śmiał się lekko.

– Kiedy człowiek przewróci stolik herbaciany i potłucze wszystko, co się na nim znajdowało, poza cukiernicą, równie dobrze może ją podnieść i roztrzaskać o ziemię, nie sądzi pani? – rzucił z pozorną lekkością. – Dzwoni telefon, moja stracona na zawsze, moja śliczna. Czekam na niego cały dzień.

Zostawił ją wśród drzewek różanych ze zdezorientowaną, przestraszoną miną. Zanim zdążył dojść do połowy trawnika, przez szklane drzwi na końcu korytarza wyszedł po niego Lugg.

Hol był pusty. Campion podszedł do stolika i zatrzymał się na chwilę, zanim podniósł słuchawkę. Miał martwą twarz i czuł, że oddycha z trudem.

– Halo – odezwał się w końcu.

– Halo. To ty, Campion? U ciebie wszystko w porządku?

Mężczyzna z zaskoczeniem rozpoznał po drugiej stronie Stanislausa Oatesa. Głos inspektora z centrali brzmiał radośnie.

– Tak – odparł Campion, siląc się na spokój. – Tak. Raczej w porządku.

– To dobrze. Jesteś sam?

– Tak mi się wydaje.

– Rozumiem, sam też postaram się być dyskretny. To w końcu lokalna centrala. Gratulacje, chłopcze. Dobra robota. Zaraz będziemy. Zrozumiałeś?

– Gdzie jesteście?

– W miejscowej komendzie. – Oates roześmiał się ze skrępowaniem. – Nie mogłem się powstrzymać. Przyjechałem z sierżantem i przywieźliśmy konieczne upoważnienia. Campion...

– Tak?

– To ci chyba mogę powiedzieć. Trochę to przypudruję. Kobieta pękła natychmiast. Yeo zadzwonił do nas przed południem. Wyśpiewała mu wszystko, co chciał wiedzieć. Chyba się nawet ucieszyła, że może to zrobić. My w tym czasie pojechaliśmy do kościoła. W Brixton. W księgach figuruje rok 1920. Czy to by się zgadzało z twoimi wyliczeniami?

– W wystarczającym stopniu.

– Dalej jesteś sam?

– Tak, a co?

– Wydawało mi się, że trochę ściszyłeś głos. Ale to pewnie kwestia połączenia. No i dobrze. Mieliśmy już wystarczająco dużo, żeby dokonać zatrzymania, ale na wszelki wypadek zadzwoniłem do oskarżyciela publicznego. Cały czas bał się rozgłosu. Kazał nam czekać. Jednak ledwie odłożyłem słuchawkę, gdy przyszły materiały od Austriaków. Campion, to prawdziwa rewelacja! Dokładnie to, czego nam trzeba. K. aż do zeszłego tygodnia znajdował się pod obserwacją... Co? A, ukrywanie broni. Mówię ci! Austriacy byli uprzedzająco mili. Pokażę ci telegram. Siedem kartek i wszystko na temat. – Zachichotał. – Człowiek z trudem panuje nad emocjami, co? – powiedział radośnie. – Ale słuchaj dalej. Musisz się dowiedzieć. Wszystko ruszyło z kopyta. Wczoraj wieczorem rozesłałem rutynowe zapytanie po hotelach, a dziś po południu, jak już mieliśmy wyjeżdżać, dostaliśmy odpowiedź z małego pensjonatu w Victorii. Od razu tam pojechaliśmy i zastaliśmy wszystko w nienaruszonym stanie. W walizce K. było wszystko. Potwierdziło się nazwisko, adres – wszystko – zapisane w zwykłym, tanim notesiku. Rzeczywiście chodziło o szantaż. Stamtąd przyjechaliśmy szybko tutaj i tu też się działo! Jak tylko podaliśmy pracownikom stacji nazwisko, od razu sobie wszystko przypomnieli. Trochę słaba sztuczka jak na piątek. To samo, co zrobił Sock. Do pociągu w ogóle nikt nie wsiadał. Rozumiesz? Znaleźliśmy też klucz francuski. Tak jak podejrzewaliśmy, należał do wyposażenia samochodu. Wszystkie elementy układanki wskoczyły na swoje miejsce. Mamy już wszystko. Jesteś z siebie dumny?

– Jak diabli.

– A nie brzmisz. Nie musisz się o nic martwić. Naprawdę nie dałoby się tego zrobić szybciej. Jest ze mną Yeo. Przekazuje wyrazy uznania i wycofuje się ze wszystkiego, co sobie pomyślał. Mówi, że źle cię zrozumiał, ale skoro już widzi, jaki miałeś plan, zaprasza na piwo przy pierwszej możliwej okazji. Pięknie, Campion. Bezbłędnie poprowadzona sprawa.

– Kiedy będziecie?

Głos młodszego mężczyzny brzmiał bardzo cicho.

– Najdalej za pół godziny. Właściwie już wyjeżdżamy. Chciałem tylko do ciebie zadzwonić i upewnić się, że po twojej stronie wszystko idzie gładko. Możemy dokończyć sprawy w White Walls?

– Tak.

– Będziesz mieć na wszystko oko, póki nie przyjedziemy?

– Będę.

– Dobrze. A zatem za pół godziny. Do widzenia.

Campion odłożył słuchawkę i zerknął na wypolerowany blat stolika, na którym od rana zdążyła się zebrać cienka warstewka letniego kurzu. W nieodpartym dziecinnym odruchu musiał coś na nim napisać, więc nabazgrał dwa słowa, które siłą przytrzymywał w pamięci, by pomogły mu walczyć z pewną niedopuszczalną pokusą: „Żona bagażowego".

Przez kilka sekund patrzył bezradnie na napis, po czym starł go chusteczką.

Na korytarzu nastąpił na jakiś mały, okrągły przedmiot i schylił się po niego. Był to niewielki, żółty guzik z namalowanym kwiatuszkiem. Rozpoznał w nim jeden z sześciu guzików z żółtej sukienki Lindy. Obracał go chwilę w palcach z wahaniem, a w końcu wrzucił go sobie do kieszeni niczym potajemną, przynoszącą ulgę zdobycz.

Zobaczył Sutane'a zaraz po wyjściu do ogrodu. Tancerz siedział na ostatnim schodku przy tarasie, pod oknami pokoju dziennego. Siedział plecami do Campiona, a w czarnym obcisłym swetrze, który naciągnął na białe flanelowe spodnie, jego ciało było kanciaste jak latawiec i wyglądało jak nowoczesny rysunek. Podciągnął kolana pod brodę i oparł na nich głowę. Żaden inny mężczyzna w podobnej pozycji nie mógłby sprawiać wrażenia równie odprężonego, spokojnego i zrelaksowanego.

Po przeciwnej stronie ogrodu Linda spacerowała ze Slippers. Ich sukienki mrugały wśród liści biało i żółto. Wróciła Eve. Leżała w hamaku po drugiej stronie trawnika. Podłożyła sobie ręce pod głowę i z ponurą niechęcią, jak domyślał się Campion, wpatrywała się w różowe obłoczki, które niczym małe żaglóweczki płynęły łagodnie po mieniącym się kolorami niebie.

Sock gdzieś zniknął, ale jego głos, przerywany piskami zachwyconej Sarah, dochodził z trawnika przed kuchnią po zachodniej stronie domu i wskazywał, że grający w trzy karty oszuści wskazali właściwy kubek.

Campion przysiadł się do Sutane'a. Za ich plecami, w głębi chłodnego pokoju dziennego Mercer wciąż brzdąkał na fortepianie. Jego nowa melodia, *Pawana dla zmarłej tancerki*, rozrosła się z krótkiej melodii w zamkniętą całość, a Mercer powtarzał ją wielokrotnie, dorzucając garść spontanicznych motywów i dopiero potem przechodząc do następnych partii. Część z nich była zabawna, a część ocierała się o banał, więc słuchacze przynajmniej nigdy nie wiedzieli, co ich czeka.

Żaden z siedzących na tarasie mężczyzn nie odezwał się od razu. Sutane siedział nieruchomo. Nie zmienił pozycji, tyle tylko że przekręcił głowę i wbijał w Campiona pytające i inteligentne spojrzenie swoich przygaszonych, czarnych oczu.

– Witam – odezwał się w końcu cicho. – Przyszedł pan złożyć raport?

Campion spojrzał na niego z powagą. Jego własny zasób odczuć już się wyczerpał. Zagrał już całą gamę i znał ostatnią wysoką nutę. Był wyczerpany emocjonalnie, a przy tym dziwnie spokojny.

Aktor poruszył się i uśmiechnął w typowy dla siebie sposób, jednym kącikiem ust.

– Tak myślałem.

Campion spojrzał na swoje długie opalone palce i odezwał się, nie odrywając od nich wzroku.

– Policja ma odpis aktu małżeństwa Chloe – zaczął powoli. – Ja ich o tym poinformowałem. Wydano im go w kościele w Brixton. Kiedy Chloe przyjechała tu i zaczęła coraz bardziej szantażować męża, stracił do niej cierpliwość i…

Sutane wyprostował się nagle.

– Ach, to nie było wcale takie proste, mój drogi – powiedział, okręcając się tak, że leżał teraz na brzuchu na trawie i opierał łokcie o niski, płaski stopień. – Widzi pan, on nie wiedział, że jest jej mężem.

Campion wpatrywał się w niego z fascynacją i zrezygnowaniem jednocześnie, a Sutane ciągnął przyjemnym głosem, który nadawał jego słowom kojący wydźwięk.

– W młodości Chloe była bardzo dziwną kobietą. Nie wiem, czy będzie pan wiedział, o czym mówię, ale miała w sobie tę beztroskę, bez której nie ma namiętności. Tuż po wojnie wszyscy byli jej złaknieni. Ludzie mówią, że młodzi weszli bezwolnie w lepsze czasy. Nie mają pojęcia, o czym mówią. Młodzi wnieśli w nowe czasy energię, siłę, żywotność. Nie miało to nic wspólnego z bezwolnością. Rzuciliśmy się jak szaleni w wir nowego życia.

Wytworem nowych czasów była niekiedy kobieta, która wyskakiwała jak bąbelek na powierzchni piwa. Nie miała w sobie nic z przywódcy, ale uosabiała niepohamowany apetyt na zabawę. Dawny strach, który ludziom o pokolenie starszym od nas kazał czerpać z życia, bo następnego dnia mogła spotkać ich śmierć, wszedł im w krew, my zaś przejęliśmy od nich tę chęć zabawy, tyle że bez towarzyszącego strachu. Byliśmy młodzi. Nie byliśmy znużeni. Nie pozbawiono nas złudzeń. Nikt nie zszargał nam doszczętnie nerwów. Kazano nam się hamować. Dorastaliśmy w świecie odartym z radości. I nagle, akurat gdy zaczęliśmy dorastać, przyszło nowe. Chloe była od nas trochę starsza. Odnosiła sukcesy, a jej uroda była w pełnym rozkwicie. W napadzie uniesienia wyszła lekkomyślnie za mąż, a kilka miesięcy później, gdy małżeństwo jej się znudziło, znalazła sobie innego. Doszło do awantury. Biednemu mężowi, idiocie, wydawało się, że ją kocha, i próbował ją przy sobie zatrzymać, ale ona zdruzgotała go, obwieszczając radośnie podczas pakowania, że nie ma do niej żadnych praw. Wyjaśniła, że w czasie wojny była mężatką. Jej pierwszy mąż żył. To oznacza, że jest bigamistką, doprawdy, czy to nie zabawne? Nie było jej specjalnie przykro, a on nie był głupi, nie był *vieux jeu*. Ją cała ta historia raczej bawiła.

Sutane umilkł i spojrzał na dwie spacerujące po ogrodzie kobiety.

– Mąż był załamany, młody dureń, ale jakoś się pozbierał – dodał.

Podczas długiej ciszy, która nastąpiła po tym wyznaniu, pan Campion zrozumiał nagle z bolesną wyrazistością dużą część tego, co dotąd było niejasne. Spojrzał na ogród takim wzrokiem, jakim widział go dwa tygodnie wcześniej, zanim Chloe poszła tańczyć nad jezioro do *Miłość czarodziejem*.

Sutane czekał, a Campion otrząsnął się z zamyślenia i zaczął mówić.

– Nie wiedziałem.

– A skąd miałby pan wiedzieć? – mruknął tancerz. – Nigdy pan nie znał prawdziwej Chloe.

Campion wrócił do swojej opowieści. Miał bolesną świadomość, że czasu nie zostało wiele, a ma jeszcze dużo do powiedzenia.

– Gdy tym razem wróciła do Londynu, nie udało jej się porozmawiać z mężem na osobności – zaczął. – Był zbyt zajęty, kręciło się wokół niego zbyt wielu ludzi. Zdesperowana wprosiła się do jego domu i błaganiem, czy też podstępem wymusiła na nim nocne spotkanie w ogrodzie. Gdy wreszcie nadeszła upragniona chwila i stanął przed nią w odosobnionym i romantycznym miejscu, musiała od razu zagrać najmocniejszą kartą. Nie miałem pojęcia, że była aż tak silna. Powiedziała mu, że ciągle jest jego żoną. Albo jej poprzednie małżeństwo było fikcją stworzoną na potrzeby chwili, żeby móc się go pozbyć, gdy było jej to na rękę, albo pierwszy mąż zmarł przed zawarciem drugiego małżeństwa.

– Nie było pierwszego małżeństwa – rozwiał wątpliwości Sutane.

Campiona ogarnęło przeraźliwe znużenie. Przygniatał go ciężar własnego ciała, a głowa pulsowała bólem. Z trudem podjął opowieść.

– Gdy przyszedł na umówione spotkanie, tańczyła w samotności – powiedział. – Podczas ich rozmowy gramofon musiał dalej grać. Cała dyskusja nie mogła trwać długo, bo gdy poszedłem tam tego samego wieczora, ostatnia płyta wciąż znajdowała się w aparacie. Myślę, że zwyczajnie do niego podeszła i oświadczyła mu, że okłamywała go cały ten czas i że ma na to dowód. Jakoś tak?

Zawiesił pytająco głos.

Sutane pokiwał poważnie głową.

– Proszę kontynuować – zachęcił.

Wyraźny głos Campiona zadrżał lekko, gdy zaczął mówić dalej.

– W pierwszej chwili naturalnie się przestraszył – mruknął.

– Przestraszył i wściekł. Rzucił się na nią, złapał ją za gardło i zanim zdążył się zorientować, co się stało, kolana się pod nią ugięły, a jej ciało opadło bezwładnie. Była martwa. Winę za to ponosi *status lymphaticus*. Oczywiście mąż o tym wtedy nie wiedział i musiał być przerażony. Wiedział tylko, że Chloe zmarła nagle w niewyjaśniony sposób i że wszystko się teraz wyda, a efektem tego będzie skandal i skończona kariera. Myślę, że mniej więcej wtedy musiała się skończyć płyta, bo zmienił ją, nie zauważając, że bagatela znajdująca się z drugiej strony nie była raczej muzyką, którą Chloe wybrałaby sobie do tańca. To był odruch. Widzi pan, podświadomie próbował udawać, że nic się nie stało, instynktownie próbował odsunąć nieuniknione nadejście katastrofy. Później, jak sądzę, zupełnie stracił głowę. Wziął Chloe na ręce i zaniósł ją jak najdalej od domu. Wtedy też nie działał racjonalnie. Był tak nieostrożny, że nie wyłączył gramofonu, nadepnął na płytę i upuścił czerwoną jedwabną spódnicę, którą Chloe miała zawiązaną mocno w talii, a którą musiał poluzować w rozpaczliwej próbie przywrócenia jej do życia. Spódnica spadła na trawę, gdzie ktoś ją znalazł i zaczął na niej tańczyć. Mąż działał początkowo pod wpływem przerażenia, kiedy jednak doszedł do mostku, powróciła mu zdolność rozumowania. Zobaczył samochód i w głowie zrodził mu się pewien plan. Zrzucił ją na drogę i upozorował wypadek. Cały tragizm sytuacji polega na tym, że za pierwszym razem to w ogóle nie było morderstwo.

Sutane leżał wciąż na wąskich stopniach. Wzrok miał spokojny i pozbawiony wyrazu.

– Czemu nie przyznała się wcześniej? – spytał z naciskiem, po raz pierwszy z goryczą w głosie. – Czemu ukrywała swoją paskudną historię aż do teraz? Po co pozwoliła biedakowi żyć przez lata w spokoju, po czym wyskoczyła z czymś takim?

Campion nie podniósł wzroku.

– Pieniądze, nie sądzi pan? – zasugerował łagodnie. – Wróciła i zobaczyła, że jest bogaty – lub tak przynajmniej jej się wydawało. Nie zależało jej na nim. Chciała, żeby kupił jej milczenie.

Tancerz roześmiał się. Gwałtowny dźwięk poniósł się po ogrodzie i spłoszył ptaki siedzące na ozdobnych drzewkach wiśniowych.

– Nie pomyślałem o tym, Campion – wychrypiał. – Nie pomyślałem. Wszystko dało się tak prosto załatwić.

Campion otarł sobie czoło i stwierdził, że jest wilgotne. Rozmowa była straszna, jak we śnie, gdzie nic nie jest stałe i niezmienne poza świadomością nieuniknionej katastrofy, do której z każdą sekundą było coraz bliżej.

– Konrad go widział – kontynuował. – A przynajmniej mąż był o tym przekonany. Konrad wymknął się w tym samym czasie z domu, żeby zatelefonować do swojego wspólnika i donieść, że przyjęcie-niespodzianka się udało. Następnego ranka zaczął wygadywać bzdury w garderobie. A potem przywłaszczył sobie torebkę. Następnie zaczął grozić. Mąż się przestraszył. Zlecił przeszukanie mieszkania Chloe. Akt ślubu został odnaleziony i spalony. Żona została pochowana. Mąż znów poczuł się bezpiecznie, czy też prawie bezpiecznie. Został tylko Konrad. Ale Konrad wydawał się zbyt groźny i w końcu mąż popełnił niedopuszczalny, strasznie głupi błąd i postanowił zamknąć mu usta raz na zawsze. W Wiedniu mieszkał człowiek nazwiskiem Kummer, genialny chemik ze skłonnością do krętactwa, osoba, z którą w Paryżu tuż po wojnie młody artysta mógł z łatwością się zaznajomić. Nietrudno było do niego dotrzeć osobie mającej znajomości wśród zagranicznej inteligencji. Mam mówić dalej?

Sutane nakrył sobie twarz grzbietem dłoni. Był to raczej gest godny baletu, a nie teatru, ale cechował się wyjątkową ekspresją.

– Ci biedni ludzie… – jęknął. – Mój Boże! Ci biedni ludzie…

Słońce schowało się za domem i spowił ich cień. Linda i Slippers gdzieś zniknęły. Na trawniku przed kuchnią zrobiło się cicho, a Eve najwyraźniej zasnęła na hamaku. W ciszy popłynęły pieszczotliwie dźwięki muzyki Mercera, ich sentymentalne nuty igrały leniwie z pamięcią. Uwagę Campiona zwróciła melodia starsza od pozostałych. Przypomniała mu z całą wyrazistością chwilę, gdy po raz pierwszy zjawił się w tym domu. W głowie zabrzmiał mu tytuł piosenki: *Dziewczyna z nenufarem*. Przypomniał sobie, że grała ją Chloe, siedząc obok niezadowolonego kompozytora. Zobaczył znów jej wypacykowaną twarz z jasnozielonymi, sztucznie błyszczącymi oczami, zwróconą lekko w stronę zażenowanego mężczyzny. Zobaczył tę scenę bardzo wyraźnie: kobieta zagrała całą piosenkę, zawzięcie wybijając każdą ckliwą frazę. Mercer grał ją teraz dokładnie tak samo, niemal tak, jakby ją parodiował.

Campion słuchał go i budziły się w nim kolejne wspomnienia. Wrócił myślami do czasów studenckich i zobaczył siebie przy kawie w jakiejś obskurnej kawiarence gdzieś przy bocznej uliczce w Cambridge, gdzie za cienką zieloną zasłonką skrzeczący gramofon wypluwał afektowane dźwięki podłej ballady.

Gdy już gwiazdy się rozzłocą, dziewczyno z nenufarem,
Będę czekać ciebie nocą, dziewczyno z nenufarem,
Nad jeziorem serca mocą
Licząc, że go nie odtrącą
Dawne czasy złe – dziewczyno z nenufarem.

Campion wyprostował się, bo dotarł do niego sens rymowanki. Dotarło do niego, że w taki sposób, że właśnie wtedy Chloe zaproponowała spotkanie. Nie było żadnego liściku ani rzuconego przelotnie słowa w ciągu zabieganego dnia, jak wcześniej przypuszczał. Wszystko zostało ustalone praktycznie na jego oczach. Wreszcie pojął, czemu tak jej zależało, żeby zagrać tę melodię.

Kiedy ów maleńki element całej układanki wskoczył na swoje miejsce, Campion doznał wstrząsu. Nowa myśl natarła na niego z całą siłą. Sutane'a nie było wtedy w pokoju. Sutane miał na korytarzu próbę przedstawienia. Campion sam zobaczył się z nim dopiero przed obiadem.

Siedział jak porażony ze wzrokiem utkwionym gdzieś w dal i z dojmującym wrażeniem, że jego mózg robi w głowie gwałtowne salto. Było to zdecydowanie fizyczne odczucie, porównywalne do zjawiska, które zachodzi, gdy pociąg, na który człowiek czeka na stacji metra, wyjeżdża najwyraźniej z niewłaściwego tunelu, a umysł robi przeskok i dopasowuje się do tego, co widzi, obracając świat wokół własnej osi i jak w kalejdoskopie zamieniając na jedną sekundę miejscami wschód z zachodem.

Tego niedzielnego poranka w pokoju znajdowała się Eve, a także Sock, ale Chloe grała dla Mercera.

Campion zobaczył sprawę z zupełnie nowej perspektywy.

Squire Mercer.

Mercer, którego nigdy nie obchodził nikt poza nim samym, nie tylko w poważnych sprawach, ale także w drobnych i najbardziej trywialnych. Mercer, który był szczerze przekonany, że nie ma na świecie nikogo ważniejszego niż on sam. Mercer, który ze względu na swój talent spotykał się z tolerancją i wsparciem ze strony ludzi, których znał. Mercer, który dysponował owym szczególnym rodzajem umysłu, wystarczająco pomysłowym i wystarczająco ponurym, aby wpaść na potworny, a zarazem absurdalny pomysł umieszczenia granatu w lampce od roweru, co było koncepcją równie groteskową i przerażająco skuteczną, co pomysł niesławnego pana Smitha*, który mordował kolejne żony w popękanych wannach podrzędnych pensjonacików. Mercer, który nieszczególnie przejąłby się faktem, że spora grupa nieznanych mu osób doznała obrażeń w potwornym wypadku na stacji kolejowej, o ile miało to miejsce dwadzieścia mil dalej.

Campion pochylił się i schował twarz w dłoniach. Czuł ogromną jasność umysłu. Miał wrażenie, że myśli układają się mu bardzo powoli.

Mercer zażył za dużą dawkę chininy tuż po tym, jak o 8:45 usłyszał w radiu wiadomość o katastrofie w Boarbridge. Następnie wystąpiły u niego – a przynajmniej tak twierdził – poważne objawy przedawkowania chininy, osobliwa dolegliwość, gdyż lekarz może ją zdiagnozować wyłącznie na podstawie opisywanych przez pacjenta symptomów: ślepoty, drgawek, bólu głowy, niedrożności ucha środkowego. Wszystkie te objawy może bez trudu symulować człowiek, który boi się, że w trakcie policyjnego przesłuchania nie będzie w stanie zapanować nad swoimi nerwami.

Campion wrócił myślami do dnia śmierci Chloe. Mercer siedział w saloniku muzycznym przy otwartych oknach. Był to praktycznie jego prywatny pokój. Bez wątpienia korzystał z niego dużo częściej niż ktokolwiek inny. Campion przypomniał sobie okno w tym pokoju. On sam wyszedł przez nie podczas swojego eksperymentu z odważnikami kuchennymi. Przypomniał sobie twardą darń pod stopami i prostą drogę wiodącą przez ogród nad jezioro. Człowiek mógł się wymknąć przez to okno na spowity mrokiem trawnik choćby i tuzin razy i nikt by nic nie zauważył.

Następnie przypomniał sobie Kummera.

---

* George Joseph Smith był seryjnym mordercą i bigamistą skazanym w 1915 roku na śmierć przez powieszenie za zabójstwo trzech kobiet. W mediach zasłynęło ono jako sprawa „mordercy narzeczonych w wannie". Sprawa przyczyniła się także znacząco do rozwoju medycyny sądowej i metod śledczych.

Kummer przyjechał do Londynu i zatrzymał się w małym hoteliku w Victorii. Przypuszczali, że był w Anglii już od jakiegoś czasu. Ale teraz okazało się, że najprawdopodobniej dopiero co przyjechał.

Skoro Mercer symulował przedawkowanie chininy, po co miałby jechać w piątek do specjalisty? A jeśli tak naprawdę pojechał zobaczyć się z Kummerem? Mercer nie potrafił i nie chciał prowadzić samochodu, ale wiedział, gdzie Sock trzyma auto.

Może Yeo prawidłowo odtworzył przebieg wydarzeń, a Mercer rzeczywiście wskazał Kummerowi samochód zaparkowany na ślepej uliczce i poprosił, żeby odwiózł go do domu na terenie posiadłości White Walls. Może faktycznie siedział obok chemika, czekając na dogodny moment, po czym zarzucił mu na głowę pled i zabił go kluczem francuskim Socka, okładając go z nieprzytomnym przerażeniem człowieka, który z natury nie miał wcale skłonności do przemocy.

Campion znów usłyszał w głowie ostrożną rozmowę telefoniczną z inspektorem, który mówił o podstępie Petriego. Może po zabiciu Kummera Mercer zepchnął auto na pobocze, po czym poszedł piechotą na stację w Boarbridge i zaczekał tam na swojego szofera, przekonanego oczywiście, że Mercer przyjechał jak zwykle wieczornym pociągiem.

Kompozytor pojechał do Paryża we wtorek po śmierci Chloe, gdy rower był już w domu, a Konrad wystąpił z pogróżkami. A skoro do Paryża, to czemu nie do Wiednia, kilka godzin dalej samolotem?

Wszystkie te morderstwa cechowała wielka nieostrożność. Yeo sam stwierdził, że człowiek, który je popełnił, najwyraźniej nie widział dla siebie żadnego zagrożenia. Były to przestępstwa kogoś, kogo we własnych kręgach traktowano niemal jak półboga. Kto był zatem owym półbogiem? Na pewno nie Sutane, człowiek pracy, świadomy swoich obowiązków, w głębi duszy przerażony ciążącą na nim odpowiedzialnością, tylko Mercer, któremu mydlono oczy, pochlebiano i którego chroniono do tego stopnia, że jego przekonanie o znaczeniu własnej osoby przestało mieć cokolwiek wspólnego z rzeczywistością.

Campion wstał.

Zrozumiał teraz sens wiadomości, którą przekazał mu Yeo za pośrednictwem inspektora. Nadkomisarz znał prawdę i zakładał niesłusznie, że on, Campion, też ją od początku znał. To Mercer ożenił się z Chloe. Mercer, który z przelotnego związku czerpał inspirację dla swojej zawstydzająco rzewnej muzyki. To nazwisko Mercera widniało w tanim notesiku i w księgach parafialnych w Brixton.

Campion doznał niezmiernej ulgi. Zalała go ona swoją falą, ukoiła i uspokoiła głosem, którym jako dziecko wykrzykiwał magiczne słowa: „To nieprawda! To nieprawda!". Był wolny. Przygniatający go ciężar zniknął. To nie Sutane. Linda, Sarah, Sock, Eve, teatr, dom, rozkoszny taniec czarodziejskich stóp – wszystko to zostało cudownie ocalone, choć katastrofa zdawała się tak bliska. Campion nie mógł pomylić się szczęśliwiej. To nie była prawda!

Zamarł. Przez przemożną falę uczuć, która doprowadziła go niemal do ekstazy, przebiły się dźwięki fortepianu, a wraz z nimi nowa, mrożąca krew w żyłach myśl.

Był jeden szkopuł.

W dalszym ciągu było coś, co od początku wykluczało Mercera z listy podejrzanych. Tej nocy, gdy zginęła Chloe, Mercer miał alibi.

Cały wieczór grał w saloniku muzycznym na fortepianie, a człowiek, do którego w tak kluczowej sprawie Campion miał bezwzględne zaufanie, był tam cały czas obecny i słuchał jego gry – wujcio William, niedoskonały, ale nieprzekupny, niepozbawiony wad, ale absolutnie uczciwy.

Campion podszedł powoli do szerokich drzwi balkonowych i zajrzał do środka. W półmroku po przeciwnej stronie pokoju dziennego znad fortepianu wystawał czarny rozczochrany czubek głowy Mercera. Campion powędrował dalej spojrzeniem i wstrzymał oddech. W głębokim fotelu, ze skrzyżowanymi pulchnymi stópkami i dłońmi spoczywającymi na krągłym brzuchu, z pustą karafką na stoliku obok i znieruchomiałą we śnie purpurową twarzą człowieka będącego na przyjemnym rauszu, spoczywał wujcio William. Być może w ciągu najbliższej godziny byłoby go w stanie obudzić stado bizonów, ale nic poza tym nie zdołałoby go raczej wyrwać z głębokiego zamroczenia alkoholowego.

Campion cofnął się i odwrócił gwałtownie na szczycie schodów, widząc, że obok stoi Sutane. Kościste, ekspresyjne ciało tancerza było rozluźnione, a ręce zwisały mu luźno po bokach.

– Niech pan nie miesza w to Eve – poprosił łagodnie. – Gdy do tego doszło, wdali się akurat w szaleńczy, beznadziejny romans. Na początku była strasznie zazdrosna o Chloe, a po jej śmierci Mercer zaczął ją inaczej traktować, czego bidulka w ogóle nie potrafiła zrozumieć. Dlatego uciekła. Nie mogła na niego patrzeć. Wszędzie jej szukałem. Opuściłem nawet przedstawienie w piątek wieczorem, żeby się z nią zobaczyć, gdy Sock już ją odnalazł. Wtedy mi wszystko wyznała.

Sutane westchnął i spojrzał Campionowi w oczy.

– Kryli się z tym, bo wiedzieli, że nie spotkaliby się z moją aprobatą.

Campion nie spuszczał wzroku z tancerza.

– Od jak dawna znał pan prawdę?

Sutane spojrzał na niego.

– Widziałem go – powiedział. – Myślałem, że pan wie. Mój drogi, widziałem go na mostku. Zrzucił mi ją prosto pod koła.

Przysunął się o krok, a jego głęboko pomarszczona twarz wyrażała bolesną szczerość.

– W życiu bym nie przypuszczał, że posunie się dalej – zapewnił solennie. – Kazałem odszukać akt ślubu i spalić go, bo wiedziałem, że sam nigdy by na to nie wpadł. Ale w życiu bym nie przypuszczał, że posunie się dalej. Po wydarzeniach w Boarbridge musiałem tu pana sprowadzić. Musiałem, Campion! Nie rozumie pan? Był pan moim sumieniem. Musiał go pan zdemaskować. Ale nie mogłem w tym panu pomóc. Nie mogłem go wydać. Po wojnie byliśmy razem w Paryżu. Byłem jego jedynym przyjacielem i – wstyd mi to mówić – nie rozumie pan? To ja byłem draniem, który uwiódł mu żonę.

Na podjeździe dał się słyszeć warkot silników i dwa wozy policyjne podjechały z chrzęstem po żwirze pod drzwi frontowe.

W pokoju dziennym Mercer grał właśnie swoją pawanę.

Sutane zaczął iść dużymi, powolnymi, pełnymi niezaprzeczalnego wdzięku krokami. Nagle zadarł do góry głowę. Na ustach błąkał mu się niewyraźny uśmiech, a w czarnych oczach lśniły niespodziewane łzy.

– Więc jak bym mógł, mój drogi? – powiedział.